Introduction

Cut It Out!

This book has wider inner margins. This means that you can easily cut or rip out the pages. Some people find this makes it more convenient to solve the puzzles.

How to Solve

Simply fill in the empty squares so that every row, column, and 3x3 section contain the numbers 1 through 9 with no repeats. A Sudoku puzzle will have only one possible solution.

For example, here is a solved Sudoku puzzle:

2	5	3	9	7	4	1	8	6
6	1	4	5	3	8	7	9	2
9	7	8	2	1	6	5	3	4
3	4	7	8	9	1	6	2	5
5	9	2	7	6	3	8	4	1
8	6	1	4	5	2	3	7	9
7	3	5	1	2	9	4	6	8
4	2	6	3	8	5	9	1	7
1	8	9	6	4	7	2	5	3

As you can see, all nine rows, nine columns and nine 3x3 sections contain the numbers 1 through 9.

Solving Techniques

Only Possible Squares
Look for squares that are the *only* place in a row, column or 3x3 section that can have a particular number. That number must go in that square, so write it in! In the example puzzle, the square in the second row with the question mark is a 5 because that is the only possible square in that row that is allowed to have a 5.

Only Possible Numbers
Look for squares that can have only *one* possible number. That number must go in that square, so write it in! In the example puzzle, the square in the sixth row with the exclamation mark is an 8 because that is the only possible number allowed in that square.

Don't Guess!
Be sure you have the correct number for a square before you write it in. Once you make a mistake it can be very hard to undo the damage later!

2	5			7			8	6
			?		8	7		
					6	5		
3	4			9			2	
	9						4	
!	6			5			7	9
		5	1					
		6	3					
1	8			4			5	3

Example Puzzle

Candidate Numbers
For the *Hard Puzzles* section of this book it can be helpful to write all of the possible candidate numbers into each square in small print. Then use this information and logic to remove all but one candidate number for a square.

Funster Tons of Sudoku
1,000+ Easy to Hard Puzzles

Charles Timmerman
Founder of Funster.com

This book includes free bonus puzzles that are available here:

funster.com/bonus8

A Funster Series Book.

Funster™ and Funster.com™ are trademarks of
Charles Timmerman.

Cover design by Red Raven Book Design.

ISBN-10: 0-9970929-6-3
ISBN-13: 978-0-9970929-6-7

A Special Request

Your brief Amazon review could really help us. This link will take you to the Amazon.com review page for this book:

funster.com/review8

Contents

Easy Puzzles

Easy 1

5		4				1		7
	8		1		4		9	
	3		5	7	9		8	
3			6		1			8
	5						3	
9			2		5			1
	1		7	6	3		4	
	7		4		8		1	
8		3				7		5

Easy 2

2			6	3	5			4
	4		8		7		1	
9	3						5	8
		9		4		8		
	6			8			7	
		8		2		9		
6	9						4	7
	1		4		2		8	
8			9	7	3			6

Easy 3

6			1		3			5
		5		9		3		
1			5	2	8			9
	2	9		8		1	6	
		4				5		
	6	8		3		2	7	
9			3	1	4			7
		7		6		4		
4			7		2			6

Easy 4

		5		3		9		
3		8	1		5	4		6
6	7						5	8
			6		2			
	5	2		1		6	9	
			3		7			
5	1						6	9
9		7	5		1	2		4
		4		8		7		

Easy 5

8			1		5			2
	6		8	7	3		4	
		1		2		5		
1		2		6		4		8
		6	3		4	1		
9		4		1		3		7
		8		4		7		
	1		7	5	8		3	
4			2		1			6

Easy 6

	9	8		1		5	3	
		3	7		6	2		
2								1
3		9	8		5	7		4
			4		7			
5		4	1		3	9		2
1								3
		2	3		1	6		
	3	5		8		1	4	

Solution on page 178

Easy 7

5		1		6		3		2
4				8				1
	7		9		5		6	
9		5				6		4
			6	7	9			
3		7				2		9
	5		1		3		4	
1				2				5
6		9		5		1		7

Easy 8

8		3	7		4	1		9
	7			3			8	
			1		2			
6		9		4		7		2
	2		5	9	1		6	
3		5		7		9		1
			8		3			
	9			1			3	
7		8	9		5	4		6

Easy 9

	3		1	8	6		2	
		5				3		
	8		9	5	3		7	
8		9		1		6		3
		1				7		
3		7		9		5		2
	2		7	3	9		5	
		3				8		
	1		5	4	8		3	

Easy 10

		7	3		9	6		
9			2		8			3
		4		6		5		
8	4	2				7	5	6
			4	8	7			
7	3	9				8	4	1
		3		7		4		
6			5		4			7
		5	8		2	3		

Easy 11

	7	5				3	9	
		8	6		9	5		
4			7		5			6
	1	3		7		9	5	
			5		2			
	6	2		9		7	4	
2			8		1			9
		7	9		4	2		
	5	4				6	8	

Easy 12

3	8		4		1		9	
7			8	3	5			6
5		4		7		8		1
			6		2			
	9	7		1		6	8	
			7		4			
4		8		2		1		9
1			9	5	8			2
	2		1		7		5	

Solution on page 178

Easy 13

7	3		8		5		1	9
			1		4			
9				3				5
3		6		1		5		2
	5			2			7	
4		2		7		9		3
2				8				4
			9		3			
1	4		6		2		9	8

Easy 14

	6	5		8		4	2	
2		8	9		6	5		3
			4		5			
		6		1		9		
	2		5		9		3	
		1		3		7		
			3		1			
8		4	7		2	1		6
	5	2		9		3	4	

Easy 15

		3	1	9	4	2		
6				5				9
9			6		7			3
3	4						8	2
			7	4	5			
1	6						7	4
5			8		2			7
7				3				8
		1	5	7	9	3		

Easy 16

3	1		8		4		7	6
		6		2		4		
	8		6		9		1	
8	5						6	4
			4		6			
4	6						2	7
	4		9		7		5	
		5		6		7		
2	3		5		1		9	8

Easy 17

1	4		5		6		9	2
		9				7		
6	3		9		1		8	4
	1			6			2	
			3		9			
	7			8			3	
5	2		7		8		4	9
		6				8		
3	8		6		5		1	7

Easy 18

3	5			4			2	9
1			3		7			8
			9	2	6			
	2	4				1	5	
			6	1	2			
	1	7				9	6	
			2	6	5			
5			1		3			6
2	6			7			1	5

Solution on page 178

Easy 19

1	5		8		9		6	3
8		6	1		5	9		2
		7				8		
	1			6			4	
			2	5	4			
	8			1			3	
		1				6		
9		8	4		6	7		5
5	6		7		1		2	8

Easy 20

8			2		1			7
2		9		7		1		5
		1				6		
	8		9		6		1	
	6	4		8		5	9	
	9		5		4		7	
		8				2		
6		3		1		4		8
4			8		2			9

Easy 21

		4	9		7	2		
6				1				8
	9	7				1	3	
9	7			5			8	1
	4		1	7	9		5	
3	5			8			2	9
	1	3				5	9	
7				9				2
		9	6		5	3		

Easy 22

		2				4		
1			2		7			8
		5	8	1	9	3		
	5	4				7	9	
	1		9	7	4		5	
	2	7				8	4	
		8	1	6	3	9		
5			4		8			2
		6				1		

Easy 23

		7	5		2	3		
3			7	4	1			8
		8				2		
1	2			3			9	7
		3	2	9	8	4		
8	9			7			2	3
		6				1		
4			6	1	7			2
		1	3		4	7		

Easy 24

		7	9	3	1	6		
6			5		7			2
	4			6			7	
9		2				3		6
			6	8	2			
4		6				5		8
	6			5			8	
3			7		9			4
		4	8	2	6	1		

Solution on page 178

Easy 25

8		4				6		9
		3	7		9	2		
	2			4			1	
4	7		6		3		5	1
		6		7		9		
3	9		1		8		6	7
	4			6			2	
		9	4		2	7		
2		1				5		4

Easy 26

			4		8			
8		1				4		7
6			1	9	7			8
	6	8		1		7	4	
		5	8	7	3	6		
	7	3		6		8	9	
3			7	4	2			1
4		2				5		6
			6		5			

Easy 27

		5	2		7	6		
	4		3	1	5		9	
		7		4		5		
5	3						2	7
			4	2	3			
9	6						8	3
		1		3		8		
	7		1	8	9		5	
		9	7		4	3		

Easy 28

	5	6	4		8	7	3	
	9						8	
3			1	9	7			6
6				7				3
			9	6	2			
8				1				5
4			7	5	1			2
	1						6	
	3	2	6		9	5	4	

Easy 29

	4	7		9		8	1	
			8		7			
3	8						2	7
7		1		2		6		8
		5	3		6	4		
4		2		5		1		9
9	2						6	1
			1		3			
	5	3		6		7	8	

Easy 30

	8		9		4		3	
		6	2	8	7	1		
1				5				2
6		1				5		9
			1	4	9			
8		3				2		4
7				6				3
		4	8	9	1	7		
	6		7		5		2	

Solution on page 179

Easy 31

4			7	5	3			9
3		5				7		4
	9	7				3	5	
	3		8		7		1	
		2		9		8		
	8		2		5		9	
	7	3				2	4	
6		9				1		8
8			3	2	1			7

Easy 32

7	2	6				1	4	8
			8		6			
		9				6		
	7	4		5		8	9	
	6		9	2	1		3	
	1	3		8		2	6	
		7				3		
			4		8			
8	5	1				4	7	6

Easy 33

7		8	6		3	2		4
			7		9			
	9						5	
5	3			8			6	9
	1	6		7		3	2	
2	7			6			8	1
	2						3	
			5		7			
1		5	8		2	9		6

Easy 34

4	3		7		1		2	9
2								5
		1	9	2	6	8		
		3				4		
	4	7	6		9	5	8	
		6				3		
		4	5	9	7	2		
8								3
6	9		2		3		4	1

Easy 35

		9	4	8	2	6		
8				9				2
3								9
7	4		8		3		9	5
		3		4		7		
9	8		7		5		3	6
4								1
1				5				7
		8	6	1	7	9		

Easy 36

	6	5	8		3	1	9	
1				7				4
		3	1		9	7		
	9						6	
	3		2	9	4		7	
	4						3	
		2	5		1	9		
9				8				3
	5	4	9		2	6	1	

Solution on page 179

Easy 37

1								5
	6		5	2	9		4	
	5	9	1		3	2	7	
3		1				5		6
			4		5			
8		5				4		7
	1	6	3		4	8	2	
	8		6	5	2		1	
2								3

Easy 38

			4		9			
6			3		1			5
	2	1		7		3	9	
	6	5		8		2	4	
	3		9	5	4		6	
	4	8		1		5	7	
	8	6		4		9	3	
3			5		6			4
			1		8			

Easy 39

6		3	9		5	7		1
1	9			7			3	5
		7	3		4	6		
7								2
			8	3	6			
8								3
		5	4		7	3		
3	1			6			7	4
4		6	1		3	2		9

Easy 40

		8	3	7	1	6		
5				9				4
3			2		5			7
1	3			5			2	6
			1		6			
6	8			2			7	5
4			5		2			8
7				1				3
		2	4	3	7	5		

Easy 41

9		3	1		2	7		4
		4	3		7	9		
	7						2	
3	2			9			7	6
			6		8			
5	8			7			9	1
	9						3	
		2	8		9	5		
8		7	5		6	1		9

Easy 42

		2		8		9		
4	5						6	3
7		6	9		5	1		2
3		7				6		1
			7		4			
6		8				5		4
9		4	8		3	7		6
2	6						8	9
		3		9		4		

Solution on page 179

Easy 43

	5		7		3		2	
2		7	4		1	3		8
8				9				4
	6		3		7		4	
		3		4		9		
	8		9		6		7	
3				7				1
9		8	1		4	5		6
	4		5		9		8	

Easy 44

	4		8	2	6		1	
		5				2		
1		2		7		9		6
	9		1	5	2		6	
		1				8		
	3		7	9	8		4	
9		8		1		5		3
		3				6		
	1		3	6	5		9	

Easy 45

8	7		1		5		2	3
		9				6		
2		6	9		4	7		1
7				5				6
			6	2	3			
4				1				2
5		3	8		6	2		9
		7				5		
6	8		5		2		3	7

Easy 46

	8	5	3		2	1	9	
3				5				2
6			8		9			3
9		3				8		1
		6	2		3	7		
2		8				3		5
8			9		5			7
4				3				6
	3	7	6		4	9	5	

Easy 47

	5						4	
	1		3		4		5	
3		7		2		6		8
8	7			1			6	4
			9	3	8			
5	2			7			8	3
4		6		5		7		9
	9		7		3		1	
	8						3	

Easy 48

	1		8		9		6	
	9	8				7	4	
			6	5	4			
8	6			3			5	2
		9		2		6		
1	7			6			8	9
			3	4	2			
	4	6				9	2	
	5		7		6		3	

Solution on page 179

Easy 49

1			6		3			2
3			4	9	8			5
		5		2		3		
	3	9				1	8	
			3	4	1			
	6	1				2	5	
		6		3		5		
9			2	1	5			8
5			8		6			1

Easy 50

3		9	7		4	2		5
	7	2				9	4	
	1		2		5		7	
		6		4		3		
			6	8	1			
		7		2		5		
	9		1		8		5	
	8	4				1	3	
7		1	4		6	8		2

Easy 51

		7	2		5	8		
5	1		3		8		6	2
6				9				3
2	9						4	8
			5	2	4			
4	6						2	5
8				5				7
1	7		8		2		5	6
		6	7		9	2		

Easy 52

	7		4		8		2	
6			9	3	1			8
4		8				1		6
	3		1		2		6	
		6		7		8		
	8		5		6		4	
3		5				7		4
8			6	1	5			2
	1		7		3		8	

Easy 53

	5	4	6		3	7	2	
			2		5			
2				4				6
3	4			6			5	2
	2		4		8		9	
8	9			2			4	3
4				5				1
			9		6			
	8	2	1		4	3	6	

Easy 54

	9		4	6	7		8	
		5	2		8	9		
8	4	7				1	2	6
5								9
			5		6			
4								1
6	1	9				2	3	5
		8	6		9	7		
	5		3	2	1		9	

Solution on page 180

Easy 55

4		3	8		1	5		9
		9		6		4		
6	1						3	2
		8	7		9	1		
			6		8			
		4	1		2	6		
9	4						5	8
		6		8		2		
3		2	5		4	7		6

Easy 56

	7			6			9	
		1	2	9	5	7		
6		9				1		2
	4		9		1		3	
		7		5		6		
	2		4		6		7	
7		3				8		9
		4	7	3	8	5		
	5			2			4	

Easy 57

		4	3		2	6		
6			5	8	4			2
5		2				8		4
	6		4		1		8	
		5				7		
	9		7		6		5	
4		6				1		9
3			9	6	5			7
		9	1		3	5		

Easy 58

	1		5		9		6	
	6			1			3	
7		2				1		8
1		5		2		6		9
		7		4		2		
9		6		5		3		7
4		1				8		6
	8			7			9	
	5		8		1		7	

Easy 59

		8	2	3	4	1		
6	4		9		1		3	8
1								9
			7		5			
	3	7		2		6	1	
			6		3			
3								6
7	5		3		6		8	1
		6	1	4	7	9		

Easy 60

2	9		6		7		8	3
		4		3		1		
3	6			1			5	2
6								1
			1	2	6			
1								4
9	7			6			4	5
		6		7		3		
4	2		5		8		1	7

Solution on page 180

Easy 61

	4		8	6	5		9	
8	6						4	3
		2	1		3	8		
4		3				2		1
			7		4			
6		5				9		4
		4	9		8	3		
5	8						1	9
	3		6	5	7		2	

Easy 62

	7			2			8	
		9	3		8	7		
6	2		1		7		9	5
	8		5		2		7	
		7		6		5		
	6		7		4		3	
8	4		2		1		5	7
		1	4		6	8		
	3			8			4	

Easy 63

1		9		2		3		7
5	2		3		4		9	8
			9		1			
6	9						8	1
			1		7			
2	3						7	5
			8		2			
8	6		5		3		1	9
9		3		1		8		4

Easy 64

	4	5		7		6	1	
8			5		3			7
1								3
5	8		1		7		3	6
			6		9			
9	6		4		8		5	1
2								5
6			3		5			4
	5	3		8		1	7	

Easy 65

4		7	3		2	1		5
1								2
	2	8		5		3	4	
7			9		1			8
		6				4		
2			5		4			7
	7	2		8		5	1	
3								4
8		4	2		3	7		9

Easy 66

1			8		6			3
		3				8		
8			9	2	3			6
	4	2		9		7	8	
	1			5			6	
	8	9		7		1	3	
4			1	3	9			7
		1				9		
9			7		5			1

Solution on page 180

Easy 67

	4	7				5	8	
5			6		9			2
			4	5	8			
	1	5		8		3	2	
		2	3	4	5	6		
	7	3		2		8	9	
			5	1	2			
7			8		3			1
	2	8				9	5	

Easy 68

7			2	6	5			3
8	5						6	7
		3	7		8	5		
3	9						2	1
	7		1		2		5	
1	4						7	8
		1	5		6	7		
5	3						8	6
9			8	7	4			5

Easy 69

	6		4		8		2	
4								7
		7	9		6	5		
	5	6		1		4	9	
		2	6	4	3	7		
	4	1		8		2	3	
		4	2		1	8		
2								9
	7		3		4		1	

Easy 70

5	9	2				8	3	1
			9		1			
7		1		5		2		4
			4		5			
	4	5		1		3	7	
			3		7			
9		4		3		6		7
			5		4			
6	5	3				4	1	8

Easy 71

	4		8	1	7		9	
2								5
7			4		2			1
4		5		8		9		7
			2	9	4			
3		8		6		2		4
9			5		8			6
8								9
	3		1	2	9		4	

Easy 72

	5		1	9	7		8	
		1	4		5	2		
		9		2		6		
3			7	8	4			5
		7				1		
4			6	1	9			8
		3		7		4		
		8	9		1	5		
	6		5	3	2		7	

Solution on page 180

Easy 73

2	5		6		8		4	9
8	4						3	6
7			2	4	3			1
		5				1		
	1		4		5		2	
		8				9		
3			5	7	9			2
5	6						9	7
1	7		8		2		5	3

Easy 74

	1		6	2	9		4	
	9	6				1	3	
			1		3			
1		5		6		2		7
		4	8	5	1	6		
8		9		7		5		4
			7		5			
	5	1				9	7	
	4		2	9	8		5	

Easy 75

2	5		9		8		7	4
7	3						9	2
		1	7	3	2	8		
		4		9		7		
			6		3			
		2		4		6		
		9	3	7	4	5		
6	8						4	3
5	4		2		6		1	7

Easy 76

	1	3	4		2	8	5	
			7	3	5			
9								7
	7	2		1		6	4	
			6	7	9			
	3	9		8		1	7	
2								3
			9	5	1			
	9	7	3		6	5	8	

Easy 77

	7		2	1	4		5	
			7	9	8			
4		8				9		2
9	3			6			4	5
			9		2			
6	2			4			9	8
1		2				7		3
			4	7	3			
	5		6	2	1		8	

Easy 78

	6	9				3	7	
3			2		9			6
	2		3	6	8		4	
9		2		3		4		8
			9		1			
6		8		2		7		1
	9		6	4	7		8	
7			8		2			4
	8	1				6	2	

Solution on page 181

Easy 79

			6		7			
	9		4		1		8	
5		4		3		1		2
3	5			9			4	1
		7		8		2		
2	8			1			7	6
9		8		4		6		7
	3		8		9		1	
			1		3			

Easy 80

9		4	8		7	1		3
7								8
	5		4		2		6	
2	4			1			3	5
			5	4	9			
5	8			7			4	1
	7		3		4		1	
4								7
6		2	7		5	3		4

Easy 81

3		5	1		7	8		6
	8						9	
			8	6	3			
5	6						7	1
	3		6	7	1		8	
8	1						4	3
			4	2	6			
	2						3	
4		1	5		8	9		2

Easy 82

	3		5	4	7		9	
			6		9			
5		4		8		6		7
4		1				2		3
		9	2		4	7		
6		2				5		9
1		5		3		9		6
			9		5			
	2		4	6	1		3	

Easy 83

	1		9	8	5		4	
9				2				8
	5	8				9	3	
		6	1		2	7		
		7		6		3		
		2	3		7	5		
	2	9				8	7	
8				9				5
	6		2	3	8		9	

Easy 84

		3	9	7	5	6		
	1		6	2	8		9	
6								2
4			8	6	7			3
		9				1		
2			3	9	1			4
9								5
	6		2	1	4		7	
		2	5	8	9	4		

Solution on page 181

Easy 85

5	8		7		9		3	1
7		3				5		8
4			5	3	8			7
		4				3		
			4		3			
		7				1		
9			3	4	2			5
2		6				7		3
1	3		9		6		8	4

Easy 86

2		4				9		3
	6		4	3	7		2	
		7		1		4		
7			8		6			4
		6		7		2		
3			1		2			6
		5		2		8		
	4		7	9	8		5	
8		2				1		7

Easy 87

9			3	1	4			6
	4		2		8		7	
	2	6		5		1	4	
		4		7		2		
	8	7				6	9	
		9		8		7		
	3	2		4		5	6	
	9		6		5		1	
6			7	9	3			2

Easy 88

3		9	6		1	8		2
	7			9			6	
		8	2		4	3		
9			5		7			4
		6				7		
7			9		6			3
		2	4		3	1		
	1			6			2	
6		7	1		5	9		8

Easy 89

			4		9			
9	1		7		8		4	3
		8		6		2		
2		7		3		9		1
	5	4	9		6	3	2	
8		3		1		7		4
		1		9		4		
3	8		1		7		9	2
			6		5			

Easy 90

7		9	6		1	3		5
8	5						4	7
6			4		7			8
		4		2		7		
	6			4			1	
		5		1		2		
4			1		5			2
9	2						5	1
5		7	2		4	8		6

Solution on page 181

Easy 91

9			5		7			6
			8	3	4			
	5	8				7	2	
6		7		5		8		9
			3	1	9			
1		4		8		3		2
	4	2				9	7	
			9	7	5			
3			2		8			5

Easy 92

4		1				9		5
7			2		4			8
	8		1	7	9		4	
5				6				3
	3		5	2	1		6	
6				8				4
	4		6	1	2		5	
2			3		5			1
1		6				4		2

Easy 93

			4	1	8			
1		9				3		4
	4		9		6		1	
2		7				6		5
		4	6	5	7	9		
6		1				7		8
	6		3		5		8	
9		8				2		3
			8	2	1			

Easy 94

8	2		9		7		6	4
7								2
	6	3	1		8	9	7	
		4		9		2		
	7	6				5	3	
		2		5		7		
	9	1	8		5	4	2	
5								7
2	3		6		9		5	1

Easy 95

	7		3	5	1		6	
		8				9		
	3	5	9		8	4	7	
3		7				2		8
			5		7			
5		6				3		7
	1	2	8		6	5	9	
		3				1		
	5		1	9	3		2	

Easy 96

2		5				7		1
			2	7	1			
1	7		5		6		3	9
5			7		4			8
		7				1		
4			8		2			6
9	1		3		5		2	7
			1	2	9			
6		2				9		3

Solution on page 181

Easy 97

		9	8		4	3		
		2	9	3	7	1		
4	6						7	8
7		4		2		5		1
			4		8			
3		8		7		6		9
6	4						3	5
		7	5	4	2	8		
		5	3		6	4		

Easy 98

		8		3		7		
	6		5		4		1	
			7		2			
8	9		2		3		6	4
	7	6		4		2	8	
4	2		8		5		7	9
			9		8			
	1		4		7		2	
		9		2		4		

Easy 99

	2	1	3		7	9	5	
8				1				6
			8		9			
1	4			3			6	2
			4	8	6			
9	6			7			3	4
			6		1			
3				9				7
	1	6	7		3	4	8	

Easy 100

		3	5	7	2	4		
2			8		1			5
	5	7		9		1	2	
6		2				8		4
			2		8			
9		1				3		2
	2	8		3		6	4	
4			1		7			8
		9	6	8	4	2		

Easy 101

5	7		6		1		9	2
9								1
	4		7	2	9		8	
		7		1		2		
	3		5		4		1	
		1		9		7		
	2		9	3	7		5	
7								4
3	1		8		2		6	7

Easy 102

	6	7				9	2	
	3		8	2	7		6	
	8		4		9		1	
3				5				9
			7	1	2			
2				8				1
	2		1		5		3	
	5		2	7	6		9	
	9	6				7	5	

Solution on page 182

Easy 103

	6		2	9	1		5	
		5	8		3	7		
8								1
4	8			1			6	3
			9	3	8			
3	7			4			9	2
6								5
		8	3		9	2		
	2		5	8	6		1	

Easy 104

		2	8	5	9	6		
	1	8	3		2	4	9	
		5				7		
2				9				3
			2	8	4			
1				3				4
		7				1		
	9	1	7		3	8	5	
		6	9	4	1	3		

Easy 105

4			7	9	8			3
8		7				1		4
	9		4	5	1		7	
		8	9		4	3		
	4						6	
		6	2		5	7		
	6		3	4	2		8	
2		5				4		6
3			5	7	6			2

Easy 106

	9		5		1		6	
8	5						4	1
1		4		7		9		3
9				1				2
			8	2	9			
7				6				4
5		1		3		6		8
6	7						2	5
	2		7		6		1	

Easy 107

	4			5			7	
7			9		2			6
2	8			7			1	3
		3	2		5	9		
	2	5		1		3	8	
		4	3		6	7		
4	6			9			2	8
5			1		8			7
	3			2			9	

Easy 108

	7	2	1		3	8	6	
		5	2		6	3		
	1						2	
1		7		8		5		2
	9		3		5		1	
3		6		2		4		8
	2						5	
		9	4		2	6		
	6	1	5		8	2	4	

Solution on page 182

Easy 109

		1		5		6		
5			9	7	8			3
	7		1		4		9	
1		4		9		7		8
	8	5				9	3	
9		3		8		4		2
	3		7		9		6	
4			6	3	5			9
		9		4		3		

Easy 110

9		3				5		7
8	5			6			9	2
			5		9			
3		9	2		5	7		1
	2						4	
7		4	6		3	2		9
			1		6			
6	7			8			2	5
4		8				9		6

Easy 111

	5	1	6		2	3	7	
6	7						2	8
		4	5		8	1		
		8		2		6		
			1		5			
		3		6		7		
		2	3		4	9		
1	4						5	3
	3	5	2		6	4	8	

Easy 112

3			7	9	4			2
	1			3			4	
		9	2		1	5		
	6	2				4	9	
		8	3		2	6		
	5	3				2	1	
		6	8		9	7		
	7			2			5	
9			5	6	7			1

Easy 113

			7		9			
	3	6				7	2	
7			2	6	3			9
		8	6		7	1		
	1	4		9		3	6	
		9	3		1	4		
4			9	7	6			5
	9	7				8	4	
			5		4			

Easy 114

4				7				5
		9	8		5	4		
	8		4		3		7	
2		7				6		1
		3	9	6	7	5		
8		6				7		9
	1		7		9		5	
		5	1		2	3		
3				4				7

Solution on page 182

Easy 115

	3		8	5	9		7	
		7		1		8		
8			6		7			4
9		3	7		1	2		8
		2				6		
5		1	3		2	9		7
1			9		5			3
		6		4		5		
	5		1	3	6		8	

Easy 116

3	4	1				5	8	9
		6		5		1		
			8	1	9			
7				2				4
	8	2	9		4	7	5	
6				8				1
			6	4	1			
		5		7		9		
2	6	3				4	1	7

Easy 117

9	7		5		6		3	2
		2		4		6		
			9	7	2			
	4	9		5		3	8	
	8	1				4	5	
	3	6		9		7	2	
			7	3	9			
		7		8		9		
6	9		4		5		7	3

Easy 118

3			8	7	2			9
9	4		6		1		2	3
		7				5		
2				6				7
			7	9	8			
7				2				5
		9				3		
6	7		5		9		8	2
8			4	3	7			6

Easy 119

		2	8	4	7	5		
3								8
	5		6		9		1	
6		3		5		1		7
		5		8		6		
8		4		1		9		5
	8		4		1		5	
4								1
		1	2	6	3	8		

Easy 120

		1	3	5	8	7		
	9		4		7		8	
		4		1		5		
9	4						6	2
			9	2	5			
7	1						5	9
		8		9		1		
	5		1		2		4	
		9	5	4	3	6		

Easy 121

		6		5		8		
3		7				4		6
2			7		6			1
6	7			1			8	3
			6	9	3			
9	3			7			2	5
7			4		5			9
4		9				3		8
		5		3		7		

Easy 122

5			8	4	9			6
4	9			6			2	5
			2		5			
7		5				6		8
			6	7	4			
3		6				9		1
			1		6			
9	6			8			1	2
1			9	5	2			7

Easy 123

6				5				3
		7	3		9	8		
	1		6	7	4		9	
	7	2				6	3	
			4	6	1			
	8	6				9	4	
	6		1	3	7		2	
		1	5		2	3		
7				4				8

Easy 124

9								2
		3	6		7	9		
		2	8	9	4	1		
7	3			6			9	4
		8		1		3		
2	6			4			8	1
		7	4	3	5	8		
		4	1		6	2		
3								7

Easy 125

	8	9	1		2	3	6	
			9	6	3			
3	6						1	4
2				1				6
		8	7	2	9	1		
9				3				8
1	9						4	7
			2	7	1			
	2	7	4		5	6	3	

Easy 126

		1		3		8		
8			6		9			4
2	6		5		4		9	3
5		4				2		7
			4	7	1			
7		9				6		1
1	5		8		6		7	2
4			1		7			8
		8		9		4		

Solution on page 183

Easy 127

4		9		7		8		3
3	7		6		1		5	4
		6		3		1		
		4				2		
			7	2	5			
		8				7		
		7		5		4		
6	4		8		7		2	9
1		5		9		3		7

Easy 128

	4	6		9		3	5	
1								9
9	7		2		1		8	6
	2		9		8		1	
		4	1		3	5		
	9		6		2		3	
7	6		5		9		4	3
8								5
	5	9		8		1	2	

Easy 129

	8		7	3	9		5	
		2	8	4	6	3		
3								4
8	2		9		4		3	6
	6						9	
9	1		6		5		8	7
5								8
		8	2	9	3	6		
	9		5	1	8		4	

Easy 130

		7	6	2	5	1		
	2	1				6	5	
5			1		4			7
	6		8		9		7	
	5			3			1	
	1		5		6		4	
6			2		1			3
	3	5				7	6	
		9	7	6	3	4		

Easy 131

	8		5	7	4		3	
5			1	3	8			2
1								5
8	9	3				4	7	6
			8		6			
6	1	2				5	9	8
3								9
9			7	1	3			4
	2		9	6	5		1	

Easy 132

	2						5	
1			9	6	8			4
	6		5	4	2		1	
	3	1				5	6	
			3	1	5			
	9	7				1	3	
	1		2	8	3		7	
2			4	5	9			1
	4						9	

Solution on page 183

Easy 133

7			3	6	2			4
	2						8	
		1	8		7	6		
	7	8		1		4	5	
		9	4	2	8	7		
	6	4		7		8	3	
		3	2		9	5		
	5						1	
6			5	8	1			3

Easy 134

		9	3	8	2	6		
2			7		1			5
	6			5			2	
		6	5		7	9		
	9	3		1		5	7	
		7	2		9	4		
	8			9			5	
9			8		5			4
		5	1	7	6	2		

Easy 135

1		5		2		6		3
	7		6		3		2	
			1		8			
7		8		1		4		6
		2	5	6	7	3		
5		3		8		2		1
			8		1			
	2		9		5		6	
8		9		3		7		5

Easy 136

7			5		8			9
	3						4	
		8	9	6	3	7		
4	2			8			7	5
		5		3		4		
8	6			5			9	2
		4	3	1	2	6		
	8						2	
3			8		6			4

Easy 137

	3	9	5		1	7	4	
	5						3	
	6	8		2		9	1	
6			8	5	3			9
		7				5		
3			4	6	7			1
	1	6		4		3	5	
	7						9	
	8	3	1		5	6	2	

Easy 138

4			8	1	3			9
1	5						2	6
		9	6		5	8		
2				9				3
			1	3	6			
3				8				5
		7	3		9	6		
5	9						4	8
6			7	5	8			1

Solution on page 183

Easy 139

	9	7		3		1	2	
8			1		6			9
		6	9	5	2	7		
		1				6		
			4	2	1			
		9				4		
		8	7	9	5	2		
3			2		8			5
	5	2		4		8	1	

Easy 140

	7		1	4	2		5	
			3		6			
4	9			5			1	2
7		3				9		4
			8	3	4			
6		5				1		8
9	6			1			4	5
			6		5			
	1		4	8	9		6	

Easy 141

3		2	7		4	5		6
6	1						3	4
	9			6			8	
9			8	5	2			1
	6						2	
2			6	3	1			9
	2			1			9	
1	3						6	2
8		4	9		6	1		3

Easy 142

5	9		2		8		7	1
1			9	5	4			3
	4			7			5	
		7		1		8		
	2		8		7		4	
		5		4		1		
	3			8			1	
6			7	2	3			4
7	5		1		6		2	8

Easy 143

	2		4		3		5	
8			9		5			4
		4		1		7		
1		6				3		2
	8		3	6	1		4	
4		5				9		6
		2		5		4		
7			6		2			5
	5		7		4		2	

Easy 144

		3	5	2	9	8		
5		8	3		7	9		1
	6						3	
		4		5		2		
	2			8			5	
		5		1		3		
	5						9	
2		7	6		8	1		5
		1	2	7	5	6		

Solution on page 183

Easy 145

8			7	2	4			9
2		7		9		4		5
		4				7		
4	7		3		9		1	6
		1				9		
6	2		8		7		5	4
		5				6		
1		2		3		8		7
7			4	8	1			2

Easy 146

	8		7		6		1	
	4			9			8	
9		1	4		3	7		5
	7		5	1	4		6	
		6				5		
	2		8	6	9		4	
1		4	9		7	8		6
	9			3			7	
	5		1		8		3	

Easy 147

6			7	1	2			4
	9						8	
		4	8	3	9	7		
		5	9	6	7	4		
	2	1				5	6	
		6	5	2	1	8		
		3	2	9	5	6		
	5						3	
8			1	4	3			5

Easy 148

	1		4	5	9		6	
		9				4		
4		6		1		9		8
2	6						9	1
			3	2	1			
1	7						3	2
6		1		4		7		9
		8				3		
	4		7	9	5		8	

Easy 149

	1	4		2		5	8	
5				3				4
2				8				3
	5	8	2		3	6	4	
		7				3		
	6	3	1		8	2	9	
6				1				9
7				4				5
	9	1		6		4	3	

Easy 150

	3	1	5		2	9	7	
6				9				4
8		5		7		3		2
3								9
		8	2	5	9	1		
5								7
9		6		4		2		1
1				2				5
	5	7	9		3	4	8	

Solution on page 184

Easy 151

	3		2	7	1		5	
2								8
		1		4		2		
	5	2	3		4	7	1	
	4	6		8		5	3	
	9	7	5		2	6	8	
		3		2		8		
5								1
	8		1	5	9		2	

Easy 152

		2	7	3	9	1		
9		7				3		2
			4	2	8			
2	1						8	9
			3	5	2			
7	4						2	3
			8	4	7			
3		4				8		1
		8	5	1	3	7		

Easy 153

2		7				6		3
	5		7		8		4	
8				4				5
1		3				5		9
		5	2	9	3	1		
7		2				8		4
5				2				8
	1		3		4		7	
3		9				4		6

Easy 154

			7	6	5			
6			8		9			7
	2	5				9	8	
9		6		4		1		2
			6	1	8			
1		4		9		3		8
	5	9				6	7	
3			1		4			5
			9	5	6			

Easy 155

8		5	4		9	1		3
7								6
			7	3	5			
2	4			7			6	5
		7		9		4		
6	1			2			3	7
			9	4	2			
4								9
9		8	1		3	6		2

Easy 156

	4	1		3		7	9	
	7	3		4		5	2	
			1		9			
2			6		3			7
	8	7				9	6	
6			7		4			5
			4		8			
	9	4		2		6	7	
	6	8		1		4	5	

Solution on page 184

Easy 157

		2	8		7	9		
	8	9				1	5	
7	4			5			2	8
1			7	6	9			5
		6				7		
5			2	3	4			6
9	7			4			8	1
	6	5				4	9	
		4	5		8	6		

Easy 158

		3	8		4	6		
		6		3		9		
8			9		2			4
	4	5		2		3	7	
			1	5	9			
	6	8		4		2	9	
3			2		5			9
		2		9		5		
		9	4		6	1		

Easy 159

	1	5				3	9	
			5		7			
	7	2	1		4	8	6	
5		1		4		6		2
			2	1	6			
2		4		7		1		3
	5	8	4		2	7	1	
			7		1			
	2	7				5	4	

Easy 160

6	5			2			7	9
			3		4			
		2	9		7	1		
2		8				7		1
	1		4	8	2		6	
3		9				2		8
		6	8		9	3		
			6		5			
8	3			4			9	5

Easy 161

2			9	1	8			4
	5						2	
9		1				7		8
3		4	7		5	2		6
		5		6		1		
8		9	1		2	4		5
4		3				5		2
	8						1	
1			2	5	3			9

Easy 162

			7	1	5			
		5		2		8		
	9	6	8		3	1	5	
8			5	7	2			1
		2				5		
5			9	3	1			6
	4	1	3		7	6	2	
		7		9		3		
			2	6	4			

Solution on page 184

Easy 163

	2	1	5		3	8	6	
			8		1			
3	8						5	9
6		3		8		7		5
	1			3			8	
8		5		4		9		1
1	6						7	8
			6		8			
	5	8	3		2	4	9	

Easy 164

	5	3		2		6	4	
	6		4	5	9		2	
4			6		3			5
		5		9		8		
	9						1	
		4		1		9		
2			5		8			1
	4		1	3	2		5	
	1	6		4		2	8	

Easy 165

		2	4		8	3		
3		7		6		4		5
4	9						8	7
6			7		9			8
		5		1		7		
2			3		5			1
7	6						5	2
8		9		5		6		4
		4	6		7	1		

Easy 166

	6	2				7	4	
4			2		6			5
	9		7		4		6	
3		8		4		5		2
		5		7		4		
2		9		5		3		6
	5		4		7		3	
8			1		5			7
	2	1				6	5	

Easy 167

8	1			6			9	2
			1		9			
	2	9		8		1	7	
		7	9		3	8		
	3		2		8		5	
		8	6		7	4		
	9	2		7		5	3	
			5		2			
3	6			9			8	7

Easy 168

	5	7	3		9	4	1	
9								5
		2	5	8	4	6		
3				1				4
		1	9	4	3	5		
5				2				3
		9	4	5	2	3		
4								7
	6	5	7		8	9	4	

Solution on page 184

Easy 169

		7	3	5	4	8		
	8		6	2	1		4	
3		6				1		5
8								6
		3	5	8	9	4		
7								8
9		1				6		4
	3		1	6	5		7	
		2	4	9	7	3		

Easy 170

8			5		1			6
	5	9		6		1	2	
		2				8		
5	2			1			9	8
		1		3		7		
3	8			5			4	1
		3				5		
	1	8		9		2	6	
6			1		2			3

Easy 171

	4		2	6	5		8	
			3		8			
3		7		1		5		2
6		3				8		1
		8	6	4	1	3		
9		4				6		5
2		5		8		4		6
			4		6			
	9		7	2	3		5	

Easy 172

	1		9		4		7	
8	9			1			5	3
		5	3		2	9		
4			2		3			9
		9		4		6		
5			8		6			1
		6	5		9	8		
2	3			6			9	5
	5		4		1		6	

Easy 173

	2			8			9	
5			6	2	9			1
		9	1		5	3		
3			9		8			4
		8		7		5		
6			5		1			8
		1	2		3	7		
7			8	5	4			2
	3			1			8	

Easy 174

2								3
9			1		6			5
	5		4	2	3		1	
5		9		1		3		4
	7		6	3	4		5	
4		2		5		6		1
	9		8	6	1		2	
1			2		7			6
6								8

Solution on page 185

Easy 175

5		2	6		9	8		7
		3	8		2	5		
6				1				3
	3		4		6		8	
		5		2		7		
	2		5		7		3	
4				7				2
		6	2		4	1		
2		8	1		3	9		4

Easy 176

2			9		5			8
		5	1		2	9		
	9			3			5	
	2	3		9		7	1	
			2	1	3			
	8	9		6		5	3	
	1			2			6	
		8	4		1	3		
3			8		6			5

Easy 177

	8		4		3		2	
1		9	6		2	8		7
	2						5	
		8		6		9		
		7	3	8	1	5		
		6		2		7		
	7						9	
8		1	2		6	3		5
	6		9		7		1	

Easy 178

		5	3	8	2	6		
	7			6			5	
6			5		7			3
8		2		4		1		5
		9				4		
1		4		3		9		8
5			8		4			6
	4			7			8	
		3	1	5	6	7		

Easy 179

7			3	9	8			2
		8				3		
	4		5		6		7	
4		7		5		6		1
			1	8	4			
9		3		2		5		4
	3		8		1		6	
		9				4		
5			4	6	9			8

Easy 180

	3		6	7	2		1	
	9	1	5		4	6	3	
	5			3			8	
9								1
		3	2		6	8		
8								6
	6			1			9	
	8	9	3		7	4	5	
	7		8	2	9		6	

Solution on page 185

Easy 181

	9	4		2		5	7	
		7				2		
2		8	5		3	4		9
9			2		6			4
			3		4			
5			7		8			6
1		6	9		7	3		5
		9				6		
	7	5		3		1	9	

Easy 182

4	8			5			2	9
3								5
2			3	6	4			8
		2	5	1	8	9		
	1						3	
		9	2	7	3	1		
9			6	2	1			3
8								1
1	6			8			9	7

Easy 183

9		7	3		1	6		8
		8	9	7	4	3		
1	3						7	9
4				6				3
		6				2		
2				1				6
8	1						3	4
		5	1	3	8	9		
3		9	2		7	1		5

Easy 184

	4		9		3		2	
9			5	4	2			1
		7				3		
1		2		8		4		5
		4		5		6		
5		6		2		1		8
		8				9		
3			6	9	7			4
	1		8		5		6	

Easy 185

6	9		5		7		8	2
		5		2		6		
			6		9			
	4	2		3		7	5	
		8	4	5	1	2		
	5	9		6		8	4	
			2		5			
		1		4		9		
9	8		1		6		2	5

Easy 186

9	4			3			2	8
3			2		5			4
5		6	1		4	7		9
		3				9		
			6	7	3			
		4				3		
4		8	5		9	2		6
6			3		8			1
1	5			6			9	3

Solution on page 185

Easy 187

1	3			6			8	4
7		5				9		3
	9		1		5		6	
		8		5		1		
			6	2	1			
		6		7		3		
	8		7		3		9	
9		3				7		2
6	4			9			3	1

Easy 188

	4	6		1		5	2	
5		8	4		6	9		3
		9				4		
	7		3		9		5	
	8						6	
	6		5		1		9	
		7				6		
8		4	6		5	1		7
	1	3		9		2	8	

Easy 189

8								3
	9	2	7		8	5	4	
5				1				6
	8		9		2		1	
	2	5		8		3	9	
	6		5		3		2	
7				9				8
	3	1	8		7	4	5	
2								9

Easy 190

		9	8	4	3	7		
4				9				2
	8	3		2		4	5	
	5		4		7		3	
	7		2		8		6	
	3		6		9		7	
	9	5		8		6	2	
7				6				3
		2	9	7	5	8		

Easy 191

		2	3	5	7	9		
	4		1		2		7	
5				9				2
	6	5		2		7	1	
		8				4		
	9	4		7		6	2	
9				4				1
	8		9		6		5	
		6	7	1	5	8		

Easy 192

	6			7			4	
1		9	8		2	5		7
3			5	4	6			9
9		3				4		8
			3		4			
6		4				3		1
4			7	8	1			5
8		5	4		3	7		2
	1			2			3	

Solution on page 185

Easy 193

	8		6		4		5	
2		1		3		9		6
7	5		8		1		3	4
	9						7	
			3	1	7			
	2						1	
8	1		9		3		6	5
4		5		7		8		2
	7		2		8		4	

Easy 194

4			5		9			3
5	9			8			1	6
		2	6		4	9		
	8						9	
	5		1	4	3		6	
	2						4	
		3	4		6	7		
2	4			3			5	9
8			9		1			4

Easy 195

	2	7	8		4	5	1	
		5	6		1	4		
		8		5		7		
5				8				4
			4	1	3			
2				9				1
		2		6		8		
		3	7		5	1		
	7	4	1		8	6	5	

Easy 196

		3		7		5		
	2			1			7	
5	7		2		8		4	3
	4	1				3	8	
			3	4	1			
	3	5				9	1	
3	1		4		7		9	6
	5			2			3	
		8		3		2		

Easy 197

		5	9	3	8	2		
	2		5		6		9	
	7			2			5	
1	8						7	5
		6	7		5	4		
7	5						2	6
	1			5			6	
	3		6		2		4	
		9	3	4	1	7		

Easy 198

3	8			5			7	1
5	7		9		1		2	3
1				3				9
		1	5		7	3		
	2						4	
		3	4		2	1		
9				2				6
7	6		3		9		8	5
2	1			7			3	4

Solution on page 186

Easy 199

		2				6		
7	8			6			4	2
6			7	2	5			3
	6		1		4		2	
		5		7		1		
	1		5		6		3	
5			6	4	7			1
8	2			5			9	7
		4				3		

Easy 200

9	1			6			4	2
	4			1			5	
6			4		5			1
		2	5		1	3		
	6			3			9	
		4	6		2	1		
1			9		4			8
	5			7			1	
4	2			8			6	9

Easy 201

	7			2			9	
1			3		9			5
	3		1		5		4	
	9	3		1		8	2	
		7		5		1		
	8	1		4		7	5	
	5		8		1		6	
3			7		2			8
	1			3			7	

Easy 202

	4	8		7		2	3	
9								1
3	1		8		6		5	4
2			9		1			8
			7		8			
5			6		4			7
8	3		4		9		7	2
4								5
	2	9		1		4	8	

Easy 203

		9		4		5		
7			8	5	3			6
5	8						3	4
	3		4		6		7	
		7		2		3		
	9		7		1		4	
2	5						6	1
9			2	1	4			7
		1		6		9		

Easy 204

1				2				7
4			1		3			8
		8	7		5	4		
	6	4		3		8	1	
		3		5		9		
	1	9		8		2	6	
		1	3		8	7		
3			5		9			2
8				1				9

Solution on page 186

Easy 205

	3	1	5		4	6	9	
		5				7		
7	6			2			4	1
3			9		7			4
		7				9		
9			8		6			3
1	7			9			2	5
		4				3		
	2	3	7		5	8	1	

Easy 206

	7	1	9		4	5	2	
4	2						9	6
			6		2			
1				5				7
		4	7	2	3	9		
2				9				4
			2		5			
7	4						1	5
	5	3	8		7	4	6	

Easy 207

3	7			8			6	2
		6	2		3	1		
5								4
2	3		7		6		5	1
		5	8		2	6		
8	6		4		5		2	9
7								8
		9	1		8	4		
4	1			5			9	6

Easy 208

	7	1				8	3	
3	9		1		5		4	7
8			7	3	6			5
	3						9	
			2	9	8			
	4						6	
7			8	5	9			4
6	5		3		2		8	1
	8	2				3	5	

Easy 209

5	6	8				7	2	9
		1	7		2	5		
	7			5			3	
	5	6				9	4	
			1	4	3			
	4	7				2	1	
	1			7			5	
		3	2		5	4		
7	2	5				3	6	1

Easy 210

1	7						6	2
	8	9	4		3	1	7	
		5				4		
4				8				6
	6		3	4	7		8	
7				2				3
		6				9		
	4	2	9		1	6	3	
9	5						2	1

Solution on page 186

Easy 211

3	9			2			5	8
2			5		7			4
	1		8	4	3		9	
	3	8				2	4	
			2		8			
	2	1				8	6	
	4		3	7	9		8	
8			1		6			9
1	6			8			7	3

Easy 212

	3		5		2	8	9	4
8			3				2	5
				8	9			1
			9		7	5		2
		2				4		
3		5	4		8			
6			2	9				
9	5				3			6
2	4	3	1		6		5	

Easy 213

			6	8	2			
		4	5		3	8		
3		2		1		5		6
8	6			3			4	7
		3	4		5	9		
2	4			6			5	3
4		8		5		7		9
		1	3		9	6		
			2	4	8			

Easy 214

	9	5	3		1	6	7	
3				8				5
7				4				1
		9	5	6	7	2		
		3				7		
		2	4	1	3	9		
2				7				9
1				5				7
	5	7	8		4	1	6	

Easy 215

6			9	7	8			2
8	4			3			7	9
		7				6		
	6	8	4		3	2	5	
		3				9		
	5	9	7		1	3	4	
		1				8		
7	9			8			2	3
5			3	2	9			4

Easy 216

2		1				9		4
4			1		9			6
	9	7		5		1	2	
6	7			1			9	3
			3		7			
1	8			9			7	5
	1	2		4		5	8	
8			9		1			2
7		6				4		9

Solution on page 186

Easy 217

		5	4	1	2	3		
3	1						5	7
9			5		3			6
	9	4				8	3	
			1		8			
	2	6				7	9	
2			7		6			8
7	8						6	4
		9	2	8	1	5		

Easy 218

	6	1		3		7	9	
5		7		6		3		4
			1		7			
1	7			2			4	9
		2	9		5	1		
9	3			4			7	5
			6		9			
4		9		5		6		3
	2	8		1		9	5	

Easy 219

	9		5		3		8	
5				4				3
2		3				9		6
	2	7		6		5	3	
		1	3	9	7	8		
	3	4		8		7	6	
4		9				3		8
7				3				5
	8		1		9		4	

Easy 220

4			7		2			6
	7	5		9		8	2	
		8	6	5	1	4		
	6						3	
	2		5	6	8		1	
	4						5	
		4	3	7	6	1		
	8	2		1		3	6	
1			8		5			9

Easy 221

		7	9		6	8		
4			7	2	8			5
1								6
8	4		1		7		9	3
		3		9		6		
9	1		8		5		4	2
3								7
6			3	7	1			9
		5	4		9	3		

Easy 222

5			7		2			3
8								2
	3	7		5		9	4	
1		5	3		4	6		8
		3				4		
4		2	9		8	5		1
	2	8		9		1	7	
7								4
6			2		7			9

Solution on page 187

Easy 223

	6	1	2		8	7	4	
9								8
	2		3	9	4		6	
7	9						1	3
			5		3			
4	3						8	5
	7		1	3	9		5	
6								2
	1	3	6		2	8	9	

Easy 224

6			4	1	7			2
	2	1				7	4	
		3				6		
8	1		6		3		5	9
	9			4			6	
2	3		5		1		8	7
		8				3		
	4	2				8	1	
1			3	5	8			4

Easy 225

		8	6	7	3	2		
	1						7	
7				2				9
5		2	4		1	7		3
	8	7		6		4	5	
6		3	2		7	1		8
4				1				6
	6						4	
		5	9	4	6	8		

Easy 226

4	1		2		6		8	5
		9				1		
	5		9		1		6	
3		5		1		4		8
	8						5	
6		4		8		3		9
	9		7		2		3	
		8				2		
7	4		3		8		9	1

Easy 227

5		2	9		8	1		3
		8	7		2	5		
	3						9	
3	5			9			8	4
	9			8			2	
8	2			1			5	7
	4						6	
		5	3		9	4		
2		9	4		1	7		5

Easy 228

	8		5		9		4	
		5		6		9		
6			1		7			5
2	7			5			9	3
	5		7	1	3		6	
3	6			9			7	1
4			6		1			2
		6		8		7		
	2		3		5		1	

Solution on page 187

Easy 229

	1		9		6		3	
		8				6		
7			3	5	1			4
6	5			9			2	8
	4	3				9	1	
1	9			3			4	6
3			4	1	8			5
		4				1		
	7		6		9		8	

Easy 230

5		7		8		2		3
	6		2		4		8	
			3		7			
	9		5		1		3	
	5	1		7		4	6	
	3		4		9		5	
			7		5			
	7		9		8		2	
9		5		4		3		1

Easy 231

		1	9	3	4	2		
7		9		8		3		6
8								5
	8		4		1		5	
	9	4		5		1	7	
	5		6		2		9	
9								4
4		8		6		7		1
		6	1	4	8	5		

Easy 232

3			1	9	2			7
		9	7	5	6	8		
7								9
1	3			6			4	5
			5		9			
9	5			7			6	1
4								2
		6	3	2	1	4		
8			9	4	5			6

Easy 233

4	8	3				2	7	6
6		7				3		9
			3		6			
2		1		6		4		3
	4						6	
7		5		4		8		2
			4		9			
8		9				6		1
5	7	4				9	2	8

Easy 234

9								8
6			1	2	9			3
		4	8		5	2		
8	4			6			3	7
		6		5		8		
2	9			8			6	1
		1	5		8	7		
5			6	1	7			4
7								5

Solution on page 187

Easy 235

	6		8	7	1		5	
	3		2		9		8	
		2				9		
7	2		4		6		9	8
		9		8		6		
3	8		5		7		1	2
		8				7		
	7		9		5		4	
	4		7	6	8		2	

Easy 236

	9			3			7	
7		3	9		1	4		6
2		6		4		3		9
	6		1		3		2	
		4				9		
	2		4		9		3	
8		2		9		1		7
6		7	2		4	8		3
	3			1			4	

Easy 237

	4	1		6		8	7	
6	2						5	4
		8	1		4	6		
	1		4		9		8	
			5		8			
	7		6		3		9	
		7	9		1	2		
2	3						4	1
	8	9		4		7	3	

Easy 238

4			3	2	6			7
7		9				2		8
	5		8		9		1	
9	7						8	2
		5	7		2	3		
3	2						6	5
	3		2		7		4	
1		2				5		9
6			4	5	1			3

Easy 239

3	9				5		7	
	4			3		9	1	
5	6			9	7	4		
	7							2
2			6	5	9			1
1							6	
		5	9	6			3	7
	2	6		8			5	
	1		5				9	8

Easy 240

		3	2	9	7	4		
9		7	3		4	5		1
2				1				9
	3						4	
		9	4		1	2		
	7						1	
6				2				3
3		5	1		6	7		2
		1	8	3	9	6		

Solution on page 187

Easy 241

	8		4		1		5	
6				5				8
		1	8	7	2	3		
5	1						8	4
			6	8	9			
8	9						3	6
		4	3	1	6	8		
1				9				7
	6		7		8		4	

Easy 242

8		7		9		1		5
			7		5			
	5			1			7	
7	4			3			1	6
	6	8	1		7	9	4	
9	1			6			8	7
	7			5			9	
			6		1			
1		6		7		3		4

Easy 243

		7				5		
5			9		1			4
	1		3	7	5		6	
7		1		4		3		5
		8		6		1		
9		3		1		4		6
	9		8	5	7		4	
6			4		2			1
		4				8		

Easy 244

8			7	2	6			9
		2	5	8	3	7		
		7				6		
7	1			5			2	6
		5				9		
2	3			1			5	4
		8				4		
		6	8	4	2	1		
4			1	7	5			8

Easy 245

6			1		7			3
	2	1		6		4	5	
	9		5		3		6	
	7						9	
		9	4	7	1	3		
	3						7	
	5		8		4		3	
	1	8		3		2	4	
9			7		2			8

Easy 246

		6	2		4	9		
	2			5			7	
7	5		3		6		4	8
9				2				6
		2		3		4		
3				9				2
8	9		1		2		6	5
	4			6			1	
		1	9		5	7		

Solution on page 188

Easy 247

	6		7	4	9		3	
	3	5				7	9	
4				8				2
	2		4	7	6		5	
		7				3		
	5		2	1	3		8	
6				3				9
	9	2				8	4	
	1		8	9	4		6	

Easy 248

		5	1	9	6	8		
	6						4	
1			7		8			9
7		8		6		3		5
		4		8		7		
3		6		1		4		2
2			8		3			6
	8						7	
		1	9	7	4	2		

Easy 249

5	3	1				6	2	4
	4						7	
8			5		2			3
2		8		6		7		1
			7	1	8			
4		7		5		8		9
3			8		6			7
	6						8	
1	8	4				2	9	6

Easy 250

		4	2		9	7		
			5	6	3			
3		5		1		9		8
6	3		1		2		7	9
		7				6		
9	4		7		6		5	2
5		2		9		3		1
			3	2	1			
		3	8		5	2		

Easy 251

			1		7			
	6	3				4	7	
		8		6		9		
4	1		2		6		3	8
	7	6		1		2	5	
9	3		8		5		6	4
		4		3		6		
	5	1				8	4	
			6		4			

Easy 252

8			2	4	6			3
		2				8		
4			1	3	8			9
2	4			5			9	8
			9		2			
6	9			1			2	7
9			3	7	5			4
		3				5		
5			6	8	1			2

Solution on page 188

Easy 253

		8				2		
5	6		4		2		8	1
	4		7	8	6		9	
4				6				2
		1		3		4		
7				4				9
	5		9	2	4		1	
2	1		6		3		7	8
		6				5		

Easy 254

1		7				4		3
2			5	3	7			1
			8		4			
	3	2		6		5	1	
		8		5		6		
	6	1		7		8	3	
			9		6			
6			3	4	1			8
9		4				3		2

Easy 255

9			1	4	2			8
		2	3		7	4		
	3						7	
2	6			9			4	7
			2	3	8			
8	9			7			3	1
	2						8	
		7	8		3	5		
5			4	2	6			3

Easy 256

6			1		7			5
		1				6		
	4	3	6		5	8	9	
	7		8	5	9		3	
		9				4		
	6		2	3	4		1	
	3	7	5		1	9	6	
		6				5		
2			3		8			4

Easy 257

7	4	3				5	8	1
5			3		8			7
		8	5	1	7	4		
	7						1	
		2	4		6	3		
	5						4	
		9	8	5	1	6		
8			2		4			9
4	1	5				8	3	2

Easy 258

	3		7	4	8		2	
	4	7				8	9	
8				5				4
3		4				7		8
	7	8	4		3	9	5	
2		9				1		3
1				6				7
	8	5				2	1	
	2		1	8	4		3	

Solution on page 188

Easy 259

		2				1		
		7	9		1	3		
1			8		4			7
	5	8		9		6	1	
	7		4	6	8		3	
	4	6		1		7	2	
8			7		2			3
		4	5		9	8		
		9				4		

Easy 260

	1	5	2		8	6	9	
4								1
8			5		9			7
3		7		8		1		5
	5						3	
6		1		5		7		9
9			8		6			2
1								6
	3	6	7		1	9	8	

Easy 261

9			2	7	3			6
		7	6		1	9		
		1		9		2		
	5	3				8	9	
	2		7		9		6	
	9	6				7	2	
		9		3		1		
		2	5		7	6		
6			9	2	4			3

Easy 262

	8	4				7	9	
9	7			4			5	1
			8	7	9			
7		1				9		4
		5	7	1	4	3		
8		2				5		7
			6	2	7			
1	2			3			7	6
	6	7				2	8	

Easy 263

7	9		4		3		1	2
			1	6	7			
		6				3		
	7	2				1	5	
	8		5	7	1		3	
	6	5				4	7	
		7				5		
			6	3	8			
6	3		7		5		9	1

Easy 264

	5	1	2		9	8	4	
3								1
	2		4	1	7		9	
1								8
		8	5	7	3	4		
2								3
	9		8	4	1		3	
4								9
	1	7	3		6	2	8	

Solution on page 188

Easy 265

		2	3	7	6	8		
	9						4	
7			4	9	1			6
8		1				3		2
		9	1		7	4		
2		4				6		9
4			2	5	9			8
	2						3	
		8	6	4	3	5		

Easy 266

	4	2		6		5	8	
			4		5			
5			2	1	9			4
3		7				6		1
			6	7	3			
6		5				4		3
8			1	4	2			5
			5		6			
	5	6		3		9	1	

Easy 267

		1	9	8	4	2		
2		8		1		4		9
		7	5		3	6		
	6						2	
			3	4	8			
	1						8	
		4	8		9	3		
5		6		3		8		7
		9	2	7	5	1		

Easy 268

			9	6	4			
	7	3		1		2	4	
1		4				8		6
		1	8		2	7		
	2			7			1	
		8	3		1	9		
3		6				5		1
	8	5		4		6	9	
			6	8	5			

Easy 269

			1	2	6			
7				4				5
6	2		5		3		1	9
	7	2				5	9	
		9	2	8	4	1		
	6	4				2	3	
2	8		4		5		7	1
5				6				2
			8	1	2			

Easy 270

1		7		3		9		5
	4		2		1		6	
	8			7			1	
	7	4	1		3	6	5	
			7		2			
	5	3	9		6	1	8	
	1			2			7	
	3		5		7		9	
7		8		1		5		6

Solution on page 189

Easy 271

6			4	9	1			5
	1						6	
		3	2		6	1		
	3	6		1		5	7	
			7	4	8			
	4	1		3		2	9	
		8	1		7	4		
	2						5	
3			5	2	9			7

Easy 272

	6		7	9	5		8	
		2	8		1	4		
7		3		4		1		9
		5				6		
	2		5	8	7		1	
		1				7		
6		7		5		8		2
		9	4		8	5		
	5		2	6	3		7	

Easy 273

3			5		7			2
	5	1	3		8	6	7	
		6		1		3		
4			8		5			3
		3		9		8		
8			1		3			9
		7		5		4		
	3	4	7		9	2	5	
1			4		2			6

Easy 274

		3	7		4	8		
7				6				1
	2		5		1		3	
2		7		5		1		3
		9	3		6	2		
3		5		2		9		7
	9		6		7		4	
4				3				9
		1	9		5	6		

Easy 275

		5	3	4	7	2		
	9		5	1	6		3	
3		1				4		6
		9				3		
			6	2	9			
		7				9		
5		6				7		3
	4		8	6	1		2	
		8	7	3	5	6		

Easy 276

	4		8	5	7		3	
		3				4		
8		6				7		9
9	6			2			7	8
		4		1		9		
3	8			9			1	4
4		7				8		2
		2				5		
	9		6	7	2		4	

Solution on page 189

Easy 277

7	4		3		8		2	6
8								1
	3	2		1		5	7	
	9		1		7		8	
		5				6		
	6		9		5		1	
	1	7		3		2	6	
4								3
6	8		5		2		4	7

Easy 278

1		4	7		5	8		6
	5						2	
7		8				1		5
6	8			2			1	9
			1	8	6			
2	1			3			8	4
4		2				5		8
	6						7	
5		1	6		8	4		2

Easy 279

2		3		6		1		5
5	8		4		3		6	7
			2		8			
8		4				3		1
			6	8	2			
9		5				8		6
			5		6			
7	5		8		1		9	3
4		2		9		6		8

Easy 280

	6			2			4	
		8	4		6	1		
	3		9		8		5	
1		6				2		5
		2	3	5	1	7		
3		4				9		8
	1		5		9		2	
		5	1		7	3		
	4			6			8	

Easy 281

		7	4		8	6		
9			2	3	5			7
		2		6		5		
	1		3	2	9		4	
	3						6	
	7		8	5	6		3	
		4		7		8		
6			5	8	2			4
		5	1		4	3		

Easy 282

3								7
9			2	7	5			6
	4	2				1	5	
6	7		8		1		3	9
		4		9		6		
2	9		5		4		8	1
	3	9				8	6	
4			6	8	9			3
5								4

Solution on page 189

Easy 283

3	8		4		5		9	6
		6		2		5		
			8	9	6			
1		3				4		5
			1	8	2			
8		7				2		9
			7	4	3			
		8		5		6		
4	7		2		8		3	1

Easy 284

		7	8	3	5	1		
9				6				8
		1				3		
1	8		7		6		3	2
		9		8		4		
2	4		1		9		8	7
		4				2		
5				2				3
		8	6	1	3	5		

Easy 285

	8	3		9	1		6	5
		9	6				7	
2	6					9	1	
6		5		3		2		
4								1
		8		1		7		6
	9	6					2	4
	4				6	5		
8	7		1	5		6	9	

Easy 286

		7	5	6	2	8		
1								6
6	4		9		1		3	5
5	6						4	8
			4		6			
2	7						9	1
4	2		6		3		8	9
7								3
		6	2	9	8	4		

Easy 287

3		9		1		7		8
8			9		2			6
			8		3			
	3		7		8		1	
	9	7		2		6	8	
	8		5		6		9	
			1		7			
1			2		9			4
6		8		3		1		9

Easy 288

	4		7		6		2	
			8	3	9			
9		7		2		3		8
4		2				9		1
	7		9	6	1		3	
1		9				6		7
5		3		9		7		6
			4	7	3			
	9		6		5		1	

Solution on page 189

Easy 289

2	9			1			6	5
6	5						4	7
7			5		6			9
		2	3		8	5		
	8		1		5		7	
		7	9		2	6		
8			7		1			6
9	2						5	8
3	7			5			1	2

Easy 290

4			7		1			2
	6			2			4	
		1		3		8		
8	9		4		7		5	3
	4		2		3		9	
1	3		6		9		8	7
		4		7		3		
	7			4			1	
5			1		2			4

Easy 291

	4	7		5		6	8	
		3	7		1	5		
2				3				7
5	2		3		4		6	1
			5		6			
7	8		2		9		4	5
4				9				6
		8	1		7	2		
	5	1		2		7	9	

Easy 292

		4	7	9	6	1		
3			4	5	1			8
9		1				4		5
2	4						9	1
			9		8			
6	7						3	2
4		6				2		7
1			2	7	9			4
		2	6	4	5	3		

Easy 293

		2	4	8	7	9		
3			6		2			7
		7		9		6		
9	5						3	8
		3	9		8	1		
8	6						2	9
		6		3		8		
7			8		1			5
		8	7	4	5	3		

Easy 294

3			9	7	4			6
	2	4		5		9	1	
	9		2		6		4	
5								3
		9	7	4	3	5		
1								8
	5		6		7		3	
	7	3		2		6	5	
2			4	3	5			9

Solution on page 190

Easy 295

		7	6	5	3	1		
3		1				5		2
			1	2	7			
6	1			9			8	5
			5		1			
5	4			3			1	9
			3	6	8			
8		6				4		1
		3	4	1	5	6		

Easy 296

	4			3			6	
			1		6			
8	6		2		7		1	4
1	5	9				3	8	2
			5	8	2			
4	8	2				6	5	7
5	7		9		3		4	6
			4		5			
	1			6			3	

Easy 297

3				1	6		8	
2					4			6
6			3	5	2		4	7
8	3	6				7		
			2		8			
		2				4	6	8
4	7		5	2	3			9
1			4					2
	2		6	8				4

Easy 298

	1		5	9	7	3		2
		9	2			7		4
7			4				9	
	4			3	9			
6	9						7	3
			1	7			4	
	7				6			1
8		4			1	6		
1		6	9	8	5		3	

Easy 299

9	3		2		5		8	6
			7		8			
		2	4		6	3		
7	5			8			4	9
	1	8				2	7	
2	4			7			6	8
		1	8		7	6		
			1		9			
4	9		5		3		1	2

Easy 300

	2		4	9	1		3	
	1		2		8		9	
7								2
3	5	4				2	6	1
			3	2	4			
2	8	7				3	4	9
8								6
	9		8		2		7	
	3		7	5	6		1	

Solution on page 190

Easy 301

	2	8		4		9	1	
	9	7		3		2	6	
	5		6		9		4	
5			7		4			6
		4				5		
3			2		5			8
	4		3		6		9	
	3	5		7		6	8	
	7	6		1		3	5	

Easy 302

2				9				4
9	3			5			2	6
1			7		2			5
	2	1		3		9	6	
			4		7			
	7	8		1		5	4	
8			5		3			9
5	9			7			8	3
7				4				1

Easy 303

		5		8		7		
9			7	5	3			6
	3		2		9		5	
3	6			1			8	9
			9		8			
8	9			2			1	7
	8		1		2		7	
1			8	3	5			2
		9		4		1		

Easy 304

9	4		1		7		2	3
			4	6	2			
		5				6		
5		2	3		9	4		1
		1		7		2		
7		4	2		5	3		8
		8				7		
			7	2	1			
6	2		5		8		4	9

Easy 305

4		5				9		6
			4		5			
7	2						5	8
	7	3		4		2	9	
		4	3	5	9	6		
	9	6		2		3	1	
6	3						4	2
			6		4			
9		8				1		3

Easy 306

	1						8	
8		2		7		3		1
9	3		5		8		2	7
5				2				8
			1	5	9			
2				4				3
4	9		6		5		1	2
1		3		8		6		9
	8						3	

Solution on page 190

Easy 307

4			2		1			5
2		5		3		1		8
	9						6	
	5	1	8		9	4	3	
			3		5			
	3	7	6		4	5	9	
	8						1	
3		9		6		8		7
7			1		8			9

Easy 308

			1	8	2			
5								1
1		9	4		3	8		6
	4	5		1		6	3	
			2	3	6			
	6	2		7		9	1	
2		3	9		5	7		4
6								5
			7	2	1			

Easy 309

		9	5		6	4		
	6	3	9		4	1	7	
5								3
4				9				8
		7	4	8	3	6		
9				6				7
1								4
	4	5	3		8	2	9	
		2	1		9	8		

Easy 310

		9	8		7	1		
1								8
	6	8		4		7	9	
9		5	6		3	8		7
	8						5	
7		2	9		8	3		4
	2	4		9		6	7	
6								5
		3	1		6	4		

Easy 311

		8	5	6	7	3		
4	7						5	2
5			3	2	4			7
		2		3		4		
			2		1			
		4		9		8		
3			6	8	9			4
2	4						6	8
		7	4	5	2	9		

Easy 312

	4	3		5		9	7	
		8		9		1		
	6		8		4		2	
9			5		2			4
		5		4		2		
2			6		1			3
	5		1		7		3	
		7		3		4		
	9	2		6		7	5	

Solution on page 190

Easy 313

	9		8		2		7	
	1	2				4	8	
8				1				2
1		3	4		9	8		6
			1		5			
4		9	3		6	2		7
7				5				1
	4	1				6	2	
	6		2		1		3	

Easy 314

8		3	2		4	5		7
		4	6	8	9	1		
	6						9	
	5			3			8	
			4	6	2			
	4			9			1	
	8						2	
		9	5	7	6	8		
4		7	1		8	6		9

Easy 315

	6		4		7		9	
		7	2	3	9	6		
4	1						3	2
2				7				9
		3		2		4		
9				4				8
5	2						8	3
		4	1	8	3	2		
	3		6		2		4	

Easy 316

5				1				8
			6		9			
4	2		8		3		9	7
9		3		2		7		5
		2	5	3	1	4		
1		4		7		2		6
8	1		3		7		2	4
			1		5			
3				6				1

Easy 317

2	9	1				4	7	6
3	6						2	5
			6		9			
		5	2	3	1	8		
	8						5	
		3	4	5	8	6		
			1		2			
8	5						9	1
4	1	9				3	6	2

Easy 318

	4		8	9	2		5	
5			6		1			8
		8		7		6		
	2		1	3	8		6	
		1				8		
	6		4	2	7		3	
		4		8		7		
3			2		4			6
	8		7	6	5		1	

Solution on page 191

Easy 319

	3		1		6		5	
		5	4	9	8	2		
	1			5			6	
3	5						7	6
		7	5	6	3	8		
6	8						4	5
	2			1			3	
		3	6	4	5	9		
	9		2		7		8	

Easy 320

6								9
	8	1		7		6	2	
9			8		1			3
7	9		4		8		1	2
			1		6			
2	1		7		9		5	6
1			2		7			4
	2	7		1		9	6	
8								1

Easy 321

6	5			8			9	1
		4	6		9	7		
	8		4		7		2	
3			7		5			2
		8				3		
4			3		8			5
	6		5		1		3	
		5	9		6	2		
1	3			4			5	7

Easy 322

	7		9	6	5		3	
3			4		1			2
		9		2		5		
	4		6		2		9	
	1	3				2	7	
	8		3		7		4	
		5		3		6		
6			7		9			3
	3		1	5	6		2	

Easy 323

	1	4				6	3	
			5		8			
5			1	3	6			4
6	3			5			2	7
		5	7	6	2	3		
7	9			8			4	6
9			6	1	5			2
			2		3			
	5	1				7	6	

Easy 324

			8	2	7			
8		2	9		1	6		5
3	7			5			8	2
5								1
			2	6	3			
4								3
2	8			7			3	9
6		5	3		9	4		7
			1	4	2			

Solution on page 191

Easy 325

5		1		8		2		3
	8	6		5		4	7	
			1		7			
8			2	9	5			7
		7				5		
3			4	7	6			2
			3		9			
	5	9		6		3	1	
7		2		1		9		4

Easy 326

	5		6	1	2		4	
	3	4				2	9	
2								1
3		2	5		8	6		9
			2		4			
7		5	1		6	4		2
5								8
	2	1				9	3	
	6		9	5	1		2	

Easy 327

1	3		5		2		7	4
9								5
		8	7		6	2		
3		1		2		5		8
	8			5			6	
6		9		1		7		3
		4	9		1	3		
2								7
7	9		2		8		1	6

Easy 328

9			6	3	1			5
		4				6		
1	5	6				2	8	3
	7		1		3		5	
		2		6		1		
	1		8		4		6	
3	4	1				7	2	9
		7				5		
2			4	9	7			8

Easy 329

3		1		8		7		5
		4	3	6	5	1		
	8						3	
6			8		4			1
		7		9		8		
8			7		2			3
	4						9	
		5	9	4	1	3		
9		8		3		2		4

Easy 330

9				7				5
		6				2		
3	5		8		4		7	9
7	3			8			2	6
			4	2	7			
1	2			3			5	7
2	6		5		8		9	4
		8				7		
4				9				8

Solution on page 191

Medium Puzzles

Medium 1

	2	1		7			4	
6	4	3	1					
5						3		
7	3				5			
	8	9		3		1	5	
			7				2	3
		5						8
					1	9	6	4
	1			8		2	3	

Medium 2

	9	5		2				
3		2					9	6
		4		9	8			
6					4	5		1
	4						7	
9		8	5					3
			2	5		7		
7	5					3		2
				7		9	6	

Medium 3

5					8		6	3
8							9	
	7			9	3	1		
	4					5		
	8	2	4		7	6	1	
		5					8	
		4	8	1			7	
	1							6
2	3		6					1

Medium 4

5	4	2					6	
		7	6					
3	6				8			7
		6		2	9			
		3		5		1		
			7	6		9		
7			1				4	9
					6	7		
	5					3	1	2

Medium 5

		4			6	5		
		7				6	4	
5				4			3	1
			4		2			
7	2		1		8		5	6
			9		5			
8	4			9				3
	6	2				9		
		5	6			8		

Medium 6

5			7		2			
	7			5		8		3
	6		3				7	
6			9	4		2		
9								8
		1		2	7			6
	4				5		1	
2		6		1			8	
			2		8			4

Solution on page 191

Medium 7

		7	3		4	6	9	
6					9			
1		8		5				
		9						6
	4		8	3	2		1	
8						5		
				9		2		5
			4					9
	7	5	6		3	1		

Medium 8

			9			6	4	
7	8			6				
	4						7	
4			7				6	3
		9	3		6	5		
6	1				2			9
	6						5	
				8			3	2
	9	8			5			

Medium 9

		5	2		6	9		
				8			2	
9	3	2					4	
			7			6	3	9
1								7
5	7	6			9			
	2					4	5	8
	5			2				
		9	5		8	7		

Medium 10

	7		6				3	
5			7				8	4
						1		7
3				8		9	4	
7								6
	4	9		3				5
2		4						
6	3				4			8
	9				1		5	

Medium 11

5		6			3		1	
							6	4
	1	3	4	6				
	5		7					
6		1		2		9		7
					6		4	
				1	5	7	9	
8	2							
	9		3			6		8

Medium 12

	7	2				1		6
		1			5			
			6	1			7	
2			3	4				
5			2		7			3
				6	1			4
	3			2	8			
			4			5		
1		4				9	3	

Solution on page 192

Medium 13

7	9	5			8			
		1		6		4	9	
3							1	
5			6				7	
2			1	5	9			4
	4				7			2
	3							1
	1	7		9		2		
			2			7	6	9

Medium 14

				6	2	5		
	9	4						7
1			9		7	8		
3	6			2			7	
			6	7	1			
	1			5			2	4
		7	4		6			8
5						4	1	
		1	2	8				

Medium 15

3	8	6						1
			4				3	
				6	5			2
	5				4	6		
	1		2		8		7	
		9	7				1	
1			5	7				
	6				3			
2						3	5	7

Medium 16

	1			3	5			
8			7				1	5
9		5						
	2			7				
		8	4		6	9		
				9			3	
						3		9
4	3				8			2
			5	1			4	

Medium 17

2	5						9	
			7		5	2		
			8	2	6			
6				4	8		7	
		5				3		
	7		1	6				4
			2	1	9			
		9	6		4			
	2						8	1

Medium 18

	9	1						
			9	2	4			
3			8				7	9
	4	7			3			8
			4	5	6			
1			2			4	9	
5	8				9			4
			6	4	5			
						3	1	

Solution on page 192

Medium 19

7	3			1			6	
		6	5					
4	9					3		
	1		4	6				7
	7			9			1	
6				5	1		8	
		7					5	3
					2	6		
	6			4			2	9

Medium 20

2	3	6			4		8	
	1			6				
			2			1		6
		2		1	3			
		1	7		9	3		
			8	2		9		
8		9			2			
				4			3	
	4		9			5	7	2

Medium 21

	4		2		6	3		
		6				2		
5			9	1				6
		2	8		4			
	9						2	
			3		2	7		
6				2	8			9
		4				8		
		9	7		1		5	

Medium 22

3			2	1		6		
7		6						
	8					2	4	
			4	6	5			
5		3				7		6
			7	9	3			
	7	9					5	
						1		2
		1		2	4			7

Medium 23

	9	4						
2				5	6			8
6			4			3		
		1		4				5
9	8			1			4	3
3				6		1		
		8			4			2
4			5	3				6
						7	5	

Medium 24

	3	2	1		5	6	7	
5				3				1
		6				5		
	4		9		2		5	
		3		7		1		
	7		4		3		2	
		4				7		
8				5				3
	6	1	3		7	9	8	

Solution on page 192

Medium 25

	2				7	9	3	
1		3			5			
				9				4
2					9			7
4	1						9	2
3			1					8
8				5				
			4			5		1
	5	2	9				8	

Medium 26

	9			7		8		
					4		6	
2		4			9			5
		7			8	6	9	
4				2				7
	6	1	7			5		
5			3			9		8
	1		9					
		2		8			7	

Medium 27

7	9		3		8		5	
		5		9		3		
		3		6				
9	5	7						
8			1		4			9
						8	3	7
				5		4		
		1		4		9		
	4		8		7		2	5

Medium 28

5			1	8				
6								2
8				9		3	5	
7	3							
		9	5	6	8	7		
							1	5
	7	2		3				6
4								8
				5	6			9

Medium 29

9				3			6	
3			1				9	
			9			4		8
2		3		8				5
		1				3		
7				1		2		6
4		7			2			
	2				5			9
	3			6				7

Medium 30

	7	1						
9			7				5	
		4			8		7	
2	8		3	7				4
	4	6				3	1	
3				2	4		8	7
	2		8			1		
	9				5			3
						7	6	

Solution on page 192

Medium 31

1			3	5				
8		7				3		
	6							5
9			4		3	1		
	4		5		6		3	
		2	1		8			9
2							1	
		4				6		2
				3	9			7

Medium 32

3					9	6		
		2	3				7	
8			4					
				3	1		4	
1		3		2		9		7
	4		6	9				
					2			3
	9				3	4		
		6	5					8

Medium 33

	3	6		5				
	8					5		
2			8			1		7
			6			8		2
	5		9	7	4		3	
6		9			2			
3		7			8			4
		8					1	
				3		9	7	

Medium 34

	9		2	4				8
4		1	9		5	6		
	6	7						
			3				9	
		8		1		4		
	1				4			
						3	4	
		3	8		2	7		6
1				5	3		8	

Medium 35

2			7	4	3			9
	7		2					6
	9			6		3		
5			3					
		4				2		
					2			5
		6		2			8	
9					1		5	
1			9	3	4			7

Medium 36

		7				9		6
				2		8	5	
5				6				1
6	4		5					7
			9		2			
2					1		4	9
4				8				2
	6	1		5				
8		2				5		

Solution on page 193

Medium 37

	8		6		9			
9		1						5
3		2					7	
	9		3	2				
5			1		7			2
				8	4		9	
	5					7		8
2						1		6
			4		5		3	

Medium 38

3		4			2		8	
6	5							
				6		4	2	
2	3	1		9				
			7		5			
				3		8	6	2
	4	3		1				
							5	4
	7		2			9		3

Medium 39

4			5			7	8	
	1				8			3
	6	3		1				
				8	1			
7		1				6		9
			2	7				
				4		9	5	
3			8				1	
	5	9			2			4

Medium 40

		3	9	8				7
	1				4			3
		5		7	1		8	
3		1			6			
			7		8			
			4			8		5
	3		1	2		6		
9			6				3	
1				9	3	2		

Medium 41

		2				9		
3	6							7
5	1			4	3	8		
				3				1
7			6	1	4			3
2				7				
		3	1	5			2	6
1							9	8
		6				4		

Medium 42

	3		1	7	4	6		
7	9			5				
8						5		
1		3			5			
			6	9	2			
			3			4		5
		2						3
				3			4	8
		8	4	2	9		1	

Solution on page 193

Medium 43

	7		8			5		1
						4	3	
5		1	2					7
				2	4			9
4			9		5			2
1			6	3				
8					2	6		3
	5	4						
6		2			8		5	

Medium 44

	9		5			1		6
			1					3
	7			8	3			
9			3	5		7		
	8			4			3	
		7		9	1			5
			2	3			4	
8					9			
4		9			7		1	

Medium 45

	7		5			4	9	2
6			1					
		5			7			
5			8	4	6			3
4								6
3			7	2	9			5
			2			5		
					8			9
1	2	3			5		8	

Medium 46

6		5	1				7	3
			9				4	
4				5	3			
2				3				
9		3		1		7		4
				2				6
			3	8				2
	2				7			
5	6				2	1		7

Medium 47

	6			7	4			
	4	3					8	
8	5					6		
3			6		1	4		
		2				9		
		4	2		3			1
		6					3	5
	9					2	1	
			7	2			4	

Medium 48

3			6			7		
		4						8
	1			8	7		5	
9			5		2			
6				3				9
			8		9			4
	5		3	2			9	
4						2		
		6			8			5

Solution on page 193

Medium 49

	2	8	7	3				
		6		5	2	9		
4	7						6	
	6						9	
7			6		4			3
	4						1	
	8						3	9
		3	5	9		8		
				4	3	6	5	

Medium 50

		7	9				6	
				6	8			3
2	3			7	1			4
	2	4		8		5		
3								9
		5		2		3	1	
7			3	9			8	1
1			8	4				
	4				2	9		

Medium 51

		9	8	3				
	8				7	9		
		6	1			5		2
4							6	
			6	1	5			
	6							9
1		5			3	2		
		3	2				9	
				9	1	4		

Medium 52

5			3	7			6	
		9	1					
1		7					9	2
					6	4		
2								7
		3	5					
8	2					1		6
					8	5		
	6			1	5			3

Medium 53

1	3		2		4			
	4							1
2					1			7
		9		1	6			
	5	2		9		8	1	
			4	2		3		
8			1					3
6							4	
			6		7		8	5

Medium 54

9				1	5	7		
1		3		9	8			
	4							2
	9		1					
	6		9		3		4	
					4		8	
7							6	
			6	3		5		7
		9	8	4				1

Solution on page 193

Medium 55

			2	8		4		
	5	2		6	1			
		1						6
1	8		4			6	9	
		9				7		
	4	6			8		1	2
6						2		
			9	3		8	7	
		5		7	2			

Medium 56

5		1		9			7	2
	2			4			8	1
4					3			
		4			7			
	6			1			5	
			4			7		
			8					6
2	8			6			1	
9	4			7		2		8

Medium 57

	6		4				7	2
					5			9
5		1						
8			1	2		3		
	1		5		4		6	
		7		9	8			1
						9		8
6			3					
2	7				9		4	

Medium 58

		6		7	8	4		
5		8		1				
	9						2	3
2				8		7		
			2		5			
		5		6				8
4	7						8	
				4		1		7
		1	6	9		5		

Medium 59

9	6	8	5			1		
2					1			
7			3					6
			8	1			3	
6								7
	9			7	3			
4					8			2
			2					4
		2			6	3	9	8

Medium 60

7		3	5			2	9	
4				9				5
9	2							
5				1	3		2	
	4						8	
	1		2	8				4
							5	6
8				6				2
	5	2			4	3		8

Solution on page 194

Medium 61

7	8				9	6		
			6					7
9		3		7				1
2		1	5					
	3			1			5	
					2	3		8
6				5		1		3
5					4			
		9	2				8	4

Medium 62

6							8	
2		7						9
	1		8	5				
	9	3		6	8	4		
		1	5		9	8		
		2	4	1		6	9	
				4	5		2	
5						1		3
	2							6

Medium 63

4	8			9		1		7
	2		3				6	
3						2		
					5		2	3
7			1		3			4
9	5		4					
		4						6
	7				9		1	
6		1		5			4	2

Medium 64

	7			6	4	3	8	
2						5		
9		3						2
1				4		9		
		2	7	3	1	6		
		4		8				7
4						7		6
		5						4
	6	9	4	5			2	

Medium 65

8				9		4	2	5
					1	3		
3		2						
	3	4	1		6	5		9
			9		5			
6		9	7		8	1	4	
						9		3
		6	5					
5	8	3		7				6

Medium 66

4			7					
9						2	8	
8				2	3			
	5		2	1		8	7	
2				5				1
	8	6		3	7		5	
			1	4				9
	2	9						5
					2			8

Solution on page 194

Medium 67

		7					2	6
		3	8	6				4
	4				3	5	7	
3	1			7		8		
		5		8		6		
		8		4			3	5
	5	1	7				6	
7				5	6	9		
8	6					7		

Medium 68

4		6	2	9	5			8
		8		7				3
	1						5	
	4		9		2			
1								5
			8		6		1	
	8						2	
6				2		7		
2			7	4	9	6		1

Medium 69

2		3			8		4	7
	7			2		8		9
4	9							
9			5					
		4	2	3	7	9		
					4			3
							3	8
8		2		5			6	
3	6		7			4		2

Medium 70

	4	9		2	6		3	
3	8							
		5				1		
2			1	4	9			
6								1
			5	6	2			4
		8				3		
							9	8
	7		4	8		6	5	

Medium 71

3		7	1	2			5	
					8		7	
4	8	5						
					5	8	9	
			7	6	9			
	7	1	8					
						9	4	5
	1		9					
	5			8	6	3		2

Medium 72

	3		8			4	9	
4			2	6				
9								1
			4		2	7		
		9		5		8		
		4	3		8			
5								9
				4	7			6
	1	7			6		5	

Solution on page 194

Medium 73

					6		9	
			1				5	
9		7			8			4
2	3			4		1		
5								8
		1		6			2	7
1			6			4		5
	8				7			
	4		2					

Medium 74

6		5		2			3	
3			9					
8					5	7		
4	3		5			2		
			4		6			
		6			2		7	9
		1	8					2
					4			7
	7			6		3		1

Medium 75

	2	9	5					
				9			4	
	4		6			3		2
8							6	
4			7	5	3			9
	9							1
3		5			8		2	
	1			6				
					1	9	3	

Medium 76

	1	6	8	4	5			
2					6		5	
	9	8					4	
9	8				1			
7								6
			3				2	9
	2					3	6	
	5		6					7
			4	1	7	2	8	

Medium 77

6			4				8	
		3			8			
	1	2		7			9	
			9	4				
3	9		1		6		4	7
				2	3			
	3			9		6	2	
			6			5		
	5				1			4

Medium 78

		7		9				5
	5			3	1			
		3				4		
6	1						2	
3			2		8			4
	7						6	8
		9				7		
			9	2			8	
2				4		3		

Solution on page 194

Medium 79

	5		3	1				
	2							1
			8			9	4	
	4	7		8			2	
2			9		5			8
	1			6		7	3	
	3	2			7			
4							5	
				3	1		9	

Medium 80

		6		5	9		8	7
5		3						
8				7		6		
1		9			7			
	3			9			1	
			5			7		2
		7		8				1
						5		6
4	5		6	1		8		

Medium 81

				6	3			9
	1	5						
	4			9				7
1	2		8				5	6
		6				7		
4	5				6		9	1
2				3			6	
						4	7	
7			4	2				

Medium 82

8	6			3		7	4	
			6			5		1
2	5							8
				7	1		9	
7								5
	2		8	5				
1							8	6
9		8			3			
	7	2		4			5	9

Medium 83

8		6			4	1		
9					7			
	7						2	
	3			2	9			5
4				7				2
7			5	3			4	
	4						3	
			3					1
		8	9			6		7

Medium 84

	7	9	2	3				
	5					2		
				7		6	1	9
			6				5	4
		8		2		3		
4	6				3			
2	8	5		4				
		6					7	
				6	5	9	4	

Solution on page 195

Medium 85

		9	8					7
2	3							
				3		5		6
9		2	1	8		4		
6	5						1	8
		8		4	2	7		9
5		1		9				
							5	2
4					7	1		

Medium 86

2		3	8			5		
		5	2					
	8			6		2		
9	2				8			
	7		3		4		1	
			9				8	7
		8		2			5	
					3	7		
		7			5	1		6

Medium 87

		3		9				8
		5				3	9	
	2	6	3					
2		7		1				
4			8	3	2			6
				7		2		5
					7	1	6	
	6	2				4		
7				8		5		

Medium 88

4				6			3	9
1					2		7	
		7	1					
	1	5	9		4			
			3		6			
			8		5	6	4	
					9	7		
	3		2					4
7	2			5				6

Medium 89

	6			9	3			5
			2				7	6
	1	9						
	9			1		3		
	4			5			8	
		2		3			6	
						7	1	
3	5				9			
7			3	2			9	

Medium 90

				2			6	9
	2	1						3
9	3			6				
4				8	2			
2		6	1		5	7		8
			6	9				4
				1			8	5
7						3	2	
8	6			3				

Solution on page 195

Medium 91

				2		9		1
2				3	5	8	7	
9		7					5	
		3	2		6			
8								7
			8		3	4		
	2					1		6
	6	9	1	8				2
1		8		4				

Medium 92

	4	1	3				9	
3		5						8
6		7		2				
	8		6	5			2	
5				1				6
	6			3	2		1	
				7		4		1
4						9		3
	7				3	6	5	

Medium 93

		3			7	1		9
8	1				5			
6	4			3				
4			9				3	
			3	5	8			
	9				4			1
				6			8	2
			7				1	6
7		2	5			3		

Medium 94

1	9			4		6		7
4		3			2			5
6			1					
	1				6			
		7	2	8	5	1		
			4				7	
					4			9
9			3			7		1
7		8		9			3	2

Medium 95

		3	4	1		9	5	
		9	2					
4	7		8					6
8			9	7	4			
2								7
			6	2	8			4
9					2		7	3
					6	4		
	3	8		4	1	6		

Medium 96

						4	5	
9		4						7
				1	5		6	9
3			1		8			
		6		7		3		
			9		3			2
7	3		2	5				
2						7		4
	8	9						

Solution on page 195

Medium 97

	8	7	3				2	6
				6	7			
	4	3			9			5
3		5		8				
9								8
				9		3		2
8			1			6	3	
			9	3				
1	3				4	7	8	

Medium 98

3	1		7	2				8
	5					9		
9				8	5			6
		9	2					
		3	9		4	5		
					3	1		
5			6	4				3
		8					9	
6				9	7		8	5

Medium 99

1	8		9			7	4	
							8	9
	3		1	8				
	9				1		5	
		6				2		
	2		5				7	
				5	4		3	
3	7							
	6	9			3		2	5

Medium 100

				9		1		2
9		4	5			8		7
6	8			1				
3	5							
			6		9			
							5	6
				6			3	4
4		9			5	7		8
1		5		7				

Medium 101

	2		5			7		9
9						1		
					7			4
2	4			3				
8	3		7		1		6	5
				4			7	2
7			8					
		3						1
6		5			3		8	

Medium 102

3	4	2		7		6		
		8				7	9	
					8			3
	6	5	4					2
2								7
4					7	5	3	
8			7					
	5	4				8		
		7		1		3	6	4

Solution on page 195

Medium 103

8			5					
6			3	9			5	
		7					2	6
3					4	5		
	2			7			9	
		5	9					4
9	7					6		
	4			5	8			2
					9			7

Medium 104

1					4	2	8	
2			9	3				6
	7				2		4	
		5	2					
		4		7		6		
					8	5		
	5		8				3	
3				5	9			8
	2	9	7					5

Medium 105

3			9				6	
		2		7		5		
	4							7
		9		3	4	8		1
6				8				5
8		1	5	9		3		
9							8	
		7		2		6		
	6				8			9

Medium 106

	4	5	1					7
			2		4	5	1	
6				7				
	5						3	
	8		3	1	2		6	
	3						4	
				5				8
	2	7	8		6			
9					7	6	5	

Medium 107

	7	6			1			3
	2			9				6
			2	6				4
	8				9			
5		1	6		8	3		2
			1				8	
6				1	2			
9				4			2	
8			9			6	3	

Medium 108

		7		9	1			4
4				8	6		2	
		8					5	
			2	4			9	
	9						4	
	8			5	9			
	3					8		
	6		9	3				2
8			7	1		6		

Solution on page 196

Medium 109

	3	4			7	5		6
						1		3
5			1					
2			7	3			5	
			2		4			
	4			8	6			7
					1			8
8		1						
3		7	8			6	4	

Medium 110

			9	1	7	8		
1	9		8					
	3	7						2
7				4	9	2		
9								7
		3	5	7				4
6						3	8	
					6		2	5
		8	1	5	2			

Medium 111

	5	7	1		6	2		
1	8							
3				8				1
5	4			6				
		8		4		7		
				2			5	9
2				7				5
							9	4
		4	5		9	3	7	

Medium 112

	7		9	4	8	2		
							7	4
6						9		
5				1		7		
4			7	6	9			3
		8		3				6
		5						2
2	8							
		1	2	5	4		9	

Medium 113

2	1		5			8		
4				2		7		5
		9					4	
			3		7			8
	3						1	
6			2		1			
	6					5		
8		1		5				3
		3			9		8	7

Medium 114

	8	2	7				3	5
	5		1					
1				2				
	9		4	1				7
		8		5		2		
2				6	8		9	
				7				9
					6		4	
7	1				4	3	6	

Solution on page 196

Medium 115

		5		9		8		
		2						6
8		9		6	5		2	3
5	2		9					
			4	3	7			
					1		9	4
4	5		3	1		7		9
2						3		
		1		7		2		

Medium 116

		5	9			4		6
			1		7		3	
2		7						
				3	5			
	7	9	2		1	3	5	
			7	9				
						8		4
	1		8		6			
5		2			3	9		

Medium 117

8			6			3	5	9
3			7	4		6		
	6			8				
					4		8	
5			2	1	8			3
	1		3					
				5			3	
		5		3	2			4
7	8	3			6			2

Medium 118

		7		8		2		
	5		7		6		3	
9								8
4			5	2	9			3
	9						2	
2			1	7	8			4
7								1
	8		2		5		7	
		6		3		5		

Medium 119

				8			9	6
1		7		9				
	2	9						
			8		9		3	2
5	1		6		3		8	9
9	3		5		4			
						3	6	
				3		9		7
8	4			6				

Medium 120

4	5							1
6				1		9		
9		1	3					
2	1		7		9			3
		9		8		4		
7			6		4		1	9
					1	3		4
		7		6				5
8							7	2

Solution on page 196

Medium 121

2		4	7	5			1	
		6	3				5	
		1		4				
				6			2	5
9								6
6	2			9				
				1		5		
	6				7	8		
	1			2	6	7		9

Medium 122

		7		6				
	9	5				7	4	
6				2				
	5		6				7	
1		2	4		8	6		5
	3				7		1	
				7				9
	2	1				5	3	
				8		2		

Medium 123

3			6	7	4		1	
		6	5					
8						5		
	4	3						7
	6		4		7		5	
1						8	4	
		9						2
					3	9		
	3		1	8	9			6

Medium 124

6				3			4	
9		4	6					8
8			5	7			9	
5				8				
		8	2		7	5		
				6				3
	9			5	8			4
3					1	7		5
	8			4				1

Medium 125

	7		2	4			8	
			8			5		7
3						9		
7		2			5	3		
1								6
		6	3			1		2
		7						5
4		5			8			
	8			3	7		1	

Medium 126

	5			9	1		4	2
	1					6		
7		2		3				
3			9			5		8
		9				4		
6		4			3			9
				2		8		4
		8					1	
2	3		1	4			5	

Solution on page 196

Medium 127

					1		5	
2				6	3	4		
	7			4		6		1
3					8			
6	9			1			3	5
			9					4
9		6		8			4	
		2	7	5				6
	8		3					

Medium 128

8		9	3	6				5
				9	1			6
	1	7						4
							5	9
			9	8	6			
9	4							
5						7	1	
1			2	7				
4				1	3	5		8

Medium 129

2		7	8	6			3	
9		8					4	
6								7
		3			1			
5		2	7		3	1		4
			6			3		
8								2
	2					5		3
	1			2	7	6		9

Medium 130

		5	3	8			6	
		1					3	4
					6	2		9
	4		2	3		9		
9								5
		6		5	9		1	
3		4	7					
1	5					6		
	8			6	5	7		

Medium 131

5	3				6			9
				4	9			
8		9				2		1
	5		6	7		1		
			1		8			
		8		2	4		6	
2		5				8		4
			3	8				
7			4				1	2

Medium 132

9		1						4
7	5		9	4			8	2
8							9	
4				1	5			
	1	7		8		2	4	
			4	2				9
	8							5
6	4			9	3		1	8
2						4		3

Solution on page 197

Medium 133

		9			1	3		6
					4	7	1	
1	7			2		8		
			2					3
5				6				1
7					9			
		6		3			2	7
	3	7	4					
2		4	9			5		

Medium 134

	8	3			5		2	
2			9				1	
			2					9
	9			6	1		3	
6		8				1		5
	1		7	3			4	
8					7			
	6				9			7
	5		6			8	9	

Medium 135

1					6	7		
9			2			5	4	
3	8							
8	2			7				
			4	1	2			
				5			1	3
							2	4
	1	4			9			7
		6	7					5

Medium 136

			5					6
		9	8		6			
	6	4					5	
6				1		5		9
	1			3			4	
2		7		4				8
	9					4	8	
			1		2	7		
1					9			

Medium 137

	4			3		5		
1	6		2			3		
			1					7
3			4		1			
8								5
			6		7			1
9					8			
		8			4		5	2
		5		2			7	

Medium 138

5		3	8				4	
1								6
			7	1		2		
7			1				5	
		1	2	6	5	7		
	8				7			4
		7		3	1			
9								3
	2				4	5		7

Solution on page 197

Medium 139

	5					3		
3	4	6		9				
				1			5	
8			7	4	2			1
6								2
2			8	6	9			5
	3			8				
				5		1	8	7
		7					6	

Medium 140

		4		5	3		9	
			8					5
8					9		3	
		1		9	8			
2			6		1			9
			2	7		1		
	4		5					2
6					2			
	3		7	1		6		

Medium 141

7	3	6	8			9		
9					1	2		
	5			3				
					2		1	6
			7	4	6			
6	7		9					
				6			8	
		8	1					9
		7			8	5	2	4

Medium 142

	5	9		6		3		7
2	1							
8		6	5					
9			8	3				
		8		5		9		
				7	1			6
					9	7		4
							9	8
7		4		2		5	1	

Medium 143

5	4		2	1		9		7
2						6		8
					7			4
			5		4	7	6	
			1		8			
	5	3	7		9			
1			4					
7		2						9
9		4		7	5		2	6

Medium 144

		2		5		3		
4			7	3	2			6
		7				9		
	8		2		6		3	
		3		7		4		
	4		9		3		8	
		6				8		
8			5	6	7			1
		1		9		6		

Solution on page 197

Medium 145

9	6		5					4
		3				1		
2			6					
4		9		5			7	
	3						5	
	8			7		6		9
					9			3
		8				2		
5					8		9	7

Medium 146

9	1	2	5	3				6
8	3				9			4
		6		7				
						6		8
			3		7			
4		1						
				8		4		
7			9				3	1
2				4	3	7	8	5

Medium 147

				7	3		1	2
2			9					
3								7
		3		4		2		5
	5		8		9		3	
9		4		3		6		
5								6
					4			8
7	6		2	1				

Medium 148

3	9			6		8		
5			8		2			
8		6					7	
4			2					
2	6		1		3		5	8
					4			1
	7					2		3
			6		5			7
		2		3			4	6

Medium 149

6			9		7			
2		9		6				8
3						9		
	5				2	8	9	
4								5
	3	1	4				2	
		7						2
9				1		7		3
			6		5			9

Medium 150

6	2		1		9	3		
8	1		7	4				
			3					1
		4	2					8
		5				6		
7					3	4		
4					2			
				9	8		6	2
		8	6		7		4	3

Solution on page 197

Medium 151

			1	9				
2	7				4			8
5	3					1		
			5	4				
	9	2	6		3	7	8	
				2	8			
		5					2	4
1			4				5	7
				5	2			

Medium 152

	8	7						2
	3				8	5		
9	1			6				
5	4				7	6		
	7			5			3	
		8	1				9	5
				7			2	8
		3	2				5	
8						9	4	

Medium 153

8	7	3		2				9
	1						8	
		9		1		2		
7					2		9	
2			7		9			5
	9		8					2
		6		8		9		
	4						1	
9				7		6	4	3

Medium 154

	9			7	8		4	
4	5			6				
		2					7	5
2		6						
		9	7	1	6	4		
						6		3
1	2					9		
				2			6	4
	7		8	5			2	

Medium 155

		8	5					9
5					8			
	7			6		3		
	5	2		7	9			
	6			2			5	
			8	3		9	6	
		6		4			1	
			1					7
1					7	8		

Medium 156

		6			5		7	
1					2	3	9	
					1	2		6
				8	6			4
8								3
7			5	3				
5		9	7					
	2	7	4					5
	1		2			8		

Solution on page 198

Medium 157

6			9	8			2	
	1		6					9
		3		1				
8			1	9		3		6
5								2
1		7		3	6			8
				2		7		
7					9		8	
	4			5	7			1

Medium 158

		1	3				6	
5		2						
	3			9				5
4		9	1					
3		5		8		1		7
					2	3		4
6				7			2	
						7		3
	9				4	6		

Medium 159

			9	2		8		
			8		5			
1	3						5	
3				1			6	
4		2		7		3		1
	9			8				7
	1						9	6
			4		2			
		6		9	3			

Medium 160

6				2		1	5	
5	4		9		8			6
		2	5					
		1	6		5			
	6						3	
			3		2	7		
					3	4		
4			2		7		1	3
	2	6		9				5

Medium 161

				6			9	
8		2						1
3	7				1	6		
	8			9			2	
			2	7	4			
	1			5			7	
		4	6				1	8
5						4		9
	9			4				

Medium 162

	3	9		8		7		
				7				8
8			2				9	4
			3					6
		6	7	9	1	2		
1					6			
9	5				4			3
4				6				
		1		3		8	4	

Solution on page 198

Medium 163

		8		6			3	
5			7					1
9	4	6						
				5	6	2		
	8		4		1		5	
		1	9	2				
						1	6	3
3					8			2
	7			9		4		

Medium 164

7	3		1					9
		8		5				
5		6				2	7	
8					3		2	
4			2	8	6			3
	9		4					6
	7	4				3		5
				7		1		
1					4		6	7

Medium 165

7	9		4	8				5
3								8
4		1						
	1		3		4	9		
			6		9			
		6	2		8		7	
						5		7
6								3
1				6	7		2	4

Medium 166

5			6		3			8
7	1					6		
3		8		9				
	3		1	2				
	9			3			8	
				5	9		6	
				1		8		7
		1					4	6
2			5		8			1

Medium 167

						8	5	1
3			1	9		6		
8							7	
	9		7	2	4			
2								7
			5	6	1		8	
	2							6
		6		5	9			2
7	3	9						

Medium 168

2		5					8	
	8		6	5		2		
		1			8			4
		6	4		7			
	9			1			4	
			5		3	7		
1			2			3		
		8		3	6		2	
	4					9		7

Solution on page 198

Medium 169

	1		3	2				
4	6		7					
2						3	9	
6	3			4				
		8				2		
				7			5	3
	4	7						8
					5		6	2
				3	7		4	

Medium 170

5	3	4						
8		6		1		7		4
2					5			
							4	3
		2	5		6	1		
9	8							
			6					7
3		5		9		4		8
						9	3	2

Medium 171

	2			1	5		7	
	7					5		
		3	6	7				2
9		5			8			1
		7				4		
6			7			2		5
4				3	6	1		
		2					6	
	6		1	8			5	

Medium 172

4					5		7	1
6					9		8	
				7		3	5	
2			5				9	
		6	4		8	1		
	9				6			3
	7	4		6				
	6		1					9
9	1		8					4

Medium 173

		3		1				
5								2
2	8		3			1	5	
1		4	6				2	
		8				9		
	5				3	8		7
	1	5			2		7	8
7								5
				9		6		

Medium 174

	2	7					9	
			4	2				6
	4	1		3	7			
1				5		6		
7		5	8		6	1		2
		6		7				3
			2	4		9	6	
2				8	5			
	1					2	5	

Solution on page 198

Medium 175

6	4		3	5			1	
1		5						8
					1			6
4					8	6		
3			9		7			5
		1	2					9
5			1					
7						2		3
	6			9	3		5	7

Medium 176

	8			1	4		2	5
1		7						
		5		7				
4		9			2			
3				6				1
			5			2		9
				9		3		
						1		2
6	1		8	3			5	

Medium 177

4				7		5		6
				9			4	
3	2				5			9
	8					7		
	1		6	2	9		8	
		5					6	
5			9				3	1
	4			3				
9		3		8				7

Medium 178

2		3			7	8	9	
9	8			5				2
	7				9			
			5	1				
8	3						4	5
				2	4			
			4				1	
3				7			5	4
	2	7	1			9		3

Medium 179

			5			2		
5			8			9	7	3
8	2						1	
		8		3	5			
6								5
			7	4		8		
	4						5	9
1	8	6			7			4
		7			4			

Medium 180

	5	9						4
3	2				1			6
4			3	8				
				4	8	2		
8		6		2		5		1
		1	9	6				
				1	2			3
5			6				1	9
6						7	8	

Solution on page 199

Medium 181

8			1			9		6
							4	1
7			4				8	
			7	8		1		
3			5		6			9
		1		9	4			
	2				9			8
9	8							
1		7			3			4

Medium 182

	9		3		8		5	4
3						6		
2							7	8
	2			8				
		9		4		2		
				3			4	
7	6							5
		1						2
9	3		7		5		8	

Medium 183

			9			4	7	1
		8	4	6				
		5			3			9
	5		8					
6				5				2
					2		3	
4			3			8		
				9	8	7		
8	2	7			1			

Medium 184

7			8			3		6
5	8							
6			3	7			2	
9			2		4	7		
	1						5	
		7	1		6			9
	6			2	7			4
							6	5
1		2			8			7

Medium 185

				1		6		9
	9		4					
	8	6	9				2	
		5	2					
7			1	8	5			3
					3	9		
	2				9	5	7	
					8		3	
3		7		6				

Medium 186

		5		9				
4	9					7	5	
	2	8	7		5			
5					7			3
			2	4	6			
1			5					8
			4		8	6	3	
	7	6					4	2
				2		1		

Solution on page 199

Medium 187

		6	5				4	
			4	8			9	
9		7						
2				7	5	1	6	
			1		2			
	3	1	6	9				8
						8		6
	1			5	6			
	2				8	4		

Medium 188

	8	5	9		1		2	
7							3	
1						8		9
				7		4		8
			4	5	2			
3		4		8				
2		1						3
	7							2
	9		3		6	7	4	

Medium 189

			4	2	3		7	5
7		5					3	
3		4						
			2		6			9
4			3		1			7
1			9		5			
						8		6
	1					3		4
5	4		6	3	9			

Medium 190

	4	8	2				3	
					5			9
				8				2
			9	6				8
9		6		7		1		3
5				4	8			
6				9				
1			8					
	7				1	6	2	

Medium 191

	7		2			8		4
2		5						
		4	1					3
	1		4	5	2			
	2						5	
			8	1	9		4	
5					6	3		
						6		9
9		1			7		8	

Medium 192

8				2			3	
2		4			9		1	
1	6	7						
6			9		2			
		2		3		8		
			7		8			2
						5	4	9
	7		4			2		1
	8			5				6

Solution on page 199

Medium 193

		1	5			2		
	2		3				9	
7	9							1
9				2			3	
5		3				1		8
	1			6				5
1							7	9
	3				8		1	
		8			2	6		

Medium 194

	3						5	
	1			3	2			
	7	6	8			1		
9	2							
4			1		8			7
							3	2
		1			9	2	7	
			3	5			4	
	5						1	

Medium 195

	7			8		2	6	9
2		1						
		3		4				
8			5					
4	5		7		1		9	3
					8			4
				7		4		
						5		6
7	4	2		3			8	

Medium 196

			1	9		2		
1						7		
9				7	5	1		6
5			9				6	
8	4						5	1
	9				2			4
7		3	2	6				8
		1						7
		9		4	7			

Medium 197

7		5				8		1
9	1			6	7		3	
		8		9				
6		4			1			
	8						6	
			3			1		4
				1		9		
	7		9	3			2	6
4		9				7		3

Medium 198

	5		2	7				8
	8				4		1	
7	2					9		
				5		1		
3			6		1			4
		6		9				
		1					8	7
	6		1				4	
4				6	5		3	

Solution on page 199

Medium 199

9	8			2			7	
1		5	3					
			4	6				9
5					7			
		7	6		3	2		
			5					4
2				5	4			
					6	9		8
	7			1			5	3

Medium 200

				2	7	8		4
4	2			1				
7		5			4		1	
2		8			3			
1				7				3
			2			4		8
	3		1			7		6
				6			4	5
9		6	7	4				

Medium 201

6	3				7	8		
1					2			
5		2		8				4
2	9							
	5		2	6	4		9	
							2	5
7				5		2		6
			1					7
		6	8				5	9

Medium 202

	7			3			6	9
						1		7
2			9		5			
			8	4				3
6	2	8				7	4	1
3				6	7			
			6		9			4
5		6						
9	3			2			1	

Medium 203

8	3	2					9	
				8				1
9		1	5	3				7
	2			9	1			
4								9
			6	5			2	
2				1	4	9		5
5				2				
	9					1	3	2

Medium 204

				2	4	6	3	5
6							2	
2		4				1		
			1	8				3
		3	2		5	4		
5				4	7			
		6				3		9
	7							8
9	8	2	6	7				

Solution on page 200

Medium 205

6			3		9		5	
2						4		
8	5		7	6			2	
				9				5
		9		1		7		
7				8				
	1			3	2		9	7
		7						2
	6		5		1			3

Medium 206

	8			3				4
1					6		5	
7						9		3
		1		4	3	6		
	5			7			4	
		4	2	9		1		
4		8						6
	3		1					8
5				8			9	

Medium 207

6	3		5	2		8		
5	1	9						
	2					9		
4			2				6	
		2		5		4		
	9				4			2
		3					1	
						2	8	6
		6		1	2		9	7

Medium 208

4	8		9			6	7	
7	1	2					9	
6				2				
			1		6			
9		1				8		4
			8		3			
				5				6
	7					2	8	1
	9	6			2		5	3

Medium 209

8			5	6				
		7						5
	9					7	4	3
9		8		4	3	2		
			2		6			
		2	7	8		4		9
2	6	9					7	
3						9		
				5	4			6

Medium 210

5		3		4	9	6	8	
1			8		3			
	4							3
8					6			
6			7	8	4			5
			2					9
7							1	
			3		1			8
	1	4	5	6		9		2

Solution on page 200

Medium 211

3	1	5			4			2
9		4					8	
	7		3					
		6		7		4		
			4	5	8			
		8		2		9		
					7		1	
	4					7		9
7			1			5	6	4

Medium 212

		8			5		4	
7								6
	2	4	6	9				
5			1					3
			4	3	6			
1					8			2
				6	2	8	5	
6								1
	8		9			3		

Medium 213

	6	8				9		
		7			2	1	5	
5					1			
2			1	3				
		5		4		7		
				9	8			4
			3					7
	5	4	7			3		
		6				4	2	

Medium 214

	8	1	3		6	5	2	
2								8
		9		5		1		
3			4	6	8			7
		4				3		
8			1	3	5			9
		7		4		8		
9								6
	3	6	5		1	7	9	

Medium 215

9				3		1		2
			8			5		
2	3				4			
7	2	6	1		8			
			7		5			
			3		6	8	1	7
			4				2	8
		2			3			
6		9		5				4

Medium 216

6	3			5		2	7	
		4	3				8	
1				7				9
			5		1	7		
		9		4		1		
		1	7		9			
8				2				4
	1				3	9		
	4	3		9			1	8

Solution on page 200

Medium 217

1			9	4				5
5						7		
3		8	7					
		7		9			5	
2	4						6	7
	3			6		4		
					9	5		2
		2						1
9				7	8			3

Medium 218

2					6	1		3
			9				6	
5	1			3				8
	5	8						
		1	7		4	5		
						8	1	
3				9			4	2
	8				7			
7		4	6					1

Medium 219

7		4		8	2	9		
	8					1		
9						2	5	
2	5		9					
			8		1			
					5		8	9
	4	9						5
		5					6	
		6	1	5		7		3

Medium 220

4	8		9				2	5
6								9
				2		7	6	
		4	1					
9	5						7	4
					6	1		
	4	6		8				
1								7
8	3				2		5	6

Medium 221

	3		8	2				4
5		6		4				
		1						5
9	6				2			
	8						5	
			4				7	2
2						1		
				9		5		7
3				6	8		4	

Medium 222

	2				6	3	8	1
	6					5		
				9	3		2	
5	7			4				9
			9		1			
9				3			4	6
	4		5	8				
		2					5	
8	5	1	3				6	

Solution on page 200

Medium 223

	8				4	6		
7				8				2
5		3				1		
4	5		6	9				
		1				3		
				1	2		6	9
		4				9		1
9				2				8
		7	9				3	

Medium 224

		7	2			4		8
8			6	4			3	5
					8		7	
1	8				2			
			7		1			
			4				1	2
	9		1					
2	1			3	6			7
4		8			9	6		

Medium 225

6				4		7	2	
7			5			3	8	
			1					5
		4			6			
	7			9			1	
			3			5		
1					2			
	6	5			8			4
	8	3		5				9

Medium 226

7		3	9		4	8	5	
6	4							
		9		7	5			
8								7
			7	2	8			
3								4
			6	5		4		
							9	5
	9	6	4		1	3		2

Medium 227

9	6		5			4	8	
		3				5		
				4	9		2	
7				8	3			
4	3						6	8
			9	2				7
	5		3	9				
		9				8		
	7	4			5		9	3

Medium 228

1	5							
2	7			9				5
9					4	2		
3			6	5		4		
			3		8			
		8		7	9			6
		9	1					2
5				2			9	7
							5	1

Solution on page 201

Medium 229

2			9		7		3	1
		9		4				2
1		7						
				9	5	4		6
	1			8			2	
6		2	1	7				
						1		3
5				2		6		
7	9		4		6			5

Medium 230

	2			6				
	5		8	3				2
4		7						3
3			2			5	1	
	1			8			7	
	8	2			9			6
7						9		1
2				7	3		5	
				9			8	

Medium 231

	1	9	3			7		
	8							1
7	4		5	1				
	2			5			9	4
		8		4		6		
6	5			9			7	
				6	5		3	7
4							1	
		3			1	5	8	

Medium 232

				5		8	7	
4			2			6		
3	9							
6		1	5		3			
8								7
			7		4	1		3
							4	1
		8			7			5
	2	9		4				

Medium 233

	4	2	7				5	
3				2		6		
	8						1	2
8		5			6			
			4	9	8			
			1			7		9
5	7						6	
		9		8				3
	6				7	4	9	

Medium 234

3	9		8				4	7
		4						6
		8			5		9	
				8	3		1	9
			4		9			
8	7		6	2				
	3		7			1		
4						9		
6	1				8		7	4

Solution on page 201

Medium 235

5	3				8		2	4
	4	7						
1				6		9		
		1	5			8		
			9	1	2			
		5			6	2		
		6		3				5
						7	6	
2	1		6				3	9

Medium 236

	2	8		7	1	4	6	
						8		7
		4						1
			9	5			8	6
3				6				2
8	9			1	3			
4						6		
9		2						
	8	5	7	3		9	2	

Medium 237

	6	4				3		
		5			6	8	4	
9				3	2			
	4			2				
6			8	9	7			4
				4			7	
			7	1				8
	5	2	3			4		
		3				9	6	

Medium 238

8	9		7			2	4	
7	4	3						5
5				9				
			9	2	7		8	
	8						5	
	3		8	5	1			
				1				4
6						8	3	9
	5	4			8		1	6

Medium 239

		8		3		4		
3	4						6	9
			4		5			
1	9		5		4		7	6
			3		7			
4	8		1		9		2	3
			2		3			
5	2						3	1
		4		1		2		

Medium 240

	2						1	
		9		1				8
8			5		4	7		3
			4		7		3	
5				2				4
	4		8		6			
2		6	9		8			5
9				7		3		
	8						9	

Solution on page 201

Medium 241

1	2	3	6			9		
				4	1			
5			2				6	
8	3			1				
9								3
				9			2	6
	6				5			8
			8	7				
		8			6	7	1	2

Medium 242

	3		9				5	
		4	1	3		7		2
5							1	
							2	4
8			6		4			3
4	9							
	8							7
2		3		5	6	9		
	4				9		3	

Medium 243

2	9			5		4		8
			1					9
		1			3			
9			6				4	
7			8		2			1
	6				7			5
			2			5		
3					8			
4		8		7			9	3

Medium 244

7	2	1		9				6
	6				7	3		
			6		2			5
			1				9	7
8								1
4	1				6			
2			3		9			
		3	7				6	
5				6		7	8	3

Medium 245

8	5			2	9		1	
		7			8		6	
3			7					8
		5			6			
6	3						2	1
			3			5		
2					3			5
	6		9			8		
	8		6	5			9	7

Medium 246

8	7		4	3				1
		3		1			5	
	9							4
1				8				
		4	3		1	8		
				2				3
2							1	
	4			7		6		
7				6	2		3	8

Solution on page 201

Medium 247

	7			2	4			
			1				7	
1						9	3	
7					9	4		1
		6	7		8	3		
5		4	6					8
	8	5						3
	6				1			
			4	8			9	

Medium 248

		4		7	8			1
			4			7		
7	2			9				5
					1		3	
	1			6			2	
	9		7					
2				1			6	9
		6			7			
9			3	8		4		

Medium 249

	5	7		2				
		9	8		5		7	
3	4						5	1
9							2	
		1	5	6	8	9		
	6							7
8	9						6	2
	1		2		4	5		
				8		7	4	

Medium 250

	7	3		8	2	9		
5				1		3		
			9				6	
1			8	3				
		8				2		
				2	7			1
	5				8			
		6		5				3
		1	6	7		5	8	

Medium 251

8	1		9	6				
9	2							5
6					4	7		
			2	8		1		
1			5		3			7
		6		7	9			
		3	4					6
2							7	3
				5	7		9	1

Medium 252

	1	5	4			7		6
	6			9				
4	9							
3	5	1		7	4			
2								3
			9	2		1	7	5
							2	1
				4			3	
1		4			8	9	6	

Solution on page 202

Medium 253

5						3	2	1
	7			2				5
3			4		5	7		
	9			8				
4	1			3			7	2
				4			3	
		2	1		4			3
7				9			1	
1	8	9						7

Medium 254

	8	6						2
			6				8	
1			4	5		3		
	9	5	7					
	6	4		8		2	1	
					5	6	7	
		7		2	6			8
	4				3			
6						7	3	

Medium 255

1	6						3	8
3		8			6		4	5
5				1				
			7		8			1
		5				7		
6			1		2			
				2				9
2	8		6			5		3
9	5						7	6

Medium 256

		5	1	4			6	7
	6	1						
3			6					
	8			2	1			5
9				5				6
2			7	8			9	
					4			1
						4	2	
5	4			1	2	6		

Medium 257

8	4				9			7
9			2	1				
	2	3					9	
6		2		8	5			
			1		7			
			9	2		6		5
	7					1	5	
				9	6			4
4			5				7	2

Medium 258

6				8	3	7		
7		1		5		9		
3							6	
	3				6			
	1		3	4	7		5	
			8				3	
	2							1
		6		3		2		7
		4	5	9				6

Solution on page 202

Medium 259

5			2					
	4	8						
6			1			7		8
4			9	1		5		
	2			6			4	
		6		3	2			7
9		3			7			4
						1	2	
					1			5

Medium 260

	1			4		2	7	3
5			1					6
		4						9
			2					5
	2		4	7	6		3	
9					8			
4						1		
3					5			4
2	6	8		1			5	

Medium 261

8			6		5	9		
3							1	
9		4				3		
5	1			4				3
			7	5	2			
4				6			2	9
		6				7		8
	8							1
		9	8		4			5

Medium 262

6	3	8		7		1		
9					5			
4								9
			2		7		3	6
7			1		9			5
2	6		5		4			
8								3
			4					8
		1		9		5	6	2

Medium 263

	1		2			5		8
9				3				
	5	7			6			
		2	7	9	8			
1								9
			1	6	5	7		
			8			6	3	
				5				7
5		8			4		2	

Medium 264

	4		7	9		2		
	5		6					3
	9						8	
5			1		6	3		
7				4				1
		1	2		8			5
	1						9	
3					2		5	
		8		5	7		3	

Solution on page 202

Medium 265

				5		9	4	7
			4			6		
	4	8			3	5		
		7		2				4
4								3
8				6		2		
		2	8			4	1	
		6			9			
9	3	4		7				

Medium 266

		8	1		4			9
6				3				
		2		6				5
	9							6
	7		8		5		3	
1							7	
3				1		8		
				8				1
4			9		6	7		

Medium 267

7	5		1	3		4		
				7		3		
3		1		5				2
4	1		8					
			6		7			
					5		6	1
1				8		7		6
		4	9					
		3		6	1		5	9

Medium 268

		8		5			3	
2	6					5		
			7		2	8		6
3	1	2	4					
6								2
					3	4	1	5
4		6	3		7			
		7					4	3
	2			1		7		

Medium 269

5		8		6	9			4
7				8	5			2
	3						5	
					8	7		6
	7						2	
3		2	7					
	8						6	
9			6	5				3
4			8	2		1		5

Medium 270

					4		7	1
	3		1			5		
		2	6					
3				2				7
	6	7	4		5	8	3	
9				6				4
					3	7		
		3			1		4	
5	7		8					

Solution on page 202

Medium 271

3		1			5	6		
6				8	3			1
							7	3
		6			7	8		
9	5			2			6	7
		3	8			2		
8	6							
5			3	7				6
		2	1			7		9

Medium 272

	1		4	2		9		3
	9				3			2
	7				9			
7					8	6		
		9	2		6	7		
		8	9					1
			6				2	
6			7				8	
9		2		4	1		6	

Medium 273

	1		3			5		
	5	7					3	
3		9	4					
6	7		1	4				
		2				1		
				2	9		6	3
					1	9		8
	3					7	5	
		6			8		4	

Medium 274

8	1			9		7	4	
9			5					
	3		7					9
7	4	6						
			3	8	6			
						9	6	2
5					2		1	
					4			8
	2	8		3			9	6

Medium 275

	7		4	3	2		6	
1		8						
6			7			5		
				7	4			8
		9				7		
8			9	2				
		2			3			7
						4		5
	4		5	1	7		8	

Medium 276

3		1			9			
					1	7	9	6
					5		1	2
1				2				9
9				6				5
8				5				1
7	9		5					
6	5	3	4					
			7			6		3

Solution on page 203

Medium 277

	9	7		8			2	3
	8			6				
3			2					
7	2		6	1				
		9	4		5	7		
				9	7		1	5
					2			7
				4			5	
8	6			7		3	4	

Medium 278

7		8	9	2				6
		5				4	2	
	3	2						
	8		7					
		9		5		1		
					9		4	
						3	7	
	7	4				6		
6				7	8	9		1

Medium 279

1	3				7	9		
			8	5		3		
							6	4
7	6		5		3			
4								2
			4		9		5	7
3	7							
		1		7	5			
		2	6				7	8

Medium 280

7		9	6	5		1	2	
2					1			
	4					7		
				4	5		7	
		6		7		3		
	7		3	6				
		2					1	
			4					3
	5	7		1	9	4		6

Medium 281

1		8	2	7	9			4
	4						5	
				8				2
					4	6	1	
4			1	5	3			8
	2	1	8					
5				9				
	3						9	
9			5	3	2	4		6

Medium 282

7	4		9					2
2			1		3		8	
		3				7		
8				3	2			
	3	2	8		1	4	9	
			7	9				8
		4				8		
	5		3		7			9
6					4		7	3

Solution on page 203

Medium 283

		9				5	1	
4			8			6	2	
2				5				
			1	6		4		
		6		2		9		
		2		3	8			
				9				3
	8	1			3			5
	7	3				2		

Medium 284

9	7		6					
	3			8		9		
1		4		2				3
		1	3					
5			8	6	2			1
					4	5		
2				5		3		8
		5		9			7	
					8		5	2

Medium 285

	6			1	7	3		
2		7	5			1		
1					8			
		4		8				
	2		6	4	1		9	
				2		5		
			8					3
		5			2	9		8
		1	4	9			2	

Medium 286

7	4				3	5		
						6		8
8	2		7					
5			9	3	4		1	
3								6
	7		8	1	6			5
					5		6	9
4		5						
		7	4				5	1

Medium 287

7	4			6		8		
	2	3						
			5					7
1			8		6		4	3
			9		1			
8	9		2		7			5
9					8			
						7	1	
		7		9			8	4

Medium 288

	7		2	5		9	8	
		5					1	2
2	9	4						
1			6		2			8
	6			7			9	
7			3		8			6
						5	4	7
5	4					8		
	8	7		3	4		2	

Solution on page 203

Medium 289

		4		8		3		
	6		1	4			2	
			5		9			4
7	4			1		8		
	8						7	
		9		6			3	2
8			3		1			
	1			5	8		9	
		6		7		1		

Medium 290

	4	2			1		8	
5	8			2				7
6		3						
8	3							
7			5		8			4
							6	2
						1		9
1				3			4	6
	5		1			7	2	

Medium 291

5			1			4	6	
	9			3				5
	7			8	5	3		
	2		7					
		8				2		
					3		5	
		6	2	5			4	
2				4			7	
	1	7			8			6

Medium 292

	8	6					2	
9			6				4	
1		2		4				7
7	6		3					
			5		8			
					2		8	6
3				8		4		1
	9				3			8
	5					6	3	

Medium 293

	4							7
3		8		1				
2		9	4	8				1
8	1				3			4
		6				8		
5			6				2	3
4				6	5	9		8
				9		3		5
9							6	

Medium 294

3			6	8		9		
7							2	
					7			6
	3			7		1		
8		6	4		5	3		2
		4		2			9	
2			1					
	5							1
		9		6	3			4

Solution on page 203

Medium 295

4	1		8	5		6	7	
9		8						
			1				5	4
8					7			
7				4				2
			5					7
5	6				9			
						7		6
	9	3		6	8		2	5

Medium 296

		3		4			7	
			7		5			1
	8		2					3
	5	4			3	1		
			8		4			
		6	9			4	8	
3					7		2	
4			3		6			
	2			8		3		

Medium 297

1	7				9			
	3						9	
2			3			8		4
9			5	1		3		
4								5
		8		6	3			9
3		1			4			6
	2						5	
			9				1	3

Medium 298

3	7		5				9	8
9								1
			9		1	4		
				6	4			
	6	7				2	5	
			1	7				
		9	6		8			
2								9
8	1				9		4	7

Medium 299

	2	8		6		3		
6							8	
7			8	9	5			6
2		9						
			4	2	7			
						5		7
3			9	7	6			4
	4							2
		7		1		9	5	

Medium 300

		5	2		7			
							6	1
3					6			
	8	9		7		4		5
	5	2		8		3	7	
6		7		5		9	1	
			9					3
7	2							
			7		5	1		

Solution on page 204

Medium 301

3	8		7			9		
6						8		
5					2			
			5	1				
2	4		9		6		5	7
				8	7			
			4					8
		5						6
		9			5		7	4

Medium 302

8		3	7				5	
9	6					8		
		2	9	1				
			4					3
	2			3			4	
3					5			
				9	6	5		
		6					1	8
	8				3	7		4

Medium 303

1	6				2			
				9		4	7	
5		4						
3					6		9	
4			3	7	9			6
	1		2					7
						8		5
	3	2		6				
			8				4	3

Medium 304

3				9				
		7	4				9	6
9					1			7
			1		7	8		
1	2						3	5
		8	3		4			
5			8					9
2	7				9	5		
				7				2

Medium 305

6	3		4					5
						6		4
				6		3		
3		6		8	4			
	7	5	2		6	8	4	
			1	5		9		6
		3		4				
5		7						
1					5		2	7

Medium 306

2		4					9	6
					1			4
			9	3		5		7
			3	8				
5	8			9			1	3
				5	6			
7		9		1	3			
4			2					
8	1					2		5

Solution on page 204

Medium 307

2		6	1		4	8		
				3			2	
							4	1
1			2					7
7			4	5	1			2
6					7			8
8	9							
	6			1				
		3	8		2	1		4

Medium 308

		7			5	9		1
3	5							
	2		4			7		8
4				9	6			
6				8				5
			3	2				4
7		3			1		8	
							1	3
2		8	6			5		

Medium 309

					3		9	6
3		4	6			8		
7			4	1				
				3			5	9
5			9	6	4			8
9	8			7				
				8	7			5
		5			9	2		7
8	7		3					

Medium 310

				2	5		3	
9	8		3					
5						1		4
2		1	5		8			9
			9		2			
4			6		1	5		2
3		6						8
					3		9	6
	1		2	8				

Medium 311

4		8		1		6		7
7	3	5						
		1	8					
	7		1	2	8			
8								3
			6	3	5		2	
					1	2		
						3	7	4
2		4		6		5		9

Medium 312

	9			8				
7				9				
3					6	7	5	9
2			4		3		9	
		9		7		5		
	7		1		9			8
4	2	7	8					1
				3				5
				4			6	

Solution on page 204

Medium 313

						1		4
	9	7	2				6	
			4	8			2	7
6				2			5	
	4	3				2	8	
	8			3				1
1	5			9	8			
	6				2	4	1	
3		8						

Medium 314

1	9		5			8		
	5		1				7	2
		6		3				
						3	2	6
			8		5			
9	7	2						
				1		9		
7	8				6		5	
		9			8		4	1

Medium 315

				3		4	2	
	4				1	5		
1	8	9			4			
			4			9		
4		3				7		8
		7			6			
			7			3	1	5
		1	9				4	
	2	4		5				

Medium 316

	1	7	3			4		
8					4			
9				5	1			8
5	4		7					
			5		3			
					8		9	5
4			8	1				2
			2					1
		3			5	9	8	

Medium 317

2		7	1	8				4
	1	3						5
			2				3	
	4				8			
		2				8		
			9				1	
	3				2			
6						9	4	
4				1	7	3		2

Medium 318

	7	3	2	6				
4		9			1	7	3	
					4			9
				8		1		
		2	6		7	5		
		1		4				
3			4					
	2	7	1			3		4
				3	5	6	2	

Solution on page 204

Medium 319

9	2		6		7		3	8
1				9	3			
				1		4		
					9			7
		1		6		9		
5			2					
		4		3				
			9	5				4
7	9		4		1		8	3

Medium 320

		6		1	3	9	2	
4	7		5	9				
							7	5
2	6				9			
	9		4		8		6	
			3				5	9
7	1							
				3	5		1	7
	8	4	6	7		3		

Medium 321

5	1	6					8	
			5			6		
				1			4	
7			8	4				3
	2	8				1	6	
3				9	2			4
	7			6				
		5			3			
	8					9	5	7

Medium 322

	4	7	8	6				
5		3			9		8	
		6						7
7	2					1		
			9	4	2			
		5					3	2
1						2		
	5		2			6		9
				8	4	7	1	

Medium 323

3			6		7	2		
		1	4			7		
					2			6
	9	3		6	5			4
	1						6	
4			8	9		5	7	
9			5					
		5			9	6		
		4	2		1			8

Medium 324

		1				4	8	
4				1	3			
		5			7			
	3			8				9
5		8		2		3		6
7				6			5	
			9			8		
			2	5				1
	7	6				2		

Solution on page 205

Medium 325

3	4			9		2		
8					4			
7			1				4	
			9	5				
5		8	2		7	1		9
				6	1			
	9				6			8
			8					2
		4		2			6	7

Medium 326

		7	9	2	1	6		
1			5			4		
3							8	2
6			1					
	2			7			3	
					6			8
7	3							4
		9			3			7
		8	7	6	9	3		

Medium 327

	2		3	9		6		4
7						9		
					6			8
					2	4	8	
			1	5	4			
	5	2	7					
5			6					
		1						6
3		6		7	8		2	

Medium 328

		8	2			4	7	
		4		1				
	3						2	1
			9		6		3	
7								4
	6		5		3			
3	5						1	
				2		6		
	8	7			1	9		

Medium 329

7		8					5	2
		4	7					
1		5	9					
				3	6		1	
		6	5		4	8		
	3		2	1				
					1	9		8
					7	4		
4	5					3		1

Medium 330

	3				7	5		6
2							8	
5					1			7
				2	9	6		8
	6			3			5	
4		9	5	7				
9			3					5
	5							4
8		4	9				3	

Solution on page 205

Medium 331

1							4	
6	7			5	2			
9						3		2
7				2				
		2	9	3	6	7		
				1				5
3		7						1
			8	9			2	7
	9							4

Medium 332

		3		4	7	9		
	6			9			1	
8							4	
2	4		3			8		
			8	7	9			
		1			5		3	9
	3							1
	7			3			6	
		8	7	1		5		

Medium 333

7	1		9	6			2	
8						4		
	5				1	3		
			3	9				
9	2			4			8	5
				5	6			
		1	5				4	
		5						3
	8			3	2		5	9

Medium 334

	8		1					
	7		4			3		5
	6			2	7	4		
			8		1			7
3				6				4
7			5		2			
		6	3	1			9	
8		2			4		3	
					5		4	

Medium 335

	7				5		6	8
	6			8				
3		8						4
6		1	3	5	7			
	8						4	
			4	1	8	5		6
5						4		7
				9			3	
9	2		7				5	

Medium 336

	1				2	7		5
				1	9			
6		9			8			
1		3		9		5		
	7	5				8	1	
		8		7		9		6
			1			6		9
			9	4				
2		6	3				5	

Solution on page 205

Medium 337

				8			7	
				9				2
4		5	2				8	
7	9					3		
		4	3		1	6		
		8					1	4
	6				5	8		7
8				6				
	2			3				

Medium 338

6		7		4	5		3	
3						8		4
9			3					
			1			5	9	
5								2
	1	3			9			
					7			6
7		8						9
	5		6	1		4		7

Medium 339

3	4	8		5				
5	2			3				1
1						4		
8	3		9					7
		6	5		3	1		
4					7		9	8
		4						3
2				6			8	4
				2		6	1	9

Medium 340

	3	8	7		2		1	9
		1		9			7	
7					8			
		7			4			
		6				9		
			8			6		
			4					6
	7			8		5		
6	2		9		3	1	4	

Medium 341

		9			1		8	7
4				8				
				2			9	
	6			7			3	
		7	6		9	8		
	2			4			7	
	7			6				
				5				2
2	4		3			7		

Medium 342

	5	1	8	9				
9		7			6		2	
6	8							4
2					7			
	6		9		3		1	
			5					3
3							8	9
	1		2			3		6
				3	5	2	7	

Solution on page 205

Hard Puzzles

Hard 1

		7			1	9		
1	4			5				8
			9			7	1	
9		1		2				
			1		7			
				4		1		5
	1	4			2			
6				1			3	7
		5	8			4		

Hard 2

8		9	1					
6						8	1	
				5			6	4
9				1	5	3		
			3		4			
		3	7	8				1
2	7			9				
	9	6						7
					1	9		2

Hard 3

2			4	3			6	
					1	9		
5	7						3	
	4	5	3					1
8				1				3
1					2	5	4	
	2						8	6
		3	6					
	1			4	7			2

Hard 4

	9		6	4			1	
8								9
		2				5		3
	3		9					7
		5	3		4	9		
9					1		4	
2		8				1		
6								2
	5			1	2		9	

Hard 5

4			9	5	6			
			1					6
9				4		2	7	
6	8							
		2	3		4	1		
							6	2
	9	8		3				1
1					9			
			7	1	5			4

Hard 6

8		7				5		
9	4				1		8	
	3				6			
	5			7				
	2	9		1		7	5	
				4			6	
			4				3	
	7		8				1	5
		3				4		8

Solution on page 206

Hard 7

	2			9	5		3	
		4	6			8		
		8		3				
	7				1			9
5		2				7		4
1			9				2	
				6		1		
		5			9	2		
	1		5	2			9	

Hard 8

9					6	8		
		8				3		1
			1	5			4	
			5			1	8	
			9	8	4			
	4	2			7			
	8			3	9			
4		3				7		
		5	7					8

Hard 9

		5		7			6	
	1	3				7		
7					4			
3	5		9	8				
4								9
				4	2		7	8
			5					6
		1				2	5	
	8			9		3		

Hard 10

2	9		1				5	
			9			3		
5	8	1						4
		8		5			7	
9								1
	3			6		5		
3						1	4	5
		9			6			
	1				3		9	6

Hard 11

4	1			6		2	3	
	3				2			
5			3				9	
				8	7			9
		6				4		
8			1	5				
	4				6			2
			7				6	
	8	1		2			4	7

Hard 12

	7			2			8	6
	4	6						2
				3	7			
			5			6		
4								1
		3			1			
			2	9				
2						1	7	
8	6			7			5	

Solution on page 206

Hard 13

		4			1			
5	2			9		8		
1							6	7
2		7			5			
	3			8			5	
			9			7		3
4	1							9
		6		5			2	8
			3			6		

Hard 14

4		1			3			
						1	8	
8				1				6
		3	5		1	6		
	6	2		9		5	3	
		7	3		6	2		
3				7				2
	9	8						
			8			3		5

Hard 15

	9		5	3		7		
	3						8	
5					7	1		
	1		2		6			8
	6		3		1		2	
7			9		8		6	
		9	7					2
	5						7	
		3		2	5		1	

Hard 16

7	6	4						
5	2			1		7		
				3				2
9			5		6		2	
6								9
	1		9		3			6
8				5				
		7		6			5	4
						8	1	7

Hard 17

	4	7						6
		3	4					
6	5	9	7			8		
5				6	4	3		
4				1				7
		1	3	7				5
		5			7	4	6	8
					3	9		
8						7	5	

Hard 18

	6	2					4	7
3	5				4			
8				6				
					9	1	3	
			7		6			
	3	8	2					
				8				3
			6				8	5
1	8					4	6	

Solution on page 206

Hard 19

2		9		1				4
		1						5
	5			6			2	
	1		4	7	8			
8								6
			6	5	3		1	
	7			4			3	
1						9		
9				2		5		7

Hard 20

6	3		5					8
		2	8	6			1	
9			3					
		9						5
	6		2	8	9		4	
3						7		
					5			7
	9			1	8	6		
8					3		5	4

Hard 21

3		2				8		5
5					8		1	
					9		4	3
			8	3				4
9		8		1		3		2
4				9	2			
8	2		9					
	5		7					9
6		7				4		8

Hard 22

		8						9
	7		9		4	1		
5				1		3		
9					1		6	
8			2	4	9			1
	3		5					2
		4		8				6
		5	1		2		9	
7						8		

Hard 23

	5	7		1	4			
8						3		
					7	9		
	3			9				1
		6	4	5	8	7		
7				3			9	
		4	8					
		9						8
			2	4		5	3	

Hard 24

2	7	6	5					
		5		8				
9						5		3
	3		4	9				
	6		2		5		8	
				6	8		1	
8		7						6
				5		1		
					2	8	5	9

Solution on page 206

Hard 25

7			9			6		8
		9	8				3	
				7			9	
9			5					2
	6			2			5	
4					7			9
	7			8				
	4				2	3		
6		8			5			1

Hard 26

	3		5	7		4		
		4			1			8
	6						7	
4		5				2		
			8		2			
		2				5		9
	4						6	
8			1			3		
		9		4	7		2	

Hard 27

3				9				
6		9				7		5
	1		7					
1			8	6			4	
		7				8		
	9			7	4			6
					6		8	
2		8				3		4
				3				1

Hard 28

	2	7			6	3		
4		5			1			
			2			5	9	
	1			7				2
	6						3	
8				1			6	
	7	6			5			
			7			9		8
		8	1			6	2	

Hard 29

	5			4		9		
		9		8		1	3	
4	8		2					
					8		7	
8	3						4	1
	1		3					
					7		9	6
	9	1		5		7		
		6		2			1	

Hard 30

	7	8						
			7		2	1		
1			8			3		4
8				3	4		9	
		4				2		
	3		5	2				7
7		5			9			2
		6	2		1			
						9	4	

Solution on page 207

Hard 31

7		3		6	8			2
9						8		
5		4						
8	6			1				
	5		9		4		3	
				7			1	8
						1		7
		5						9
6			8	9		2		5

Hard 32

	7		5	8				
		9			6			
5			1				7	6
	5			9		4		
2		6		4		5		7
		7		5			9	
8	4				5			1
			9			8		
				6	8		2	

Hard 33

8	3		1		6			4
4						3	9	
				3	4			
6		8	9					
		3				6		
					3	7		9
			5	7				
	8	1						3
9			3		8		2	5

Hard 34

	9					3	5	
	2		5	1				9
		6		2				
9	1				8			
6				7				4
			6				8	1
				8		1		
8				6	7		2	
	6	1					7	

Hard 35

	9	7		2				
4					8			
3	8					9		5
5		9	2					3
			6		7			
6					9	7		1
9		5					1	6
			5					9
				1		5	4	

Hard 36

		2			3		9	7
3				5				
	6	1	9					
			3				6	
	9		6	2	4		3	
	1				5			
					7	5	4	
				3				9
1	7		5			6		

Solution on page 207

Hard 37

2		1		6			9	
					9	5		
							4	8
5	2		9		1			
1				4				2
			3		7		5	4
8	6							
		9	1					
	1			9		3		5

Hard 38

	7	6		8		2	1	
5	1							
		9	4					
9				2	7			
		5	8		3	1		
			1	4				7
					6	7		
							9	3
	9	8		7		5	6	

Hard 39

	4	1		3				
6			4			2		
					1			4
8		6				9		
	3		9	2	8		5	
		5				4		3
9			3					
		8			6			2
				8		3	7	

Hard 40

				8		3		
	6		4					7
1			5			9	6	
		4	9		1	7		
		7				2		
		1	6		2	4		
	9	6			8			4
7					4		2	
		3		6				

Hard 41

	8	1					7	
9	6		3					
				1		9		6
					4			8
		3	6		1	5		
2			5					
3		8		7				
					6		3	5
	2					1	4	

Hard 42

3	9				2			5
1	8				6			
		2				8	3	
			4	8				
6	1			7			5	4
				6	3			
	7	4				5		
			6				9	2
9			7				8	1

Solution on page 207

Hard 43

		8					6	
		6	3			8		
2					8		4	1
	9			6				
	2		5	8	7		1	
				4			5	
1	6		7					3
		2			9	1		
	7					4		

Hard 44

	1	5						6
9		6		4				
			7					3
		9			8		7	
		4	3	2	7	8		
	8		4			6		
8					6			
				3		2		9
6						7	1	

Hard 45

			4			9	3	
6				9		5		
8			5	7				4
7	8		1	3				
			9		4			
				5	8		1	3
5				1	9			8
		1		4				6
	6	8			5			

Hard 46

1							7	
				6	5			9
7	5					6		
		7		5	6			2
		1		2		3		
4			3	7		9		
		9					3	4
8			6	3				
	3							6

Hard 47

		3		5				
1		4	8					2
5	8							1
	1		4	2	9			
	4						1	
			1	8	7		6	
6							7	8
2					8	4		6
				3		1		

Hard 48

8		4		7		1		
	5				8			
	7					4		
			7		1		4	3
			4		9			
9	4		3		2			
		9					6	
			1				8	
		6		9		3		5

Solution on page 207

Hard 49

8		7			5			2
6				4			7	
	4			7			9	
		3					5	
			5		2			
	5					8		
	9			3			8	
	6			5				7
4			9			3		6

Hard 50

				2	9	6		5
9							4	
8		5	7					9
				9				6
3	5						1	8
1				8				
4					7	9		3
	7							2
5		3	8	6				

Hard 51

		4	6	3				
2							4	6
					2		9	
	1				5	8		
3								5
		5	8				1	
	8		7					
5	4							2
				6	1	7		

Hard 52

	6				2		5	
2					5	3	7	
3				1				
		2	4	7				
4								5
				5	3	8		
				3				8
	8	4	5					6
	9		6				1	

Hard 53

	3						2	
5		9					8	
			5		4			
2				9		6		8
			1		3			
9		1		2				3
			8		5			
	7					4		5
	6						9	

Hard 54

			4				1	
	5				2			6
	2					5		8
9				7	3			
	8	5				1	3	
			1	8				5
1		3					5	
2			6				4	
	9				7			

Solution on page 208

Hard 55

3		6						5
	7					2		
		4	1	5	3			
			7				8	
5				8				1
	3				2			
			9	6	8	5		
		7					9	
4						6		8

Hard 56

	2		5					1
1	4				6			
				1		5		
8			7			9		5
		2				3		
4		7			1			2
		4		8				
			2				4	9
9					3		6	

Hard 57

3					5	1	8	
6				9				
7		8			1			
					3		5	1
	8			4			6	
1	9		6					
			5			4		3
				7				8
	1	6	3					5

Hard 58

		3	7					6
	5					3	4	
7	2		3		4			
1	9			4				5
		4		8		9		
5				9			3	4
			8		1		6	9
	6	8					2	
2					6	4		

Hard 59

		4	8	5				
2	5							6
1	7		6				5	
4			7			3		
		6	4		5	8		
		2			6			4
	2				7		4	8
8							3	9
				3	8	7		

Hard 60

	4	9		1				8
1	3					5		
7			6				4	
5			8		6	9		
	9			3			5	
		3	5		9			7
	2				8			5
		5					9	4
4				5		7	8	

Solution on page 208

Hard 61

4			9		8	1		
	5			1			6	
1					2	3		
	9				3	5		
			5		1			
		5	8				1	
		8	4					2
	6			3			9	
		3	2		9			1

Hard 62

7	1	8					3	
		9						5
	6			8	2			
	7					5	9	
			5	6	1			
	8	5					1	
			6	3			5	
9						3		
	5					9	4	1

Hard 63

		1	5				8	
5		7	4					
	2	9			1			4
	7		2	5				
		4		1		7		
				6	4		1	
3			8			1	4	
					7	6		3
	1				5	9		

Hard 64

		4		5				
5	8	2						4
3		1	8		4		9	
	9			6				
		3	7	1	8	5		
				9			3	
	1		5		9	8		3
4						9	7	1
				8		4		

Hard 65

	8		9	3				
	5					3		9
1	3					5		
			8	4			7	
	2		7		3		6	
	7			1	6			
		7					4	2
6		2					5	
				2	8		9	

Hard 66

	9			2				6
4		3						
5	7	2	6				4	
					9	1		
6			4	7	2			9
		9	1					
	3				8	2	6	7
						4		1
7				4			8	

Solution on page 208

Hard 67

8	4		7		6		2	1
				4		8		
	3		1					
		8	6			9		
			2	5	4			
		2			7	4		
					5		9	
		7		6				
2	5		9		8		6	4

Hard 68

	3	7				9		2
			6		7			
4		1						
	5			8	9			
2	1			5			3	7
			7	3			5	
						4		1
			3		4			
9		8				3	2	

Hard 69

2	6	5		7				1
4							8	
1					9			
3			6		8		4	
		7				2		
	4		7		2			5
			4					3
	1							2
9				2		8	5	6

Hard 70

4	6				3			2
		5		8		4		
8		9						
9	4			5	6			
			3		4			
			7	2			4	3
						8		5
		6		7		3		
3			1				2	6

Hard 71

6	9		2					
					5	1	9	
2				8	1			
		4	1	9	7			
1								5
			5	6	3	4		
			3	1				7
	3	8	7					
					9		2	4

Hard 72

1	4		8			7		
	6			9				
3		9				5		
	8		1		3			
9			2		7			4
			6		9		5	
		1				9		8
				3			4	
		4			8		1	5

Solution on page 208

Hard 73

		9			7		3	
7					2			4
6	1			9				
	4					7		6
			9		1			
3		5					1	
				7			9	2
4			3					8
	8		2			3		

Hard 74

			7		3	5		
9	4			6				
3			9			4	7	
					4			1
1		4				2		9
2			8					
	8	9			7			2
				8			5	7
		2	1		9			

Hard 75

	5	7		8				
			7				1	
8			4				5	3
4		9		3				
5	2						3	8
				5		4		1
3	6				1			9
	7				3			
				2		3	6	

Hard 76

6							7	8
9			8		4			
	3	8	6			9		
2	6			4				7
			2		5			
5				6			1	4
		4			1	7	2	
			3		2			5
7	5							3

Hard 77

	6	2	7		4	3		
7	3							
			2					4
				6	7			8
6								9
8			3	9				
2					5			
							1	7
		9	8		1	4	5	

Hard 78

9	8	6			3			
7	3						8	
4				8	9		7	
		4	5				6	
5								2
	6				1	4		
	5		9	1				6
	4						5	8
			4			2	3	1

Solution on page 209

Hard 79

4	5			9		2		
	6					8		
3			4				5	9
	3		1					
2	9			7			6	1
					4		8	
9	2				3			5
		6					2	
		3		2			1	8

Hard 80

4		8		6	5			
	7					4		
6			9		7		3	
5					6	8		
		1		5		7		
		6	7					1
	5		2		8			4
		9					7	
			5	7		9		3

Hard 81

		9	5				2	1
4				9				8
			3		2	5		
			1	4			3	
1								9
	5			3	9			
		7	2		8			
5				6				7
3	1				7	9		

Hard 82

		4	5		7			
		3					5	
		6		9		3		1
	3		1					
7			3		2			5
					6		2	
5		9		6		4		
	6					5		
			4		9	8		

Hard 83

	4		1					5
1			8				4	
					3			1
6				4		2		
9		5		1		4		6
		2		3				8
2			6					
	7				4			2
8					2		6	

Hard 84

7		1	9	2	8	6		
	6							8
9			4				2	
			6		7			4
4				8				6
6			3		5			
	5				9			2
1							8	
		6	2	5	4	7		1

Solution on page 209

Hard 85

2	6				5			
9		5		4				6
8	4		6			5		
5							1	
			9	7	4			
	9							8
		9			6		5	4
1				5		8		7
			7				2	3

Hard 86

2	7				8		6	
		5		1				7
1								9
		4	1	8				2
		7		6		4		
8				4	9	3		
7								5
3				9		8		
	9		8				1	3

Hard 87

	2		5	7		9	3	
			2					4
	7							1
		5	1	9				
7			8		3			9
				2	5	6		
6							4	
8					7			
	3	2		5	1		9	

Hard 88

9							3	1
	3		7	2		5		
2		5			6			
					5	4		6
			4		1			
4		9	8					
			6			8		2
		2		4	7		5	
3	9							4

Hard 89

9	7							1
4		1		7	5			
				8			3	
		3	8		2			
	2						8	
			3		7	6		
	5			4				
			1	2		7		8
2							4	3

Hard 90

		7						8
			4				9	
6		8	9	3				2
	5	4			2			
			5	9	4			
			1			9	5	
4				2	7	3		9
	2				9			
3						6		

Solution on page 209

Hard 91

		1			6	8		
9							1	
8		2	1				9	
4				8		7	5	
			5	6	9			
	1	5		3				9
	4				2	9		8
	9							7
		7	3			4		

Hard 92

	4						8	9
8		7		6				4
		1	5					
5			2					7
			8	1	7			
1					5			2
					9	4		
2				3		9		8
4	3						5	

Hard 93

					5			9
	9	1	8					
2			9			3	1	
8				3	1	5		
7				5				3
		5	6	8				2
	2	3			7			8
					8	4	3	
6			3					

Hard 94

	8	1		9			3	
	3							5
				7				4
				5	6	7		
	2		4		9		8	
		9	7	3				
1				2				
8							9	
	9			6		5	2	

Hard 95

				4			6	9
7			6				5	
	6					4	3	
6			2	8	4			
		1				9		
			1	5	9			4
	2	6					1	
	5				6			7
1	7			9				

Hard 96

		2			4		7	
				3			1	
6							3	
9			6		2			
		7	1		3	9		
			4		9			8
	5							2
	4			6				
	7		9			3		

Solution on page 209

Hard 97

	9		3					
1	5		2	8	6	9		
				9				1
4					3		2	
3		1				4		6
	6		4					3
2				4				
		7	1	3	8		5	9
					7		3	

Hard 98

	7				6	5		
2		5	3					
3	1		7					2
				2		3		7
6								4
1		7		4				
8					5		3	9
					8	7		5
		4	9				1	

Hard 99

	5	4	1	2				8
3		2	9					
				7			2	
2		7						
	3		2		9		4	
						2		5
	1			9				
					7	5		4
8				3	4	9	1	

Hard 100

			9		2		7	
	9	2	3					
1			5					2
7		8		9				6
		9	8		6	1		
5				3		2		9
8					3			1
					8	3	6	
	5		1		9			

Hard 101

3		1	8					
5					2			9
		6		5			1	2
	5		7					4
1								3
7					9		8	
2	7			1		3		
8			2					1
					3	9		7

Hard 102

9				5				
	7				4		3	
4	5	1					6	9
	8	5		6	9			
		9				2		
			8	2		7	9	
5	2					9	4	3
	9		3				2	
				9				8

Solution on page 210

Hard 103

		6		2			4	3
		3			7	6		
9		1		4		2		
4			1					
	3			8			5	
					9			8
		4		7		8		2
		2	6			5		
8	6			1		3		

Hard 104

2				8		7	9	
7							4	6
		1	9					
		7			8		1	
		3		4		8		
	2		5			6		
					7	4		
5	7							1
	1	8		6				7

Hard 105

	2			8		5		
		6				2		7
4			6					
3			7	9			5	
	4						1	
	8			5	3			4
					6			5
5		4				7		
		3		7			9	

Hard 106

		5		1				
4	7	1	2					6
					4			7
			5					4
	4		6		9		3	
7					3			
6			1					
3					7	1	9	5
				5		4		

Hard 107

	2				1	6		
					3			5
6		7		8			9	
		9		4				3
3				6				9
7				3		5		
	9			7		2		6
2			3					
		8	2				4	

Hard 108

	3			5				
	1		7			3		
6					8	7		
2						5		
5			8	4	2			7
		6						3
		8	6					9
		1			4		3	
				3			5	

Solution on page 210

Hard 109

1		8						
				8		1	9	5
	3		5					2
			7		8			3
		7		5		4		
5			2		9			
8					6		7	
7	6	2		9				
						6		1

Hard 110

	6					1		
2			4		9			
	8	5				3		
			2	9				6
7				3				9
9				5	6			
		1				7	4	
			1		7			8
		8					6	

Hard 111

3		8	7			9		
			9					2
	9			2		6	8	
		5			1	3		
1			8		4			6
		3	5			8		
	3	2		1			6	
9					2			
		1			7	2		8

Hard 112

4					8		3	
7							5	
		9			4			1
1			4	6		5		
			1		3			
		3		9	2			7
5			9			2		
	7							4
	2		8					5

Hard 113

1			8	4		5	7	
					5		3	
		4		3				
6			4		2			5
7		1				8		2
3			1		8			7
				8		6		
	1		5					
	6	5		2	1			3

Hard 114

4	1			2				8
						9	3	4
	6			5				1
8			5					3
		6	2	3	8	1		
2					1			5
3				6			5	
1	4	5						
6				8			1	9

Solution on page 210

Hard 115

8	6				3	2		
2						8		
1	7	9			6			
	8			3	7			
4				6				8
			8	4			6	
			1			6	3	4
		8						5
		2	3				8	9

Hard 116

2	1		9				8	4
3		8						6
7	6		4					
	5			2		4		
			7	5	1			
		7		4			6	
					6		4	8
9						6		3
6	8				2		1	7

Hard 117

3	1	2	9			6		5
	6		1					
					6			9
				5	2			
1		5	4		3	2		6
			6	1				
8			2					
					1		7	
6		1			4	3	9	2

Hard 118

9								7
1	3		8	2			9	
		8	4					
			3	4	7			2
		5				6		
3			2	6	5			
					1	8		
	5			3	4		2	1
7								4

Hard 119

6	7						8	
		5		7		4		
1			3					
	2	8	9		7			5
			6		4			
9			5		3	7	2	
					2			3
		6		9		8		
	4						9	7

Hard 120

	1	8		2				
	9				3			
6			1				3	9
				1				5
1		7				2		4
8				5				
5	4				8			7
			6				4	
				7		9	6	

Solution on page 210

Hard 121

6	1			8	7			
		5				1		
2	9				4	7		
				3		2		4
			4		2			
4		8		9				
		7	2				1	3
		1				4		
			5	1			9	7

Hard 122

	1	3		5				
4					7	6		
		7			1		8	
8							9	7
			9		4			
1	6							2
	5		3			4		
		1	4					6
				6		9	5	

Hard 123

1		2	7	4			9	
7	9							1
		3	8					5
		4	1					
2								7
					3	5		
4					7	9		
5							1	6
	2			8	6	7		4

Hard 124

		5	6				9	
6				3		8		
8	2							3
					8			5
2		8				7		1
3			4					
4							5	2
		6		2				9
	7				9	3		

Hard 125

6	7			1		9		
		1	9					
4					6			7
2	9				3			6
3				2				4
7			4				3	2
8			2					1
					5	4		
		3		6			2	8

Hard 126

	4		3	7	1			
8		9						
						2	1	
2	3			8	4		6	
1								9
	8		1	6			5	2
	9	8						
						9		7
			4	9	6		2	

Solution on page 211

Hard 127

	2				1	5	8	
				2		4		9
	9		4	5				2
5			6					
2		6		4		3		8
					2			6
4				8	5		2	
9		2		3				
	8	5	2				6	

Hard 128

1			7		3		9	
		2	1					
8							6	
		5	3	1				8
	4						1	
9				4	7	6		
	8							7
					1	5		
	6		5		2			4

Hard 129

	5		7					6
2	3	4	6					
6				9		4		
8				6				
		2		5		7		
				3				8
		6		7				1
					6	3	8	2
5					8		6	

Hard 130

4	9		5			2		
3	8			9				5
				7	3			
6			9			1		
	3		7		1		5	
		4			6			2
			1	6				
1				8			6	4
		2			5		9	1

Hard 131

4	6		8					
						8		6
			5	7	6			4
	1					6		9
			6	4	3			
8		6					3	
6			3	5	1			
7		5						
					4		8	2

Hard 132

		5	8	6				
2								6
		8	3		4		2	
			1	4				
	8	2		5		4	1	
				9	3			
	1		5		6	9		
7								5
				8	9	6		

Hard 133

2				7	4	1	3	
3							7	
7	8							
			3		1	6		
6				2				1
		3	6		7			
							6	5
	2							8
	5	8	1	9				3

Hard 134

2			5	7	6		3	
4	3					7		
8						5		
9		7			1			
			7		3			
			8			2		1
		3						7
		9					2	5
	2		9	4	5			3

Hard 135

	8	9		5			7	
			8			2		3
6		1						
7			6					
2			5	4	3			8
					1			5
						8		7
5		2			8			
	9			6		4	5	

Hard 136

1	6			3	5			
		3				6		
2					7			5
					3		8	
3			8	7	6			4
	4		2					
4			7					3
		6				2		
			9	5			6	7

Hard 137

4	8	9						
			2		1		9	5
			4			8		
1				2	8			
9	4			5			2	1
			1	7				8
		2			9			
5	3		8		2			
						2	5	4

Hard 138

		8	9				5	6
		6	3				4	
	3							7
				3		8		
		9	2	6	5	4		
		2		1				
8							1	
	1				8	5		
9	2				6	7		

Solution on page 211

Hard 139

	1							7
	4	6	3	2		1		
			9	4			8	
		9	8		3		7	
6								1
	8		6		5	2		
	7			8	9			
		8		3	6	7	2	
2							1	

Hard 140

3	9			6		4		
	8		4					
		4					2	
9			5	3				7
			7		4			
6				1	8			9
	5					9		
					3		7	
		7		4			1	6

Hard 141

		6	9			5		7
9		4					2	
	5			8		9		
8				6	3			
	4		7		5		1	
			8	2				5
		8		1			7	
	7					8		6
3		9			8	1		

Hard 142

		9		4		7		
	7			9			5	
5	1		8					
7			3	2	4			
8								3
			1	8	7			4
					6		4	8
	5			1			6	
		8		3		9		

Hard 143

	5	9	6		2		1	
	6	2				9		
3				5				
			8		9			4
4	8		7		5		2	9
9			2		4			
				9				2
		5				1	9	
	9		1		6	8	7	

Hard 144

		5	8	2			6	
	9	7		5		2		
8			9		7			
5				9			1	
	7						5	
	1			6				2
			2		4			3
		3		8		5	7	
	8			3	5	1		

Solution on page 211

Hard 145

3		1		2			4	
9	4			6				7
		8		7	4			
	8		7					
4	1						7	3
					6		8	
			1	4		5		
1				9			3	4
	9			3		1		8

Hard 146

			4			9		
6		7			1		4	
				9			5	
7	2				8			
8	5						7	9
			7				2	3
	4			5				
	6		8			4		2
		9			6			

Hard 147

7	8			1				
1					7	3		
	4							2
3					2	5		
	6			9			8	
		4	1					6
9							3	
		5	3					7
				7			4	9

Hard 148

8	4				3			
	1							6
3		2		7			1	
4							3	
		3	1		8	2		
	5							4
	7			9		5		3
2							4	
			5				6	1

Hard 149

8	2						3	
3					6	2	9	
		6	7		3			1
2				9				
7			2		8			9
				6				4
5			8		4	6		
	1	3	9					8
	8						5	3

Hard 150

	4	7	6			8		2
2		6		8				
	1			2				
			1					3
7	2			3			9	1
3					5			
				5			3	
				4		1		8
4		3			2	9	5	

Solution on page 212

Hard 151

5		4	1	3				
	6		8					4
					4	5		1
3				4	2			
	1						5	
			3	7				9
2		9	4					
7					3		9	
				9	5	1		7

Hard 152

		4		7	3			
5				1				
	3	6			9		5	8
			3	9		4		
	1						9	
		3		2	1			
7	4		9			8	6	
				8				4
			7	6		2		

Hard 153

			3			9		6
		2		9				
7	6	9			8			
9			5				8	
			6		3			
	1				4			5
			2			1	5	4
				5		8		
5		7			1			

Hard 154

9		3		4	6		7	
		8					3	
6	7							2
		6						5
			6	9	8			
7						6		
1							6	8
	5					1		
	6		4	8		9		3

Hard 155

	5	8		9				
					1	2		5
					7		1	
4	3			8		1		
		7		2		4		
		2		3			6	8
	4		9					
6		9	5					
				7		6	2	

Hard 156

	2						7	
			2				4	9
5		3			4			
2			4	8				
4		6		3		8		7
				7	2			1
			5			9		6
1	9				3			
	3						1	

Solution on page 212

Hard 157

				7			3	
7			4					
	2				9	6	7	
			6		7			4
		1		8		9		
4			5		2			
	1	9	7				5	
					1			9
	3			5				

Hard 158

5		3			7	6	4	
7				2				
					6		5	2
3	9	5			8			
			2		9			
			3			9	8	7
2	3		4					
				7				4
	1	4	8			2		5

Hard 159

7	4				3	5		
		3					4	
6			7	4				
	8		4		5			
9								8
			2		1		6	
				7	4			2
	3					8		
		2	8				1	6

Hard 160

	1	2			9			
4	3						2	7
8				2		4		
		1		4	7			
5				9				2
			5	1		7		
		6		5				4
2	4						5	3
			2			1	6	

Hard 161

7		6		5	1			
9	2						6	5
8								3
			6			5		
3			1	2	8			7
		9			7			
1								9
5	9						4	2
			9	8		3		1

Hard 162

3		1			8		4	
8					7			
6						1	5	
	3	4	7	8				
			2		9			
				4	6	7	8	
	7	8						5
			8					3
	6		4			8		2

Solution on page 212

Hard 163

1		2			4			6
						5	3	
5				7			4	
	1				8			5
			2	6	3			
2			9				8	
	9			2				4
	5	7						
6			4			8		1

Hard 164

	9	3	7					
2								7
				8		9		4
	5	9		3				
	8		5	1	6		2	
				7		3	5	
8		1		4				
6								3
					5	1	4	

Hard 165

	6	3	1			4		
		4	3				1	
8	1							
				1	6			8
	2		5		7		9	
6			2	4				
							7	6
	5				9	3		
		8			1	5	4	

Hard 166

2			4					9
		8	1					4
		1			8		2	
6			9	3	7			1
	9						6	
4			8	6	1			7
	2		6			7		
8					2	5		
7					4			2

Hard 167

	9			8	4	1	3	
		8						6
5							2	
		7	4		5			
		3	7		2	8		
			8		6	9		
	7							3
8						6		
	5	1	9	6			8	

Hard 168

6				3	9			
		9			2		4	
1	8			4		3		2
9				2				
2	7						3	9
				7				1
3		1		9			2	7
	9		7			1		
			2	5				3

Solution on page 212

Hard 169

4		7						6
5	2		7					
		9		8				1
		6			3			
8	5	4				2	6	3
			6			4		
2				1		5		
					7		8	2
9						6		4

Hard 170

	9	4						8
3				6				
	2		8		4	1		
	7	3	2					
1		2				7		6
					1	2	3	
		9	4		5		1	
				8				5
5						9	2	

Hard 171

8	7				6		9	
				3		2		
2			1					8
1	6					8		
			3		8			
		8					6	5
7					5			9
		3		9				
	9		6				1	2

Hard 172

9	3						5	
4				8				
5	8				9			2
6		5			2	7		
	9			3			2	
		1	7			5		9
2			4				7	1
				5				4
	7						3	5

Hard 173

		9	5			8		
2		1			8			
	5						7	
4				9				
9		8	4		1	2		6
				8				4
	6						2	
			8			6		7
		5			7	3		

Hard 174

		5	6	1				4
7				9				
9		1	8				3	
	4		9					3
8				2				1
3					1		9	
	1				5	8		9
				3				6
6				7	8	3		

Solution on page 213

Hard 175

8		2		6				
		9	8		3			
							3	7
1	6			2	9			
9								4
			7	5			6	1
7	8							
			5		1	4		
				7		2		5

Hard 176

			4		2	8		
			7	5				1
	2	1						9
	9		2	3		6		
8								2
		3		8	5		9	
9						3	8	
6				9	8			
		2	3		4			

Hard 177

	8		5	9				
5						4		9
	9	3					5	
			8			5		2
			7		4			
9		6			1			
	3					2	4	
2		1						5
				1	8		3	

Hard 178

					5	7	6	
7	6		9		8			
		2					1	4
5				8			7	
3				9				6
	4			5				8
2	9					4		
			4		2		9	7
	7	3	8					

Hard 179

		7		9		8		
4			1	6				9
8	1							
3	5							4
			5	1	3			
1							8	5
							9	7
9				7	4			3
		5		2		4		

Hard 180

	5	3				9		7
			5	9		6		
	8		6				2	
3			7	1				
2				3				1
				5	6			3
	7				8		6	
		2		6	5			
8		4				5	1	

Solution on page 213

Hard 181

			8			7		3
5				1		2		
		8			4			
	7		1		3		2	
9				6				8
	3		9		7		1	
			6			4		
		9		3				1
2		6			1			

Hard 182

		4						3
8							6	
1		6	4	3		7		
3					1		5	
4			7		3			2
	2		5					7
		2		8	7	6		9
	4							1
9						2		

Hard 183

		7	8		1		6	5
		1					9	
	8	2		5				
2		3	1					
			4	8	5			
					9	5		7
				4		3	8	
	2					7		
3	7		5		8	6		

Hard 184

	8		3				2	1
1			8			6		
	2						8	3
		2		3	9			
		6		1		9		
			6	8		4		
2	1						4	
		8			4			9
7	4				3		6	

Hard 185

	2	4		8				
7						5		
6	8			1			4	
3	9		1	5				
			7		9			
				2	8		5	6
	4			7			6	8
		2						5
				9		7	3	

Hard 186

2		3				1		6
				4				9
	8		6				3	
			3		9	2		
		8				7		
		2	7		8			
	9				7		6	
8				9				
5		6				9		1

Solution on page 213

Hard 187

6				2		5		
	9	1			7	2		
2	4							
9					3		4	
			8	6	9			
	7		1					6
							7	2
		6	9			4	1	
		8		3				5

Hard 188

	6	4	9			3		
8				3		5		
3	5					4		
	7			8		6		
			3	5	7			
		3		4			7	
		6					3	8
		2		7				4
		8			4	1	5	

Hard 189

3		2		9		6		4
		9	3				8	
	8				6	9		
1				8	3			9
			9		4			
8			6	2				1
		3	1				9	
	2				9	1		
9		1		6		4		7

Hard 190

1						3	7	
			1	7				
		2			3		9	
		1	8	5	9			
5								6
			2	6	4	1		
	8		6			5		
				3	2			
	3	9						4

Hard 191

	9	5			7		1	
			1					9
7				6		5		
	8		4		6			3
		4	2		8	9		
3			9		5		4	
		7		8				1
8					1			
	3		5			4	8	

Hard 192

9					5	8	4	
		6	9		8			
8					2		3	
		7		8		3		
3								4
		5		6		1		
	6		4					3
			1		6	4		
	2	1	8					7

Solution on page 213

Hard 193

		7		4	2	8	6	3
8	9		6					
					7			1
7	8		5					
		1				6		
					9		8	4
1			3					
					5		1	6
3	4	6	2	1		9		

Hard 194

				3		2		1
4		3			9		8	
1			7					6
5	1				8			
		7				4		
			6				9	5
7					5			2
	2		1			8		9
8		1		2				

Hard 195

			7	4				
3						5		4
	4				9		1	
		8			1		7	9
		9		3		6		
2	5		6			4		
	6		9				4	
1		3						2
				7	6			

Hard 196

9			1	3			8	2
				5		3		
3			6			4		
	7	3						6
			2		5			
8						7	9	
		4			1			3
		8		9				
5	6			4	3			8

Hard 197

	4	9			1		8	
2				3	5			9
						6	2	
6				5			4	
			9		3			
	5			4				2
	7	6						
5			6	2				1
	9		3			4	6	

Hard 198

6	2		7			8		
		8		2	6	5	3	
	3				5			
8			3					
	6			5			9	
					7			4
			8				7	
	9	4	5	6		2		
		6			9		5	3

Solution on page 214

Hard 199

3					2	4	6	
	5	4		8				
7		1						
8			7	4				3
		7				8		
6				2	3			9
						1		6
				5		3	9	
	7	3	1					5

Hard 200

			1	7			3	
4	7							
		6				8		
6			8			5		
	4	8	3		1	9	2	
		3			4			1
		9				3		
							7	2
	3			6	2			

Hard 201

4	9							
8					9	7		
		6		4			1	8
				7	5	2		
5								4
		2	4	1				
6	2			8		4		
		9	3					1
							3	6

Hard 202

		4	9				8	
9			4	8				
8				2		3		
5							7	
			6	7	5			
	1							2
		7		9				3
				3	4			5
	5				8	2		

Hard 203

5			8			3	7	2
			6			8		
8		7			5			9
7				6			9	
		8		2		7		
	4			5				1
6			7			9		8
		1			2			
4	8	9			6			7

Hard 204

			1	9	5		8	
5							4	
		1				5		
		4	9	1				6
		9		7		2		
8				6	2	4		
		7				9		
	8							1
	9		4	2	1			

Solution on page 214

Hard 205

	9	1				2		
2	4		6					
6				3				7
			3		8		4	
		9		4		7		
	3		1		9			
5				8				9
					3		7	4
		4				6	5	

Hard 206

7			4					2
	4	3		2				
1		8				5		
9					1			
	8		3		4		9	
			8					7
		6				1		9
				6		4	5	
8					5			6

Hard 207

	6	4				7		8
1			2				4	
				5			1	
			4				7	1
			3	6	8			
4	2				1			
	9			4				
	1				5			4
5		8				9	3	

Hard 208

9		2			8	3		
7	8							
				4				1
8			4	6				
	6		9		5		1	
				1	7			4
6				9				
							4	8
		3	5			9		6

Hard 209

		8	1	7		9		4
					5	6		
9	4							
				3	7			1
	7			1			3	
3			2	5				
							1	2
		3	7					
2		1		8	9	7		

Hard 210

		4				9	3	
3			5		1	6		
	6			9				
			4		8			6
4								7
2			9		6			
				2			7	
		7	6		5			4
	8	1				2		

Solution on page 214

Hard 211

5					6	3		
	1		9			8		
6				4		9		
8					2		1	
			3	1	8			
	7		4					5
		8		7				2
		6			4		7	
		7	2					8

Hard 212

		6		5		1		3
	4	2						
	8	3		7				
4		7		2	9			
2			1		6			4
			7	4		6		2
				6		4	8	
						7	3	
6		4		1		9		

Hard 213

	7	6	5					9
		9			6		4	
2		3						
3	1			2				
			4	8	3			
				7			6	3
						7		8
	4		2			3		
9					8	5	2	

Hard 214

3	4		2	7		6		
		9					4	
2				9	5			
6			5	2	4			
	1						8	
			3	8	1			4
			9	5				6
	9					3		
		6		4	2		9	7

Hard 215

3						2	5	
7			2			1		
9				8				
			1		3		9	
		9	5		8	7		
	5		4		7			
				3				7
		8			1			2
	2	3						6

Hard 216

3					4	8		
		9	6	5				
2	5			1		4		
					9		1	
		5				6		
	2		4					
		2		4			5	6
				2	8	3		
		3	5					7

Solution on page 214

Hard 217

		7			4		3	
6	5			8			9	
1			6	3		7		
2				7			8	
8								7
	7			9				2
		9		6	8			3
	1			2			7	9
	3		9			1		

Hard 218

4				2			1	
	7		8	6				
6		2				7		
	4		6			1		
	6	9				8	3	
		1			2		6	
		6				5		3
				7	6		8	
	3			4				1

Hard 219

1			2	7			5	
6					3			
9		7			5		8	
4		2						
	1		8		2		7	
						6		2
	6		5			4		7
			4					8
	4			3	7			9

Hard 220

3	5		8				4	
7		4	2					
				1	4			5
		1		5		4		
			1		8			
		2		7		3		
2			9	4				
					1	6		3
	8				3		9	4

Hard 221

5			6		9			
9		4				3	6	
3	2			5				
			9			5		1
	9			6			7	
4		3			7			
				2			5	7
	1	5				8		9
			8		5			3

Hard 222

	5	8			1			9
1			4		6	8		
2	4			5				
		6			3			
	8			6			9	
			2			4		
				3			2	4
		9	6		2			8
8			1			7	6	

Solution on page 215

Hard 223

1					3		9	
	3			5	7	4		
	5							6
			6			2		
7	2		3		5		8	4
		9			4			
8							6	
		4	7	8			5	
	7		5					2

Hard 224

2		3		4				
4	1						8	
	7		3			2		
		2	4	9				
	9						1	
				8	6	7		
		4			9		7	
	5						6	2
				3		4		5

Hard 225

8	6			1		9		
		3			8			
	2	5					4	
4				3	9			
	5	2				4	3	
			4	2				7
	1					6	7	
			1			8		
		4		7			1	2

Hard 226

		7		5	8			
4			9			1		
5				7		6		
	8							3
	7		3	2	9		8	
3							7	
		4		8				6
		3			5			2
			7	9		5		

Hard 227

	1	5						
	6		7	9				
7					5	4	8	
4	3			7				
1				6				4
				4			6	9
	8	7	3					1
				5	7		4	
						5	7	

Hard 228

5		2		8	1		7	
	1	3						
8							2	
			9	6		1		
7	4			3			9	6
		1		4	8			
	3							2
						9	1	
	8		2	1		4		5

Solution on page 215

Hard 229

5					7	6	8	
2						5		
	1			3				9
			7		9			
	8	9		5		3	2	
			8		3			
4				8			3	
		5						2
	2	3	6					7

Hard 230

4	1		6		2			
		3						6
8				9		4		
					1		2	
		1	4		7	9		
	8		5					
		2		6				1
6						7		
			7		4		3	2

Hard 231

	6	5		2				
2				4				5
7	8				5	2		
	7		3					
	1		2	5	6		9	
					1		3	
		7	9				6	8
3				6				1
				3		4	5	

Hard 232

			9	2				
							4	6
9		5			7			
8		6	4	7		3	2	
			1		8			
	5	1		3	2	4		9
			2			7		4
2	3							
				5	4			

Hard 233

	6	4			5	3		
			6	3				
		3	4			1		
	2	8	1		3			6
5								8
9			5		8	7	4	
		7			4	8		
				5	6			
		5	9			6	2	

Hard 234

		4		7	1		5	
		3					8	
8		5			9			
					4	1		6
			5	2	6			
2		6	1					
			4			3		5
	4					2		
	6		7	5		8		

Solution on page 215

Hard 235

	9	5					8	
	3					7		
				4	6			3
9				3	7	2		
7				8				5
		8	4	6				9
5			3	1				
		7					3	
	4					9	2	

Hard 236

				8	3	1		
2				5				
		9			2	8	4	
	2			9	4	7		6
			6		7			
6		5	8	2			9	
	4	2	3			5		
				4				8
		8	2	7				

Hard 237

	2	3			1			
6	5		4			9		
		1						6
7				8				
8			2	5	3			9
				6				8
1						5		
		8			6		2	4
			7			8	9	

Hard 238

	9	5		4				2
1							7	
					1	9		8
		1	7	6	4			
	6						2	
			3	9	2	7		
5		9	4					
	4							3
3				8		2	9	

Hard 239

	3				2			
8	4					2		
		5		4				6
6			4		9			3
	8		6		7		1	
5			2		3			9
4				7		3		
		8					9	4
			8				7	

Hard 240

7		3		5		2		
5	9			7		1		
			6	8				
6					7			5
	5						8	
4			5					3
				3	6			
		5		1			7	9
		2		4		8		1

Solution on page 215

Hard 241

	6	5					7	
			5		2			1
7				8				
6		4	2					
		9		1		8		
					8	5		4
				2				3
1			3		7			
	4					6	9	

Hard 242

		3		8			1	
6			3				5	
7					5	3		
5			6			8	3	
2		4				6		9
	6	9			4			5
		6	8					1
	8				3			7
	4			6		9		

Hard 243

					7		6	9
6			4				7	
1						4		8
4		2		3				
	6		1		5		3	
				6		8		7
9		5						3
	8				3			5
3	4		7					

Hard 244

		8		3	6	1		
9		1		2				
4					9			3
	9					3		5
	8		5		2		6	
6		5					4	
8			2					9
				5		6		2
		3	6	9		8		

Hard 245

		2	9					
	7				8		2	6
4				7	6		5	
		7		8				
5								1
				4		8		
	5		4	6				3
8	1		5				4	
					9	7		

Hard 246

8	4	9	6					
1		7					2	8
3				7				
9	8				5			
		4		2		9		
			4				6	1
				8				4
4	9					2		6
					6	7	8	3

Solution on page 216

Hard 247

	1	2	9			7	8	
	5	7		2				6
9	6							
2			8	3				
		4				3		
				1	5			8
							3	7
7				8		5	6	
	4	8			3	9	2	

Hard 248

	1	5			4	9		
		9			7			
7			3				8	
1				5	2			
5								4
			6	1				3
	6				9			2
			7			3		
		3	8			1	6	

Hard 249

		2	9		5		3	
7			3	4			8	
		9		8				7
	7					5		
			5	3	2			
		5					6	
2				1		7		
	3			5	9			1
	1		7		8	3		

Hard 250

8		1			4	6		
4				8				
3					6		4	
	9	8	7					
	3	7	1		8	5	9	
					9	8	2	
	1		6					3
				5				9
		3	8			2		6

Hard 251

	7				8	1		
	4	2			6	3		
6	5							
		7		8				5
	3			6			8	
4				5		9		
							3	9
		4	1			8	6	
		5	8				7	

Hard 252

	2	1			4			5
				7				1
		6	3					
6			2	3				
	3	5		1		7	4	
				5	7			6
					9	5		
1				2				
7			1			4	9	

Solution on page 216

Hard 253

	1	7	4					
	8					6		
5				7		9		1
			2		7		4	
9				8				2
	5		9		1			
7		1		2				8
		5					2	
					3	4	9	

Hard 254

8	7				6			
						7	4	
9				7		6		1
					9		3	
	4	9	8		3	2	6	
	2		5					
7		2		9				3
	8	5						
			6				7	4

Hard 255

	6	1		7	3			
	9					3		1
7	5		9					
9			7					
		7	4	3	9	6		
					8			2
					4		2	7
3		2					6	
			1	8		5	3	

Hard 256

5				6	8			
			1			6		
1								8
		3	7	9			1	5
	2		4		5		6	
9	5			8	3	2		
7								6
		8			7			
			2	5				7

Hard 257

			2	6			3	
	3	7		8				
							9	8
2		1			4			
			7	9	8			
			5			4		6
7	5							
				7		9	2	
	8			2	1			

Hard 258

	3	7	8			9		
5	9							
				9		4		
			3		4	8		2
7								1
8		1	6		5			
		4		3				
							3	4
		8			9	1	5	

Solution on page 216

Hard 259

	5		8					7
6		9			4			
	4					2		
				9	3			5
	1			6			8	
7			1	5				
		5					2	
			2			5		6
1					9		3	

Hard 260

				6		5		2
6	5	2				3		
				3				1
				8	4	9	1	3
			9		7			
4	1	9	3	2				
8				7				
		3				1	8	7
1		4		9				

Hard 261

	1	8						
			8			1	9	
4		3			7	8		
8				1			3	
			4	5	9			
	7			6				1
		7	6			4		9
	4	5			1			
						3	7	

Hard 262

	2				4			
1						9		7
	5		9					1
	6		8	4	2			
		9				2		
			6	3	9		7	
8					6		9	
4		1						8
			7				1	

Hard 263

		2		4	7			
	7					2		
3								9
2	9	3	5		4			
	6		7		8		3	
			2		3	5	9	6
1								5
		4					2	
			6	8		9		

Hard 264

		7			6			
8				2	9	1		
6			5			9	8	
	2		9					
9				5				6
					7		9	
	4	5			3			8
		3	2	8				9
			6			7		

Solution on page 216

Hard 265

3	4		5	7			9	
6		8			2			
			8					1
4				9				
		2	7		8	6		
				2				3
8					1			
			2			3		6
	1			5	9		2	4

Hard 266

					8		3	
			9				1	
8	6	3	4	7				
4	9				2			
		2				7		
			5				2	8
				2	4	5	8	1
	1				7			
	2		3					

Hard 267

2	4			1		8		6
		1			6			
7							3	2
6			9				8	5
		7				6		
5	2				7			9
1	6							8
			6			2		
9		5		7			6	1

Hard 268

3	7							5
		2		1	7		9	
				2		7		
	3					1		8
			6		4			
5		8					4	
		6		3				
	9		7	5		8		
8							5	2

Hard 269

3					7	4		
7	8		9					
			3			8		5
	6			9				4
		1				9		
4				7			6	
2		4			9			
					5		3	1
		8	6					9

Hard 270

		4		8			1	
2			6	9				5
9		8			4		3	
3					8			
	8			7			2	
			2					4
	3		4			6		8
8				1	7			2
	4			3		1		

Solution on page 217

Hard 271

	6	1	4		3	5		9
					1		6	
5		9				4		
7				4	9			
	8						4	
			7	5				3
		4				2		6
	7		9					
3		2	6		5	7	8	

Hard 272

			7		2	1		4
1				3				
7	8							
5	6		2			9		
9			1		5			6
		7			4		2	5
							9	2
				4				8
4		5	9		8			

Hard 273

		5		2				
7				9		4		
					1	2		8
3	7		9	8				
	4						9	
				5	4		2	6
9		4	3					
		1		6				5
				4		9		

Hard 274

7	1		2			6		
6		8				5		
				5			4	
	9					2		
			5	4	2			
		3					7	
	3			7				
		6				1		4
		4			1		3	7

Hard 275

	6	1						3
4		2						
			4	9		2		
	9		8	7			3	
7				2				9
	8			3	1		4	
		8		4	6			
						6		8
6						3	7	

Hard 276

	6	5			4		8	
						3	7	6
3			2					
	4			9				1
		9		4		6		
2				6			3	
					8			3
8	3	2						
	1		9			5	4	

Solution on page 217

Hard 277

9	1			8				5
3					5			
		6		1		4		
6	2		9		8			
		9		6		2		
			5		7		9	6
		8		9		6		
			6					8
7				5			1	3

Hard 278

3	6					4		
		1			4			
2		9		6		1		
	2				1			
	1	3	4		8	7	5	
			3				2	
		6		9		2		5
			1			6		
		2					1	3

Hard 279

	4	8	9	5		6		
2						8		
				2			4	5
			3			5		6
			5	4	8			
3		5			7			
9	8			3				
		7						1
		6		7	5	9	8	

Hard 280

	5	7		2				8
						4		1
			5		3			
5	3		2	7		6		
			3		5			
		1		8	9		3	5
			9		8			
1		5						
6				1		5	2	

Hard 281

5		4	1			3	8	
2							5	
				7		4		
	4		2		1			5
	8						9	
6			7		9		4	
		3		6				
	9							3
	1	6			5	9		2

Hard 282

	7	8	6			5	3	
4				3	1	7		
		6						1
					2			3
	1		7	5	3		6	
6			1					
9						1		
		4	2	1				9
	8	1			5	6	2	

Solution on page 217

Hard 283

		4		9		1		
5							9	
1			6		5		2	
	1			6	4			
2				1				7
			5	3			4	
	5		9		3			6
	6							4
		3		5		7		

Hard 284

4		5	8					
7	2							
			1			8	2	
8	6			1	9			
			6		5			
			4	8			6	3
	5	6			1			
							9	5
					3	1		2

Hard 285

	8				3	4		7
6							3	
2				1				
		4		8		5		
	6		7	3	1		4	
		3		4		8		
				2				4
	9							8
4		6	8				5	

Hard 286

	6			3		4		5
					7	6		
4		2						3
	7		2	4	6			
	9						6	
			5	9	8		7	
7						9		2
		9	7					
6		1		2			8	

Hard 287

			8	7				9
3	9							
			3			4	1	
		5	7		8		9	
6			5		4			8
	4		1		2	6		
	8	6			7			
							4	7
7				4	1			

Hard 288

	4	7	2	1				
2				3				5
			6				1	
		1	3					
	6			4			7	
					7	5		
	9				3			
1				5				7
				2	8	9	3	

Solution on page 217

Hard 289

	3				9			
9						4	3	6
		1		7		8		5
3					4	7		
	9						1	
		8	5					3
7		2		9		5		
1	6	9						7
			7				6	

Hard 290

	2		9	8	7	6		
				5				3
8		5	4				2	
7	1							8
			3		4			
2							3	1
	8				9	3		6
1				4				
		2	1	6	8		4	

Hard 291

		2	6			7		
1			2	5			3	
	5					2		1
3				9			7	
			1		7			
	2			8				9
8		6					5	
	7			6	3			4
		1			9	6		

Hard 292

		2		8			5	
		7			6			
9		4				7	2	
8			3				4	
4								3
	9				5			6
	7	8				3		9
			7			1		
	3			1		4		

Hard 293

3			4			5		
		6	1		8	7		
9	2		5				6	
	1			6				
8								7
				4			3	
	7				5		2	6
		8	3		2	4		
		2			4			9

Hard 294

		1	6					
8						1	3	
2	3			4	1	9		
					6		7	9
	4			3			1	
1	6		2					
		8	5	6			9	1
	1	5						8
					8	3		

Solution on page 218

Hard 295

		6			7			
1	8			2				7
3		7		1		5		
	5			8	9			
		4				9		
			2	3			6	
		2		6		4		3
7				5			1	6
			7			2		

Hard 296

	3			6		4		8
2								9
1	4		2					
			7	2		5		
9	6						3	7
		4		5	6			
					1		4	5
6								3
4		1		3			9	

Hard 297

	6				4	9		
2				5		4		6
			1		7			
6		1					4	
		7	8	4	2	1		
	3					2		7
			7		5			
4		2		8				5
		6	4				8	

Hard 298

	7		4	3				
5		8						
							6	4
3			7					
	5	9	3		4	2	8	
					2			5
4	9							
						3		9
				8	1		2	

Hard 299

6		2		4				
		4	2			6		
5					8		4	
			8	1				2
	9			5			8	
1				2	3			
	1		5					8
		5			4	1		
				8		7		9

Hard 300

						5		2
2					7			3
	5				6	9		
1	4			3				
		5		9		3		
				7			4	9
		8	7				6	
3			8					5
4		1						

Solution on page 218

Hard 301

			7	9				
5	3					4		7
1	6							
2		8	9		7			
3				1				9
			8		3	7		2
							2	6
6		4					5	3
				3	1			

Hard 302

		9					1	2
		4		9		3		
6				8				
4		5			2		9	
8		7	5		9	1		4
	9		4			5		7
				1				6
		1		4		2		
5	6					7		

Hard 303

8		3		6	4			9
		1						3
5							7	
	5		2					6
			6	9	3			
9					1		2	
	3							4
2						7		
4			9	8		1		2

Hard 304

8		3			4	6		
5		4					8	
	9	1	2					
			6	1				8
1			8		2			7
2				4	5			
					8	9	4	
	7					8		3
		8	4			7		6

Hard 305

				6		5	4	
					5	3		
7		5			3			
9			8		1			
4	6						5	8
			6		9			1
			7			1		2
		6	5					
	4	9		8				

Hard 306

	1	6				3	8	
4	9					2		7
2				4	8			
7	4				6			
			1	8	9			
			4				3	2
			7	9				1
9		7					4	3
	2	1				7	9	

Solution on page 218

Hard 307

				9	5	2		
3							1	
2		8				9	3	
				3	4			1
6			9		1			2
9			8	6				
	2	4				5		3
	3							4
		6	1	4				

Hard 308

		7		3	6			9
6	2	9				3		
			9				4	
		6		1	9			
	5			4			6	
			2	6		5		
	7				1			
		4				1	5	2
9			3	2		4		

Hard 309

	3				2	8		
8						5		
9			8				1	
6				9		2		
			3	8	7			
		8		6				4
	7				4			8
		1						9
		5	7				4	

Hard 310

8	7	1					3	
3				2			5	
				4		6		
	3		4	9	1			
	5						1	
			3	7	5		2	
		9		1				
	6			3				7
	1					8	4	5

Hard 311

9		6		8		4		
4	2				3			6
8		3						
	9		4		5			
		8	2		9	6		
			7		8		3	
						3		7
7			9				6	1
		1		7		5		9

Hard 312

2		3			1		9	
		6		3				2
4	7					8		
7			3					4
	2	4		1		6	8	
6					2			9
		7					4	5
5				7		3		
	4		8			9		7

Solution on page 218

Hard 313

4				7			1	
5			1			8		
6						7		5
8				3			6	
		4	2		7	5		
	1			6				3
7		6						8
		3			8			1
	5			2				4

Hard 314

9				3	6			8
8							1	
		7	5					6
	9							3
		6	2		4	1		
4							6	
5					2	4		
	8							2
1			4	5				7

Hard 315

2			5		1	4		
5		1			2		6	
	4			8			5	
		5	7					4
6								7
4					3	5		
	1			2			7	
	5		3			8		1
		3	1		5			9

Hard 316

	7			4			9	5
4			6		5			
9	8	5						
		3			9			
	6						2	
			4			8		
						5	7	4
			3		8			1
7	9			1			8	

Hard 317

		7			6	4		8
		3		7			9	
			3				7	6
				1		2		7
4								3
2		6		4				
6	3				5			
	9			6		3		
8		5	1			6		

Hard 318

	4	3			5			
2				4	9			7
5						6		
3					2			8
	2			8			7	
1			9					4
		1						9
9			6	1				3
			8			4	1	

Solution on page 219

Hard 319

		1		4				5
8	5		1				6	
	4	7	3					
				5	4			9
		8				6		
7			2	8				
					2	9	1	
	7				8		2	3
4				1		8		

Hard 320

		3				4	7	6
4				3	9			
	1	8						
			8	5				2
	3						1	
6				1	3			
						7	4	
			3	6				1
5	4	9				6		

Hard 321

	2			6		5		3
				1			7	
4		3				1	6	
3			5					
5			2		8			9
					1			4
	9	8				3		5
	5			8				
6		1		9			2	

Hard 322

		8	9	3				
6		3		1		9	8	
	7					6		
3							2	
			4	9	8			
	9							1
		1					3	
	4	7		5		1		2
				8	1	5		

Hard 323

2		7	3				8	
		8					3	
		9		8				
			4	6		8		
5				2				6
		2		1	9			
				5		1		
	7					3		
	1				2	4		9

Hard 324

		8	1	2			6	
					9			8
		2						5
1				6				7
	7			4			8	
6				1				9
2						6		
3			6					
	5			3	1	9		

Solution on page 219

Hard 325

	4			5		9		1
1					9		7	
		7	6					5
9					6	7		
4			7		8			6
		6	1					8
5					1	8		
	1		5					2
2		4		6			5	

Hard 326

		2	8	9	1			
5	8					9		
	9				3			8
8			5		9			
6				2				4
			4		6			3
3			6				7	
		8					5	1
			3	1	2	4		

Hard 327

8	1		3	6		5		4
		5	4			6		
4							2	
5			6		7			
1								2
			8		9			6
	5							8
		4			3	2		
2		1		4	5		6	3

Hard 328

		7				8		
6		4	7	3			2	
	2			8				
4			1					
	7		9	6	4		8	
					5			9
				4			9	
	5			9	6	1		7
		2				3		

Hard 329

9								4
2	4		3	5			9	
						2	7	
1			5	3		8		
			8		6			
		8		9	2			5
	2	6						
	1			8	4		6	3
8								7

Hard 330

	4	1		6		7		
	6		5					
7	2		1			3		
1					6			
		7	4	5	2	9		
			7					5
		8			1		2	7
					7		9	
		4		2		6	3	

Solution on page 219

Answers

Easy 1

5	9	4	3	8	6	1	2	7
7	8	6	1	2	4	5	9	3
1	3	2	5	7	9	6	8	4
3	2	7	6	4	1	9	5	8
4	5	1	8	9	7	2	3	6
9	6	8	2	3	5	4	7	1
2	1	5	7	6	3	8	4	9
6	7	9	4	5	8	3	1	2
8	4	3	9	1	2	7	6	5

Easy 2

2	8	1	6	3	5	7	9	4
5	4	6	8	9	7	2	1	3
9	3	7	2	1	4	6	5	8
3	2	9	7	4	1	8	6	5
1	6	5	3	8	9	4	7	2
4	7	8	5	2	6	9	3	1
6	9	2	1	5	8	3	4	7
7	1	3	4	6	2	5	8	9
8	5	4	9	7	3	1	2	6

Easy 3

6	9	2	1	4	3	7	8	5
8	4	5	6	9	7	3	1	2
1	7	3	5	2	8	6	4	9
7	2	9	4	8	5	1	6	3
3	1	4	2	7	6	5	9	8
5	6	8	9	3	1	2	7	4
9	5	6	3	1	4	8	2	7
2	3	7	8	6	9	4	5	1
4	8	1	7	5	2	9	3	6

Easy 4

4	2	5	8	3	6	9	7	1
3	9	8	1	7	5	4	2	6
6	7	1	2	4	9	3	5	8
8	3	9	6	5	2	1	4	7
7	5	2	4	1	8	6	9	3
1	4	6	3	9	7	5	8	2
5	1	3	7	2	4	8	6	9
9	8	7	5	6	1	2	3	4
2	6	4	9	8	3	7	1	5

Easy 5

8	4	3	1	9	5	6	7	2
2	6	5	8	7	3	9	4	1
7	9	1	4	2	6	5	8	3
1	3	2	9	6	7	4	5	8
5	7	6	3	8	4	1	2	9
9	8	4	5	1	2	3	6	7
3	2	8	6	4	9	7	1	5
6	1	9	7	5	8	2	3	4
4	5	7	2	3	1	8	9	6

Easy 6

6	9	8	2	1	4	5	3	7
4	1	3	7	5	6	2	9	8
2	5	7	9	3	8	4	6	1
3	6	9	8	2	5	7	1	4
8	2	1	4	9	7	3	5	6
5	7	4	1	6	3	9	8	2
1	4	6	5	7	9	8	2	3
9	8	2	3	4	1	6	7	5
7	3	5	6	8	2	1	4	9

Easy 7

5	8	1	4	6	7	3	9	2
4	9	6	3	8	2	7	5	1
2	7	3	9	1	5	4	6	8
9	1	5	2	3	8	6	7	4
8	2	4	6	7	9	5	1	3
3	6	7	5	4	1	2	8	9
7	5	2	1	9	3	8	4	6
1	4	8	7	2	6	9	3	5
6	3	9	8	5	4	1	2	7

Easy 8

8	6	3	7	5	4	1	2	9
1	7	2	6	3	9	5	8	4
9	5	4	1	8	2	6	7	3
6	1	9	3	4	8	7	5	2
4	2	7	5	9	1	3	6	8
3	8	5	2	7	6	9	4	1
5	4	1	8	6	3	2	9	7
2	9	6	4	1	7	8	3	5
7	3	8	9	2	5	4	1	6

Easy 9

7	3	4	1	8	6	9	2	5
1	9	5	4	7	2	3	6	8
6	8	2	9	5	3	4	7	1
8	5	9	2	1	7	6	4	3
2	4	1	3	6	5	7	8	9
3	6	7	8	9	4	5	1	2
4	2	8	7	3	9	1	5	6
5	7	3	6	2	1	8	9	4
9	1	6	5	4	8	2	3	7

Easy 10

1	8	7	3	5	9	6	2	4
9	5	6	2	4	8	1	7	3
3	2	4	7	6	1	5	9	8
8	4	2	1	9	3	7	5	6
5	6	1	4	8	7	9	3	2
7	3	9	6	2	5	8	4	1
2	1	3	9	7	6	4	8	5
6	9	8	5	3	4	2	1	7
4	7	5	8	1	2	3	6	9

Easy 11

6	7	5	2	1	8	3	9	4
3	2	8	6	4	9	5	1	7
4	9	1	7	3	5	8	2	6
8	1	3	4	7	6	9	5	2
7	4	9	5	8	2	1	6	3
5	6	2	1	9	3	7	4	8
2	3	6	8	5	1	4	7	9
1	8	7	9	6	4	2	3	5
9	5	4	3	2	7	6	8	1

Easy 12

3	8	2	4	6	1	5	9	7
7	1	9	8	3	5	2	4	6
5	6	4	2	7	9	8	3	1
8	4	5	6	9	2	7	1	3
2	9	7	5	1	3	6	8	4
6	3	1	7	8	4	9	2	5
4	5	8	3	2	6	1	7	9
1	7	3	9	5	8	4	6	2
9	2	6	1	4	7	3	5	8

Easy 13

7	3	4	8	6	5	2	1	9
5	2	8	1	9	4	7	3	6
9	6	1	2	3	7	8	4	5
3	7	6	4	1	9	5	8	2
8	5	9	3	2	6	4	7	1
4	1	2	5	7	8	9	6	3
2	9	3	7	8	1	6	5	4
6	8	5	9	4	3	1	2	7
1	4	7	6	5	2	3	9	8

Easy 14

7	6	5	1	8	3	4	2	9
2	4	8	9	7	6	5	1	3
9	1	3	4	2	5	6	7	8
3	8	6	2	1	7	9	5	4
4	2	7	5	6	9	8	3	1
5	9	1	8	3	4	7	6	2
6	7	9	3	4	1	2	8	5
8	3	4	7	5	2	1	9	6
1	5	2	6	9	8	3	4	7

Easy 15

8	7	3	1	9	4	2	6	5
6	1	2	3	5	8	7	4	9
9	5	4	6	2	7	8	1	3
3	4	7	9	6	1	5	8	2
2	9	8	7	4	5	6	3	1
1	6	5	2	8	3	9	7	4
5	3	6	8	1	2	4	9	7
7	2	9	4	3	6	1	5	8
4	8	1	5	7	9	3	2	6

Easy 16

3	1	2	8	5	4	9	7	6
9	7	6	1	2	3	4	8	5
5	8	4	6	7	9	3	1	2
8	5	3	7	9	2	1	6	4
7	2	1	4	8	6	5	3	9
4	6	9	3	1	5	8	2	7
6	4	8	9	3	7	2	5	1
1	9	5	2	6	8	7	4	3
2	3	7	5	4	1	6	9	8

Easy 17

1	4	8	5	7	6	3	9	2
2	5	9	8	4	3	7	6	1
6	3	7	9	2	1	5	8	4
8	1	3	4	6	7	9	2	5
4	6	2	3	5	9	1	7	8
9	7	5	1	8	2	4	3	6
5	2	1	7	3	8	6	4	9
7	9	6	2	1	4	8	5	3
3	8	4	6	9	5	2	1	7

Easy 18

3	5	6	8	4	1	7	2	9
1	9	2	3	5	7	6	4	8
4	7	8	9	2	6	5	3	1
6	2	4	7	9	8	1	5	3
9	3	5	6	1	2	4	8	7
8	1	7	5	3	4	9	6	2
7	8	1	2	6	5	3	9	4
5	4	9	1	8	3	2	7	6
2	6	3	4	7	9	8	1	5

Easy 19

1	5	2	8	7	9	4	6	3
8	4	6	1	3	5	9	7	2
3	9	7	6	4	2	8	5	1
2	1	9	3	6	8	5	4	7
6	7	3	2	5	4	1	8	9
4	8	5	9	1	7	2	3	6
7	2	1	5	8	3	6	9	4
9	3	8	4	2	6	7	1	5
5	6	4	7	9	1	3	2	8

Easy 20

8	3	6	2	5	1	9	4	7
2	4	9	6	7	3	1	8	5
7	5	1	4	9	8	6	2	3
5	8	7	9	2	6	3	1	4
3	6	4	1	8	7	5	9	2
1	9	2	5	3	4	8	7	6
9	7	8	3	4	5	2	6	1
6	2	3	7	1	9	4	5	8
4	1	5	8	6	2	7	3	9

Easy 21

1	8	4	9	3	7	2	6	5
6	3	2	5	1	4	9	7	8
5	9	7	8	6	2	1	3	4
9	7	6	2	5	3	4	8	1
2	4	8	1	7	9	6	5	3
3	5	1	4	8	6	7	2	9
4	1	3	7	2	8	5	9	6
7	6	5	3	9	1	8	4	2
8	2	9	6	4	5	3	1	7

Easy 22

7	8	2	5	3	6	4	1	9
1	3	9	2	4	7	5	6	8
4	6	5	8	1	9	3	2	7
6	5	4	3	8	2	7	9	1
8	1	3	9	7	4	2	5	6
9	2	7	6	5	1	8	4	3
2	4	8	1	6	3	9	7	5
5	7	1	4	9	8	6	3	2
3	9	6	7	2	5	1	8	4

Easy 23

9	1	7	5	8	2	3	4	6
3	6	2	7	4	1	9	5	8
5	4	8	9	6	3	2	7	1
1	2	5	4	3	6	8	9	7
6	7	3	2	9	8	4	1	5
8	9	4	1	7	5	6	2	3
7	5	6	8	2	9	1	3	4
4	3	9	6	1	7	5	8	2
2	8	1	3	5	4	7	6	9

Easy 24

8	2	7	9	3	1	6	4	5
6	1	9	5	4	7	8	3	2
5	4	3	2	6	8	9	7	1
9	8	2	4	7	5	3	1	6
1	3	5	6	8	2	4	9	7
4	7	6	1	9	3	5	2	8
2	6	1	3	5	4	7	8	9
3	5	8	7	1	9	2	6	4
7	9	4	8	2	6	1	5	3

Easy 25

8	5	4	2	3	1	6	7	9
6	1	3	7	5	9	2	4	8
9	2	7	8	4	6	3	1	5
4	7	2	6	9	3	8	5	1
1	8	6	5	7	4	9	3	2
3	9	5	1	2	8	4	6	7
7	4	8	9	6	5	1	2	3
5	3	9	4	1	2	7	8	6
2	6	1	3	8	7	5	9	4

Easy 26

5	3	7	4	2	8	1	6	9
8	9	1	3	5	6	4	2	7
6	2	4	1	9	7	3	5	8
2	6	8	5	1	9	7	4	3
9	4	5	8	7	3	6	1	2
1	7	3	2	6	4	8	9	5
3	5	6	7	4	2	9	8	1
4	8	2	9	3	1	5	7	6
7	1	9	6	8	5	2	3	4

Easy 27

3	8	5	2	9	7	6	4	1
2	4	6	3	1	5	7	9	8
1	9	7	8	4	6	5	3	2
5	3	4	9	6	8	1	2	7
7	1	8	4	2	3	9	6	5
9	6	2	5	7	1	4	8	3
4	5	1	6	3	2	8	7	9
6	7	3	1	8	9	2	5	4
8	2	9	7	5	4	3	1	6

Easy 28

1	5	6	4	2	8	7	3	9
2	9	7	5	3	6	1	8	4
3	8	4	1	9	7	2	5	6
6	4	1	8	7	5	9	2	3
5	7	3	9	6	2	4	1	8
8	2	9	3	1	4	6	7	5
4	6	8	7	5	1	3	9	2
9	1	5	2	4	3	8	6	7
7	3	2	6	8	9	5	4	1

Easy 29

5	4	7	6	9	2	8	1	3
2	1	9	8	3	7	5	4	6
3	8	6	5	4	1	9	2	7
7	3	1	9	2	4	6	5	8
8	9	5	3	1	6	4	7	2
4	6	2	7	5	8	1	3	9
9	2	8	4	7	5	3	6	1
6	7	4	1	8	3	2	9	5
1	5	3	2	6	9	7	8	4

Easy 30

5	8	2	9	1	4	6	3	7
4	3	6	2	8	7	1	9	5
1	7	9	6	5	3	8	4	2
6	4	1	3	2	8	5	7	9
2	5	7	1	4	9	3	6	8
8	9	3	5	7	6	2	1	4
7	1	5	4	6	2	9	8	3
3	2	4	8	9	1	7	5	6
9	6	8	7	3	5	4	2	1

Easy 31

4	1	8	7	5	3	6	2	9
3	6	5	9	1	2	7	8	4
2	9	7	4	6	8	3	5	1
9	3	6	8	4	7	5	1	2
5	4	2	1	9	6	8	7	3
7	8	1	2	3	5	4	9	6
1	7	3	6	8	9	2	4	5
6	2	9	5	7	4	1	3	8
8	5	4	3	2	1	9	6	7

Easy 32

7	2	6	5	3	9	1	4	8
3	4	5	8	1	6	9	2	7
1	8	9	2	4	7	6	5	3
2	7	4	6	5	3	8	9	1
5	6	8	9	2	1	7	3	4
9	1	3	7	8	4	2	6	5
4	9	7	1	6	5	3	8	2
6	3	2	4	7	8	5	1	9
8	5	1	3	9	2	4	7	6

Easy 33

7	5	8	6	1	3	2	9	4
4	6	2	7	5	9	8	1	3
3	9	1	4	2	8	6	5	7
5	3	4	2	8	1	7	6	9
8	1	6	9	7	4	3	2	5
2	7	9	3	6	5	4	8	1
9	2	7	1	4	6	5	3	8
6	8	3	5	9	7	1	4	2
1	4	5	8	3	2	9	7	6

Easy 34

4	3	8	7	5	1	6	2	9
2	6	9	3	4	8	1	7	5
7	5	1	9	2	6	8	3	4
9	2	3	8	7	5	4	1	6
1	4	7	6	3	9	5	8	2
5	8	6	4	1	2	3	9	7
3	1	4	5	9	7	2	6	8
8	7	2	1	6	4	9	5	3
6	9	5	2	8	3	7	4	1

Easy 35

5	1	9	4	8	2	6	7	3
8	6	7	3	9	1	5	4	2
3	2	4	5	7	6	8	1	9
7	4	2	8	6	3	1	9	5
6	5	3	1	4	9	7	2	8
9	8	1	7	2	5	4	3	6
4	7	5	9	3	8	2	6	1
1	9	6	2	5	4	3	8	7
2	3	8	6	1	7	9	5	4

Easy 36

7	6	5	8	4	3	1	9	2
1	2	9	6	7	5	3	8	4
4	8	3	1	2	9	7	5	6
2	9	7	3	5	8	4	6	1
6	3	1	2	9	4	8	7	5
5	4	8	7	1	6	2	3	9
3	7	2	5	6	1	9	4	8
9	1	6	4	8	7	5	2	3
8	5	4	9	3	2	6	1	7

Easy 37

1	3	2	7	4	8	9	6	5
7	6	8	5	2	9	3	4	1
4	5	9	1	6	3	2	7	8
3	4	1	2	8	7	5	9	6
6	9	7	4	3	5	1	8	2
8	2	5	9	1	6	4	3	7
5	1	6	3	7	4	8	2	9
9	8	3	6	5	2	7	1	4
2	7	4	8	9	1	6	5	3

Easy 38

8	5	3	4	6	9	7	1	2
6	7	9	3	2	1	4	8	5
4	2	1	8	7	5	3	9	6
1	6	5	7	8	3	2	4	9
7	3	2	9	5	4	1	6	8
9	4	8	6	1	2	5	7	3
5	8	6	2	4	7	9	3	1
3	1	7	5	9	6	8	2	4
2	9	4	1	3	8	6	5	7

Easy 39

6	4	3	9	8	5	7	2	1
1	9	8	6	7	2	4	3	5
5	2	7	3	1	4	6	9	8
7	3	1	5	4	9	8	6	2
9	5	2	8	3	6	1	4	7
8	6	4	7	2	1	9	5	3
2	8	5	4	9	7	3	1	6
3	1	9	2	6	8	5	7	4
4	7	6	1	5	3	2	8	9

Easy 40

9	4	8	3	7	1	6	5	2
5	2	7	6	9	8	3	1	4
3	6	1	2	4	5	9	8	7
1	3	9	7	5	4	8	2	6
2	7	5	1	8	6	4	3	9
6	8	4	9	2	3	1	7	5
4	1	3	5	6	2	7	9	8
7	5	6	8	1	9	2	4	3
8	9	2	4	3	7	5	6	1

Easy 41

9	5	3	1	6	2	7	8	4
2	6	4	3	8	7	9	1	5
1	7	8	9	5	4	6	2	3
3	2	1	4	9	5	8	7	6
7	4	9	6	1	8	3	5	2
5	8	6	2	7	3	4	9	1
6	9	5	7	4	1	2	3	8
4	1	2	8	3	9	5	6	7
8	3	7	5	2	6	1	4	9

Easy 42

1	3	2	4	8	6	9	5	7
4	5	9	2	7	1	8	6	3
7	8	6	9	3	5	1	4	2
3	4	7	5	2	8	6	9	1
5	9	1	7	6	4	2	3	8
6	2	8	3	1	9	5	7	4
9	1	4	8	5	3	7	2	6
2	6	5	1	4	7	3	8	9
8	7	3	6	9	2	4	1	5

Easy 43

1	5	4	7	8	3	6	2	9
2	9	7	4	6	1	3	5	8
8	3	6	2	9	5	7	1	4
5	6	9	3	1	7	8	4	2
7	1	3	8	4	2	9	6	5
4	8	2	9	5	6	1	7	3
3	2	5	6	7	8	4	9	1
9	7	8	1	2	4	5	3	6
6	4	1	5	3	9	2	8	7

Easy 44

3	4	9	8	2	6	7	1	5
6	7	5	9	3	1	2	8	4
1	8	2	5	7	4	9	3	6
8	9	4	1	5	2	3	6	7
7	2	1	6	4	3	8	5	9
5	3	6	7	9	8	1	4	2
9	6	8	4	1	7	5	2	3
4	5	3	2	8	9	6	7	1
2	1	7	3	6	5	4	9	8

Easy 45

8	7	4	1	6	5	9	2	3
3	1	9	2	8	7	6	4	5
2	5	6	9	3	4	7	8	1
7	3	2	4	5	8	1	9	6
1	9	5	6	2	3	8	7	4
4	6	8	7	1	9	3	5	2
5	4	3	8	7	6	2	1	9
9	2	7	3	4	1	5	6	8
6	8	1	5	9	2	4	3	7

Easy 46

7	8	5	3	6	2	1	9	4
3	9	4	1	5	7	6	8	2
6	2	1	8	4	9	5	7	3
9	4	3	5	7	6	8	2	1
5	1	6	2	8	3	7	4	9
2	7	8	4	9	1	3	6	5
8	6	2	9	1	5	4	3	7
4	5	9	7	3	8	2	1	6
1	3	7	6	2	4	9	5	8

Easy 47

9	5	2	6	8	7	3	4	1
6	1	8	3	9	4	2	5	7
3	4	7	1	2	5	6	9	8
8	7	3	5	1	2	9	6	4
1	6	4	9	3	8	5	7	2
5	2	9	4	7	6	1	8	3
4	3	6	8	5	1	7	2	9
2	9	5	7	4	3	8	1	6
7	8	1	2	6	9	4	3	5

Easy 48

4	1	5	8	7	9	2	6	3
6	9	8	2	1	3	7	4	5
7	2	3	6	5	4	8	9	1
8	6	4	9	3	7	1	5	2
5	3	9	1	2	8	6	7	4
1	7	2	4	6	5	3	8	9
9	8	7	3	4	2	5	1	6
3	4	6	5	8	1	9	2	7
2	5	1	7	9	6	4	3	8

Easy 49

1	9	4	6	5	3	8	7	2
3	2	7	4	9	8	6	1	5
6	8	5	1	2	7	3	4	9
7	3	9	5	6	2	1	8	4
2	5	8	3	4	1	7	9	6
4	6	1	7	8	9	2	5	3
8	1	6	9	3	4	5	2	7
9	7	3	2	1	5	4	6	8
5	4	2	8	7	6	9	3	1

Easy 50

3	6	9	7	1	4	2	8	5
5	7	2	8	6	3	9	4	1
4	1	8	2	9	5	6	7	3
8	2	6	5	4	7	3	1	9
9	3	5	6	8	1	7	2	4
1	4	7	3	2	9	5	6	8
2	9	3	1	7	8	4	5	6
6	8	4	9	5	2	1	3	7
7	5	1	4	3	6	8	9	2

Easy 51

9	3	7	2	6	5	8	1	4
5	1	4	3	7	8	9	6	2
6	2	8	4	9	1	5	7	3
2	9	5	6	1	3	7	4	8
7	8	1	5	2	4	6	3	9
4	6	3	9	8	7	1	2	5
8	4	2	1	5	6	3	9	7
1	7	9	8	3	2	4	5	6
3	5	6	7	4	9	2	8	1

Easy 52

1	7	3	4	6	8	5	2	9
6	5	2	9	3	1	4	7	8
4	9	8	2	5	7	1	3	6
5	3	4	1	8	2	9	6	7
9	2	6	3	7	4	8	5	1
7	8	1	5	9	6	2	4	3
3	6	5	8	2	9	7	1	4
8	4	7	6	1	5	3	9	2
2	1	9	7	4	3	6	8	5

Easy 53

1	5	4	6	9	3	7	2	8
7	6	8	2	1	5	4	3	9
2	3	9	8	4	7	5	1	6
3	4	1	7	6	9	8	5	2
6	2	5	4	3	8	1	9	7
8	9	7	5	2	1	6	4	3
4	7	6	3	5	2	9	8	1
5	1	3	9	8	6	2	7	4
9	8	2	1	7	4	3	6	5

Easy 54

1	9	2	4	6	7	5	8	3
3	6	5	2	1	8	9	4	7
8	4	7	9	3	5	1	2	6
5	7	3	1	8	2	4	6	9
9	8	1	5	4	6	3	7	2
4	2	6	7	9	3	8	5	1
6	1	9	8	7	4	2	3	5
2	3	8	6	5	9	7	1	4
7	5	4	3	2	1	6	9	8

Easy 55

4	7	3	8	2	1	5	6	9
8	2	9	3	6	5	4	7	1
6	1	5	4	9	7	8	3	2
2	6	8	7	5	9	1	4	3
1	3	7	6	4	8	9	2	5
5	9	4	1	3	2	6	8	7
9	4	1	2	7	6	3	5	8
7	5	6	9	8	3	2	1	4
3	8	2	5	1	4	7	9	6

Easy 56

5	7	2	1	6	3	4	9	8
4	8	1	2	9	5	7	6	3
6	3	9	8	4	7	1	5	2
8	4	6	9	7	1	2	3	5
9	1	7	3	5	2	6	8	4
3	2	5	4	8	6	9	7	1
7	6	3	5	1	4	8	2	9
2	9	4	7	3	8	5	1	6
1	5	8	6	2	9	3	4	7

Easy 57

9	8	4	3	1	2	6	7	5
6	7	1	5	8	4	3	9	2
5	3	2	6	9	7	8	1	4
2	6	7	4	5	1	9	8	3
1	4	5	8	3	9	7	2	6
8	9	3	7	2	6	4	5	1
4	5	6	2	7	8	1	3	9
3	1	8	9	6	5	2	4	7
7	2	9	1	4	3	5	6	8

Easy 58

3	1	4	5	8	9	7	6	2
5	6	8	2	1	7	9	3	4
7	9	2	6	3	4	1	5	8
1	4	5	7	2	3	6	8	9
8	3	7	9	4	6	2	1	5
9	2	6	1	5	8	3	4	7
4	7	1	3	9	5	8	2	6
6	8	3	4	7	2	5	9	1
2	5	9	8	6	1	4	7	3

Easy 59

5	9	8	2	3	4	1	6	7
6	4	2	9	7	1	5	3	8
1	7	3	5	6	8	4	2	9
4	6	1	7	8	5	3	9	2
8	3	7	4	2	9	6	1	5
9	2	5	6	1	3	8	7	4
3	1	9	8	5	2	7	4	6
7	5	4	3	9	6	2	8	1
2	8	6	1	4	7	9	5	3

Easy 60

2	9	1	6	5	7	4	8	3
8	5	4	2	3	9	1	7	6
3	6	7	8	1	4	9	5	2
6	8	9	7	4	3	5	2	1
7	4	5	1	2	6	8	3	9
1	3	2	9	8	5	7	6	4
9	7	8	3	6	1	2	4	5
5	1	6	4	7	2	3	9	8
4	2	3	5	9	8	6	1	7

Easy 61

3	4	7	8	6	5	1	9	2
8	6	1	2	7	9	5	4	3
9	5	2	1	4	3	8	6	7
4	9	3	5	8	6	2	7	1
2	1	8	7	9	4	6	3	5
6	7	5	3	2	1	9	8	4
7	2	4	9	1	8	3	5	6
5	8	6	4	3	2	7	1	9
1	3	9	6	5	7	4	2	8

Easy 62

5	7	3	6	2	9	4	8	1
4	1	9	3	5	8	7	6	2
6	2	8	1	4	7	3	9	5
3	8	4	5	1	2	6	7	9
2	9	7	8	6	3	5	1	4
1	6	5	7	9	4	2	3	8
8	4	6	2	3	1	9	5	7
9	5	1	4	7	6	8	2	3
7	3	2	9	8	5	1	4	6

Easy 63

1	4	9	6	2	8	3	5	7
5	2	6	3	7	4	1	9	8
3	7	8	9	5	1	2	4	6
6	9	7	2	3	5	4	8	1
4	8	5	1	6	7	9	3	2
2	3	1	4	8	9	6	7	5
7	1	4	8	9	2	5	6	3
8	6	2	5	4	3	7	1	9
9	5	3	7	1	6	8	2	4

Easy 64

3	4	5	9	7	2	6	1	8
8	2	6	5	1	3	4	9	7
1	7	9	8	6	4	5	2	3
5	8	4	1	2	7	9	3	6
7	3	1	6	5	9	8	4	2
9	6	2	4	3	8	7	5	1
2	9	8	7	4	1	3	6	5
6	1	7	3	9	5	2	8	4
4	5	3	2	8	6	1	7	9

Easy 65

4	6	7	3	9	2	1	8	5
1	3	5	8	4	6	9	7	2
9	2	8	1	5	7	3	4	6
7	4	3	9	6	1	2	5	8
5	9	6	7	2	8	4	3	1
2	8	1	5	3	4	6	9	7
6	7	2	4	8	9	5	1	3
3	1	9	6	7	5	8	2	4
8	5	4	2	1	3	7	6	9

Easy 66

1	9	5	8	4	6	2	7	3
2	6	3	5	1	7	8	9	4
8	7	4	9	2	3	5	1	6
6	4	2	3	9	1	7	8	5
3	1	7	2	5	8	4	6	9
5	8	9	6	7	4	1	3	2
4	5	8	1	3	9	6	2	7
7	3	1	4	6	2	9	5	8
9	2	6	7	8	5	3	4	1

Easy 67

9	4	7	2	3	1	5	8	6
5	8	1	6	7	9	4	3	2
2	3	6	4	5	8	1	7	9
6	1	5	9	8	7	3	2	4
8	9	2	3	4	5	6	1	7
4	7	3	1	2	6	8	9	5
3	6	9	5	1	2	7	4	8
7	5	4	8	9	3	2	6	1
1	2	8	7	6	4	9	5	3

Easy 68

7	1	9	2	6	5	8	4	3
8	5	4	3	1	9	2	6	7
2	6	3	7	4	8	5	1	9
3	9	5	4	8	7	6	2	1
6	7	8	1	9	2	3	5	4
1	4	2	6	5	3	9	7	8
4	8	1	5	3	6	7	9	2
5	3	7	9	2	1	4	8	6
9	2	6	8	7	4	1	3	5

Easy 69

5	6	9	4	7	8	1	2	3
4	8	3	1	2	5	9	6	7
1	2	7	9	3	6	5	8	4
3	5	6	7	1	2	4	9	8
8	9	2	6	4	3	7	5	1
7	4	1	5	8	9	2	3	6
6	3	4	2	9	1	8	7	5
2	1	5	8	6	7	3	4	9
9	7	8	3	5	4	6	1	2

Easy 70

5	9	2	7	4	6	8	3	1
4	3	8	9	2	1	7	6	5
7	6	1	8	5	3	2	9	4
3	7	6	4	9	5	1	8	2
8	4	5	6	1	2	3	7	9
2	1	9	3	8	7	5	4	6
9	2	4	1	3	8	6	5	7
1	8	7	5	6	4	9	2	3
6	5	3	2	7	9	4	1	8

Easy 71

5	4	3	8	1	7	6	9	2
2	8	1	9	3	6	4	7	5
7	6	9	4	5	2	3	8	1
4	2	5	3	8	1	9	6	7
1	7	6	2	9	4	8	5	3
3	9	8	7	6	5	2	1	4
9	1	2	5	4	8	7	3	6
8	5	4	6	7	3	1	2	9
6	3	7	1	2	9	5	4	8

Easy 72

6	5	2	1	9	7	3	8	4
8	3	1	4	6	5	2	9	7
7	4	9	3	2	8	6	5	1
3	1	6	7	8	4	9	2	5
9	8	7	2	5	3	1	4	6
4	2	5	6	1	9	7	3	8
5	9	3	8	7	6	4	1	2
2	7	8	9	4	1	5	6	3
1	6	4	5	3	2	8	7	9

Easy 73

2	5	3	6	1	8	7	4	9
8	4	1	9	5	7	2	3	6
7	9	6	2	4	3	5	8	1
9	2	5	3	8	6	1	7	4
6	1	7	4	9	5	3	2	8
4	3	8	7	2	1	9	6	5
3	8	4	5	7	9	6	1	2
5	6	2	1	3	4	8	9	7
1	7	9	8	6	2	4	5	3

Easy 74

3	1	8	6	2	9	7	4	5
4	9	6	5	8	7	1	3	2
5	7	2	1	4	3	8	6	9
1	3	5	9	6	4	2	8	7
7	2	4	8	5	1	6	9	3
8	6	9	3	7	2	5	1	4
9	8	3	7	1	5	4	2	6
2	5	1	4	3	6	9	7	8
6	4	7	2	9	8	3	5	1

Easy 75

2	5	6	9	1	8	3	7	4
7	3	8	4	6	5	1	9	2
4	9	1	7	3	2	8	5	6
3	6	4	8	9	1	7	2	5
9	7	5	6	2	3	4	8	1
8	1	2	5	4	7	6	3	9
1	2	9	3	7	4	5	6	8
6	8	7	1	5	9	2	4	3
5	4	3	2	8	6	9	1	7

Easy 76

7	1	3	4	9	2	8	5	6
4	6	8	7	3	5	2	9	1
9	2	5	1	6	8	4	3	7
8	7	2	5	1	3	6	4	9
5	4	1	6	7	9	3	2	8
6	3	9	2	8	4	1	7	5
2	5	6	8	4	7	9	1	3
3	8	4	9	5	1	7	6	2
1	9	7	3	2	6	5	8	4

Easy 77

3	7	9	2	1	4	8	5	6
2	6	5	7	9	8	1	3	4
4	1	8	3	5	6	9	7	2
9	3	1	8	6	7	2	4	5
5	8	4	9	3	2	6	1	7
6	2	7	1	4	5	3	9	8
1	4	2	5	8	9	7	6	3
8	9	6	4	7	3	5	2	1
7	5	3	6	2	1	4	8	9

Easy 78

8	6	9	1	5	4	3	7	2
3	4	5	2	7	9	8	1	6
1	2	7	3	6	8	5	4	9
9	1	2	7	3	6	4	5	8
5	7	4	9	8	1	2	6	3
6	3	8	4	2	5	7	9	1
2	9	3	6	4	7	1	8	5
7	5	6	8	1	2	9	3	4
4	8	1	5	9	3	6	2	7

Easy 79

8	2	1	6	5	7	4	9	3
6	9	3	4	2	1	7	8	5
5	7	4	9	3	8	1	6	2
3	5	6	7	9	2	8	4	1
1	4	7	3	8	6	2	5	9
2	8	9	5	1	4	3	7	6
9	1	8	2	4	5	6	3	7
7	3	2	8	6	9	5	1	4
4	6	5	1	7	3	9	2	8

Easy 80

9	2	4	8	6	7	1	5	3
7	3	6	9	5	1	4	2	8
1	5	8	4	3	2	7	6	9
2	4	7	6	1	8	9	3	5
3	6	1	5	4	9	8	7	2
5	8	9	2	7	3	6	4	1
8	7	5	3	9	4	2	1	6
4	9	3	1	2	6	5	8	7
6	1	2	7	8	5	3	9	4

Easy 81

3	4	5	1	9	7	8	2	6
1	8	6	2	4	5	3	9	7
7	9	2	8	6	3	1	5	4
5	6	9	3	8	4	2	7	1
2	3	4	6	7	1	5	8	9
8	1	7	9	5	2	6	4	3
9	5	3	4	2	6	7	1	8
6	2	8	7	1	9	4	3	5
4	7	1	5	3	8	9	6	2

Easy 82

2	3	6	5	4	7	1	9	8
7	1	8	6	2	9	3	5	4
5	9	4	1	8	3	6	2	7
4	5	1	7	9	6	2	8	3
3	8	9	2	5	4	7	6	1
6	7	2	3	1	8	5	4	9
1	4	5	8	3	2	9	7	6
8	6	3	9	7	5	4	1	2
9	2	7	4	6	1	8	3	5

Easy 83

6	1	3	9	8	5	2	4	7
9	7	4	6	2	3	1	5	8
2	5	8	4	7	1	9	3	6
3	9	6	1	5	2	7	8	4
5	4	7	8	6	9	3	1	2
1	8	2	3	4	7	5	6	9
4	2	9	5	1	6	8	7	3
8	3	1	7	9	4	6	2	5
7	6	5	2	3	8	4	9	1

Easy 84

8	2	3	9	7	5	6	4	1
5	1	4	6	2	8	3	9	7
6	9	7	1	4	3	5	8	2
4	5	1	8	6	7	9	2	3
7	3	9	4	5	2	1	6	8
2	8	6	3	9	1	7	5	4
9	4	8	7	3	6	2	1	5
3	6	5	2	1	4	8	7	9
1	7	2	5	8	9	4	3	6

Easy 85

5	8	2	7	6	9	4	3	1
7	9	3	1	2	4	5	6	8
4	6	1	5	3	8	9	2	7
8	1	4	2	9	7	3	5	6
6	5	9	4	1	3	8	7	2
3	2	7	6	8	5	1	4	9
9	7	8	3	4	2	6	1	5
2	4	6	8	5	1	7	9	3
1	3	5	9	7	6	2	8	4

Easy 86

2	1	4	6	8	5	9	7	3
9	6	8	4	3	7	5	2	1
5	3	7	2	1	9	4	6	8
7	2	1	8	5	6	3	9	4
4	8	6	9	7	3	2	1	5
3	5	9	1	4	2	7	8	6
6	7	5	3	2	1	8	4	9
1	4	3	7	9	8	6	5	2
8	9	2	5	6	4	1	3	7

Easy 87

9	7	5	3	1	4	8	2	6
1	4	3	2	6	8	9	7	5
8	2	6	9	5	7	1	4	3
3	6	4	1	7	9	2	5	8
5	8	7	4	3	2	6	9	1
2	1	9	5	8	6	7	3	4
7	3	2	8	4	1	5	6	9
4	9	8	6	2	5	3	1	7
6	5	1	7	9	3	4	8	2

Easy 88

3	5	9	6	7	1	8	4	2
2	7	4	3	9	8	5	6	1
1	6	8	2	5	4	3	9	7
9	2	1	5	3	7	6	8	4
4	3	6	8	1	2	7	5	9
7	8	5	9	4	6	2	1	3
5	9	2	4	8	3	1	7	6
8	1	3	7	6	9	4	2	5
6	4	7	1	2	5	9	3	8

Easy 89

7	3	2	4	5	9	8	1	6
9	1	6	7	2	8	5	4	3
5	4	8	3	6	1	2	7	9
2	6	7	8	3	4	9	5	1
1	5	4	9	7	6	3	2	8
8	9	3	5	1	2	7	6	4
6	7	1	2	9	3	4	8	5
3	8	5	1	4	7	6	9	2
4	2	9	6	8	5	1	3	7

Easy 90

7	4	9	6	8	1	3	2	5
8	5	1	9	3	2	6	4	7
6	3	2	4	5	7	1	9	8
1	9	4	5	2	6	7	8	3
2	6	8	7	4	3	5	1	9
3	7	5	8	1	9	2	6	4
4	8	3	1	6	5	9	7	2
9	2	6	3	7	8	4	5	1
5	1	7	2	9	4	8	3	6

Easy 91

9	1	3	5	2	7	4	8	6
7	2	6	8	3	4	5	9	1
4	5	8	6	9	1	7	2	3
6	3	7	4	5	2	8	1	9
2	8	5	3	1	9	6	4	7
1	9	4	7	8	6	3	5	2
5	4	2	1	6	3	9	7	8
8	6	1	9	7	5	2	3	4
3	7	9	2	4	8	1	6	5

Easy 92

4	2	1	8	3	6	9	7	5
7	6	9	2	5	4	3	1	8
3	8	5	1	7	9	2	4	6
5	9	2	4	6	7	1	8	3
8	3	4	5	2	1	7	6	9
6	1	7	9	8	3	5	2	4
9	4	3	6	1	2	8	5	7
2	7	8	3	4	5	6	9	1
1	5	6	7	9	8	4	3	2

Easy 93

3	2	6	4	1	8	5	7	9
1	8	9	5	7	2	3	6	4
7	4	5	9	3	6	8	1	2
2	9	7	1	8	3	6	4	5
8	3	4	6	5	7	9	2	1
6	5	1	2	4	9	7	3	8
4	6	2	3	9	5	1	8	7
9	1	8	7	6	4	2	5	3
5	7	3	8	2	1	4	9	6

Easy 94

8	2	5	9	3	7	1	6	4
7	1	9	5	6	4	3	8	2
4	6	3	1	2	8	9	7	5
3	5	4	7	9	6	2	1	8
1	7	6	4	8	2	5	3	9
9	8	2	3	5	1	7	4	6
6	9	1	8	7	5	4	2	3
5	4	8	2	1	3	6	9	7
2	3	7	6	4	9	8	5	1

Easy 95

4	7	9	3	5	1	8	6	2
1	2	8	7	6	4	9	3	5
6	3	5	9	2	8	4	7	1
3	4	7	6	1	9	2	5	8
2	8	1	5	3	7	6	4	9
5	9	6	4	8	2	3	1	7
7	1	2	8	4	6	5	9	3
9	6	3	2	7	5	1	8	4
8	5	4	1	9	3	7	2	6

Easy 96

2	4	5	9	3	8	7	6	1
3	6	9	2	7	1	4	8	5
1	7	8	5	4	6	2	3	9
5	2	6	7	1	4	3	9	8
8	9	7	6	5	3	1	4	2
4	3	1	8	9	2	5	7	6
9	1	4	3	6	5	8	2	7
7	8	3	1	2	9	6	5	4
6	5	2	4	8	7	9	1	3

Easy 97

1	7	9	8	6	4	3	5	2
8	5	2	9	3	7	1	6	4
4	6	3	2	5	1	9	7	8
7	9	4	6	2	3	5	8	1
5	1	6	4	9	8	7	2	3
3	2	8	1	7	5	6	4	9
6	4	1	7	8	9	2	3	5
9	3	7	5	4	2	8	1	6
2	8	5	3	1	6	4	9	7

Easy 98

9	5	8	6	3	1	7	4	2
2	6	7	5	9	4	8	1	3
1	3	4	7	8	2	5	9	6
8	9	5	2	7	3	1	6	4
3	7	6	1	4	9	2	8	5
4	2	1	8	6	5	3	7	9
5	4	2	9	1	8	6	3	7
6	1	3	4	5	7	9	2	8
7	8	9	3	2	6	4	5	1

Easy 99

4	2	1	3	6	7	9	5	8
8	9	3	5	1	4	2	7	6
6	7	5	8	2	9	1	4	3
1	4	7	9	3	5	8	6	2
5	3	2	4	8	6	7	9	1
9	6	8	1	7	2	5	3	4
7	8	9	6	4	1	3	2	5
3	5	4	2	9	8	6	1	7
2	1	6	7	5	3	4	8	9

Easy 100

1	6	3	5	7	2	4	8	9
2	9	4	8	6	1	7	3	5
8	5	7	4	9	3	1	2	6
6	7	2	3	5	9	8	1	4
3	4	5	2	1	8	9	6	7
9	8	1	7	4	6	3	5	2
7	2	8	9	3	5	6	4	1
4	3	6	1	2	7	5	9	8
5	1	9	6	8	4	2	7	3

Easy 101

5	7	3	6	8	1	4	9	2
9	8	2	4	5	3	6	7	1
1	4	6	7	2	9	5	8	3
8	5	7	3	1	6	2	4	9
2	3	9	5	7	4	8	1	6
4	6	1	2	9	8	7	3	5
6	2	4	9	3	7	1	5	8
7	9	8	1	6	5	3	2	4
3	1	5	8	4	2	9	6	7

Easy 102

4	6	7	5	3	1	9	2	8
9	3	1	8	2	7	4	6	5
5	8	2	4	6	9	3	1	7
3	1	8	6	5	4	2	7	9
6	4	9	7	1	2	5	8	3
2	7	5	9	8	3	6	4	1
7	2	4	1	9	5	8	3	6
8	5	3	2	7	6	1	9	4
1	9	6	3	4	8	7	5	2

Easy 103

7	6	3	2	9	1	4	5	8
1	4	5	8	6	3	7	2	9
8	9	2	4	5	7	6	3	1
4	8	9	7	1	2	5	6	3
2	5	6	9	3	8	1	7	4
3	7	1	6	4	5	8	9	2
6	3	7	1	2	4	9	8	5
5	1	8	3	7	9	2	4	6
9	2	4	5	8	6	3	1	7

Easy 104

7	4	2	8	5	9	6	3	1
6	1	8	3	7	2	4	9	5
9	3	5	4	1	6	7	2	8
2	8	4	1	9	7	5	6	3
5	6	3	2	8	4	9	1	7
1	7	9	6	3	5	2	8	4
3	2	7	5	6	8	1	4	9
4	9	1	7	2	3	8	5	6
8	5	6	9	4	1	3	7	2

Easy 105

4	2	1	7	9	8	6	5	3
8	5	7	6	2	3	1	9	4
6	9	3	4	5	1	2	7	8
7	1	8	9	6	4	3	2	5
5	4	2	1	3	7	8	6	9
9	3	6	2	8	5	7	4	1
1	6	9	3	4	2	5	8	7
2	7	5	8	1	9	4	3	6
3	8	4	5	7	6	9	1	2

Easy 106

2	9	3	5	4	1	8	6	7
8	5	7	6	9	3	2	4	1
1	6	4	2	7	8	9	5	3
9	3	6	4	1	7	5	8	2
4	1	5	8	2	9	7	3	6
7	8	2	3	6	5	1	9	4
5	4	1	9	3	2	6	7	8
6	7	9	1	8	4	3	2	5
3	2	8	7	5	6	4	1	9

Easy 107

3	4	6	8	5	1	2	7	9
7	5	1	9	3	2	8	4	6
2	8	9	6	7	4	5	1	3
8	7	3	2	4	5	9	6	1
6	2	5	7	1	9	3	8	4
9	1	4	3	8	6	7	5	2
4	6	7	5	9	3	1	2	8
5	9	2	1	6	8	4	3	7
1	3	8	4	2	7	6	9	5

Easy 108

9	7	2	1	5	3	8	6	4
4	8	5	2	9	6	3	7	1
6	1	3	8	7	4	9	2	5
1	4	7	6	8	9	5	3	2
2	9	8	3	4	5	7	1	6
3	5	6	7	2	1	4	9	8
8	2	4	9	6	7	1	5	3
5	3	9	4	1	2	6	8	7
7	6	1	5	3	8	2	4	9

Easy 109

8	9	1	2	5	3	6	4	7
5	4	6	9	7	8	1	2	3
3	7	2	1	6	4	8	9	5
1	2	4	3	9	6	7	5	8
7	8	5	4	2	1	9	3	6
9	6	3	5	8	7	4	1	2
2	3	8	7	1	9	5	6	4
4	1	7	6	3	5	2	8	9
6	5	9	8	4	2	3	7	1

Easy 110

9	1	3	4	2	8	5	6	7
8	5	7	3	6	1	4	9	2
2	4	6	5	7	9	1	3	8
3	6	9	2	4	5	7	8	1
1	2	5	8	9	7	6	4	3
7	8	4	6	1	3	2	5	9
5	9	2	1	3	6	8	7	4
6	7	1	9	8	4	3	2	5
4	3	8	7	5	2	9	1	6

Easy 111

8	5	1	6	9	2	3	7	4
6	7	9	4	3	1	5	2	8
3	2	4	5	7	8	1	9	6
4	9	8	7	2	3	6	1	5
2	6	7	1	4	5	8	3	9
5	1	3	8	6	9	7	4	2
7	8	2	3	5	4	9	6	1
1	4	6	9	8	7	2	5	3
9	3	5	2	1	6	4	8	7

Easy 112

3	8	5	7	9	4	1	6	2
2	1	7	6	3	5	8	4	9
6	4	9	2	8	1	5	3	7
7	6	2	1	5	8	4	9	3
1	9	8	3	4	2	6	7	5
4	5	3	9	7	6	2	1	8
5	3	6	8	1	9	7	2	4
8	7	1	4	2	3	9	5	6
9	2	4	5	6	7	3	8	1

Easy 113

8	2	5	7	1	9	6	3	4
9	3	6	4	5	8	7	2	1
7	4	1	2	6	3	5	8	9
3	5	8	6	4	7	1	9	2
2	1	4	8	9	5	3	6	7
6	7	9	3	2	1	4	5	8
4	8	3	9	7	6	2	1	5
5	9	7	1	3	2	8	4	6
1	6	2	5	8	4	9	7	3

Easy 114

4	3	2	6	7	1	9	8	5
7	6	9	8	2	5	4	1	3
5	8	1	4	9	3	2	7	6
2	9	7	3	5	8	6	4	1
1	4	3	9	6	7	5	2	8
8	5	6	2	1	4	7	3	9
6	1	4	7	3	9	8	5	2
9	7	5	1	8	2	3	6	4
3	2	8	5	4	6	1	9	7

Easy 115

2	3	4	8	5	9	1	7	6
6	9	7	4	1	3	8	2	5
8	1	5	6	2	7	3	9	4
9	4	3	7	6	1	2	5	8
7	8	2	5	9	4	6	3	1
5	6	1	3	8	2	9	4	7
1	2	8	9	7	5	4	6	3
3	7	6	2	4	8	5	1	9
4	5	9	1	3	6	7	8	2

Easy 116

3	4	1	2	6	7	5	8	9
8	9	6	4	5	3	1	7	2
5	2	7	8	1	9	6	4	3
7	5	9	1	2	6	8	3	4
1	8	2	9	3	4	7	5	6
6	3	4	7	8	5	2	9	1
9	7	8	6	4	1	3	2	5
4	1	5	3	7	2	9	6	8
2	6	3	5	9	8	4	1	7

Easy 117

9	7	4	5	1	6	8	3	2
1	5	2	3	4	8	6	9	7
8	6	3	9	7	2	5	1	4
2	4	9	1	5	7	3	8	6
7	8	1	2	6	3	4	5	9
5	3	6	8	9	4	7	2	1
4	1	5	7	3	9	2	6	8
3	2	7	6	8	1	9	4	5
6	9	8	4	2	5	1	7	3

Easy 118

3	6	5	8	7	2	1	4	9
9	4	8	6	5	1	7	2	3
1	2	7	9	4	3	5	6	8
2	9	4	1	6	5	8	3	7
5	3	6	7	9	8	2	1	4
7	8	1	3	2	4	6	9	5
4	5	9	2	8	6	3	7	1
6	7	3	5	1	9	4	8	2
8	1	2	4	3	7	9	5	6

Easy 119

1	6	2	8	4	7	5	3	9
3	4	9	1	2	5	7	6	8
7	5	8	6	3	9	4	1	2
6	2	3	9	5	4	1	8	7
9	1	5	7	8	2	6	4	3
8	7	4	3	1	6	9	2	5
2	8	7	4	9	1	3	5	6
4	3	6	5	7	8	2	9	1
5	9	1	2	6	3	8	7	4

Easy 120

2	6	1	3	5	8	7	9	4
5	9	3	4	6	7	2	8	1
8	7	4	2	1	9	5	3	6
9	4	5	8	7	1	3	6	2
3	8	6	9	2	5	4	1	7
7	1	2	6	3	4	8	5	9
4	3	8	7	9	6	1	2	5
6	5	7	1	8	2	9	4	3
1	2	9	5	4	3	6	7	8

Easy 121

1	4	6	3	5	9	8	7	2
3	5	7	1	2	8	4	9	6
2	9	8	7	4	6	5	3	1
6	7	4	5	1	2	9	8	3
5	8	2	6	9	3	1	4	7
9	3	1	8	7	4	6	2	5
7	6	3	4	8	5	2	1	9
4	1	9	2	6	7	3	5	8
8	2	5	9	3	1	7	6	4

Easy 122

5	7	2	8	4	9	1	3	6
4	9	1	7	6	3	8	2	5
6	3	8	2	1	5	7	9	4
7	2	5	3	9	1	6	4	8
8	1	9	6	7	4	2	5	3
3	4	6	5	2	8	9	7	1
2	5	7	1	3	6	4	8	9
9	6	3	4	8	7	5	1	2
1	8	4	9	5	2	3	6	7

Easy 123

6	9	4	2	5	8	7	1	3
2	5	7	3	1	9	8	6	4
3	1	8	6	7	4	5	9	2
4	7	2	8	9	5	6	3	1
5	3	9	4	6	1	2	8	7
1	8	6	7	2	3	9	4	5
8	6	5	1	3	7	4	2	9
9	4	1	5	8	2	3	7	6
7	2	3	9	4	6	1	5	8

Easy 124

9	8	6	3	5	1	4	7	2
1	4	3	6	2	7	9	5	8
5	7	2	8	9	4	1	6	3
7	3	1	2	6	8	5	9	4
4	5	8	7	1	9	3	2	6
2	6	9	5	4	3	7	8	1
6	2	7	4	3	5	8	1	9
8	9	4	1	7	6	2	3	5
3	1	5	9	8	2	6	4	7

Easy 125

7	8	9	1	4	2	3	6	5
5	1	4	9	6	3	8	7	2
3	6	2	8	5	7	9	1	4
2	7	3	5	1	8	4	9	6
6	4	8	7	2	9	1	5	3
9	5	1	6	3	4	7	2	8
1	9	5	3	8	6	2	4	7
4	3	6	2	7	1	5	8	9
8	2	7	4	9	5	6	3	1

Easy 126

9	4	1	7	3	2	8	5	6
8	3	5	6	1	9	7	2	4
2	6	7	5	8	4	1	9	3
5	1	4	9	6	8	2	3	7
3	2	6	4	7	1	5	8	9
7	8	9	3	2	5	6	4	1
1	5	3	8	4	6	9	7	2
4	9	2	1	5	7	3	6	8
6	7	8	2	9	3	4	1	5

Easy 127

4	1	9	5	7	2	8	6	3
3	7	2	6	8	1	9	5	4
5	8	6	9	3	4	1	7	2
7	5	4	3	6	8	2	9	1
9	3	1	7	2	5	6	4	8
2	6	8	1	4	9	7	3	5
8	9	7	2	5	3	4	1	6
6	4	3	8	1	7	5	2	9
1	2	5	4	9	6	3	8	7

Easy 128

2	4	6	8	9	7	3	5	1
1	3	8	4	6	5	2	7	9
9	7	5	2	3	1	4	8	6
3	2	7	9	5	8	6	1	4
6	8	4	1	7	3	5	9	2
5	9	1	6	4	2	7	3	8
7	6	2	5	1	9	8	4	3
8	1	3	7	2	4	9	6	5
4	5	9	3	8	6	1	2	7

Easy 129

6	8	4	7	3	9	2	5	1
1	5	2	8	4	6	3	7	9
3	7	9	1	5	2	8	6	4
8	2	5	9	7	4	1	3	6
4	6	7	3	8	1	5	9	2
9	1	3	6	2	5	4	8	7
5	3	1	4	6	7	9	2	8
7	4	8	2	9	3	6	1	5
2	9	6	5	1	8	7	4	3

Easy 130

3	4	7	6	2	5	1	8	9
8	2	1	3	9	7	6	5	4
5	9	6	1	8	4	2	3	7
4	6	3	8	1	9	5	7	2
7	5	8	4	3	2	9	1	6
9	1	2	5	7	6	3	4	8
6	7	4	2	5	1	8	9	3
2	3	5	9	4	8	7	6	1
1	8	9	7	6	3	4	2	5

Easy 131

2	8	6	5	7	4	9	3	1
5	4	9	1	3	8	7	6	2
1	3	7	6	2	9	8	4	5
8	9	3	2	5	1	4	7	6
7	5	4	8	9	6	1	2	3
6	1	2	3	4	7	5	9	8
3	7	1	4	8	2	6	5	9
9	6	5	7	1	3	2	8	4
4	2	8	9	6	5	3	1	7

Easy 132

8	2	4	7	3	1	6	5	9
1	5	3	9	6	8	7	2	4
7	6	9	5	4	2	8	1	3
4	3	1	8	9	7	5	6	2
6	8	2	3	1	5	9	4	7
5	9	7	6	2	4	1	3	8
9	1	5	2	8	3	4	7	6
2	7	6	4	5	9	3	8	1
3	4	8	1	7	6	2	9	5

Easy 133

7	8	5	3	6	2	1	9	4
9	2	6	1	5	4	3	8	7
3	4	1	8	9	7	6	2	5
2	7	8	6	1	3	4	5	9
5	3	9	4	2	8	7	6	1
1	6	4	9	7	5	8	3	2
8	1	3	2	4	9	5	7	6
4	5	2	7	3	6	9	1	8
6	9	7	5	8	1	2	4	3

Easy 134

5	1	9	3	8	2	6	4	7
2	3	4	7	6	1	8	9	5
7	6	8	9	5	4	1	2	3
1	2	6	5	4	7	9	3	8
4	9	3	6	1	8	5	7	2
8	5	7	2	3	9	4	1	6
6	8	2	4	9	3	7	5	1
9	7	1	8	2	5	3	6	4
3	4	5	1	7	6	2	8	9

Easy 135

1	8	5	7	2	4	6	9	3
9	7	4	6	5	3	1	2	8
2	3	6	1	9	8	5	4	7
7	9	8	3	1	2	4	5	6
4	1	2	5	6	7	3	8	9
5	6	3	4	8	9	2	7	1
6	5	7	8	4	1	9	3	2
3	2	1	9	7	5	8	6	4
8	4	9	2	3	6	7	1	5

Easy 136

7	1	6	5	4	8	2	3	9
5	3	9	7	2	1	8	4	6
2	4	8	9	6	3	7	5	1
4	2	3	6	8	9	1	7	5
1	9	5	2	3	7	4	6	8
8	6	7	1	5	4	3	9	2
9	5	4	3	1	2	6	8	7
6	8	1	4	7	5	9	2	3
3	7	2	8	9	6	5	1	4

Easy 137

2	3	9	5	8	1	7	4	6
1	5	4	9	7	6	8	3	2
7	6	8	3	2	4	9	1	5
6	2	1	8	5	3	4	7	9
8	4	7	2	1	9	5	6	3
3	9	5	4	6	7	2	8	1
9	1	6	7	4	2	3	5	8
5	7	2	6	3	8	1	9	4
4	8	3	1	9	5	6	2	7

Easy 138

4	6	2	8	1	3	5	7	9
1	5	8	9	7	4	3	2	6
7	3	9	6	2	5	8	1	4
2	8	1	5	9	7	4	6	3
9	4	5	1	3	6	2	8	7
3	7	6	4	8	2	1	9	5
8	1	7	3	4	9	6	5	2
5	9	3	2	6	1	7	4	8
6	2	4	7	5	8	9	3	1

Easy 139

5	9	7	8	3	4	1	2	6
8	2	3	1	7	6	5	4	9
1	4	6	9	5	2	7	8	3
4	3	1	5	8	9	6	7	2
7	6	5	4	2	1	3	9	8
2	8	9	3	6	7	4	5	1
6	1	8	7	9	5	2	3	4
3	7	4	2	1	8	9	6	5
9	5	2	6	4	3	8	1	7

Easy 140

3	7	8	1	4	2	6	5	9
2	5	1	3	9	6	4	8	7
4	9	6	7	5	8	3	1	2
7	8	3	5	6	1	9	2	4
1	2	9	8	3	4	5	7	6
6	4	5	9	2	7	1	3	8
9	6	7	2	1	3	8	4	5
8	3	4	6	7	5	2	9	1
5	1	2	4	8	9	7	6	3

Easy 141

3	8	2	7	9	4	5	1	6
6	1	7	2	8	5	9	3	4
4	9	5	1	6	3	2	8	7
9	7	3	8	5	2	6	4	1
5	6	1	4	7	9	3	2	8
2	4	8	6	3	1	7	5	9
7	2	6	3	1	8	4	9	5
1	3	9	5	4	7	8	6	2
8	5	4	9	2	6	1	7	3

Easy 142

5	9	6	2	3	8	4	7	1
1	7	2	9	5	4	6	8	3
8	4	3	6	7	1	2	5	9
4	6	7	5	1	9	8	3	2
3	2	1	8	6	7	9	4	5
9	8	5	3	4	2	1	6	7
2	3	9	4	8	5	7	1	6
6	1	8	7	2	3	5	9	4
7	5	4	1	9	6	3	2	8

Easy 143

6	2	7	4	8	3	1	5	9
8	1	3	9	7	5	2	6	4
5	9	4	2	1	6	7	3	8
1	7	6	5	4	9	3	8	2
2	8	9	3	6	1	5	4	7
4	3	5	8	2	7	9	1	6
9	6	2	1	5	8	4	7	3
7	4	1	6	3	2	8	9	5
3	5	8	7	9	4	6	2	1

Easy 144

7	1	3	5	2	9	8	6	4
5	4	8	3	6	7	9	2	1
9	6	2	8	4	1	5	3	7
3	7	4	9	5	6	2	1	8
1	2	9	7	8	3	4	5	6
6	8	5	4	1	2	3	7	9
8	5	6	1	3	4	7	9	2
2	3	7	6	9	8	1	4	5
4	9	1	2	7	5	6	8	3

Easy 145								
8	5	3	7	2	4	1	6	9
2	6	7	1	9	3	4	8	5
9	1	4	5	6	8	7	2	3
4	7	8	3	5	9	2	1	6
5	3	1	2	4	6	9	7	8
6	2	9	8	1	7	3	5	4
3	8	5	9	7	2	6	4	1
1	4	2	6	3	5	8	9	7
7	9	6	4	8	1	5	3	2

Easy 146								
3	8	2	7	5	6	9	1	4
7	4	5	2	9	1	6	8	3
9	6	1	4	8	3	7	2	5
8	7	9	5	1	4	3	6	2
4	1	6	3	7	2	5	9	8
5	2	3	8	6	9	1	4	7
1	3	4	9	2	7	8	5	6
2	9	8	6	3	5	4	7	1
6	5	7	1	4	8	2	3	9

Easy 147								
6	3	8	7	1	2	9	5	4
2	9	7	4	5	6	3	8	1
5	1	4	8	3	9	7	2	6
3	8	5	9	6	7	4	1	2
9	2	1	3	8	4	5	6	7
7	4	6	5	2	1	8	9	3
1	7	3	2	9	5	6	4	8
4	5	2	6	7	8	1	3	9
8	6	9	1	4	3	2	7	5

Easy 148								
8	1	7	4	5	9	2	6	3
5	2	9	6	3	8	4	1	7
4	3	6	2	1	7	9	5	8
2	6	3	5	7	4	8	9	1
9	8	5	3	2	1	6	7	4
1	7	4	9	8	6	5	3	2
6	5	1	8	4	3	7	2	9
7	9	8	1	6	2	3	4	5
3	4	2	7	9	5	1	8	6

Easy 149								
3	1	4	9	2	7	5	8	6
5	8	9	6	3	1	7	2	4
2	7	6	5	8	4	9	1	3
9	5	8	2	7	3	6	4	1
1	2	7	4	9	6	3	5	8
4	6	3	1	5	8	2	9	7
6	4	5	3	1	2	8	7	9
7	3	2	8	4	9	1	6	5
8	9	1	7	6	5	4	3	2

Easy 150								
4	3	1	5	6	2	9	7	8
6	7	2	3	9	8	5	1	4
8	9	5	4	7	1	3	6	2
3	2	4	1	8	7	6	5	9
7	6	8	2	5	9	1	4	3
5	1	9	6	3	4	8	2	7
9	8	6	7	4	5	2	3	1
1	4	3	8	2	6	7	9	5
2	5	7	9	1	3	4	8	6

Easy 151								
4	3	8	2	7	1	9	5	6
2	7	5	6	9	3	1	4	8
9	6	1	8	4	5	2	7	3
8	5	2	3	6	4	7	1	9
1	4	6	9	8	7	5	3	2
3	9	7	5	1	2	6	8	4
7	1	3	4	2	6	8	9	5
5	2	9	7	3	8	4	6	1
6	8	4	1	5	9	3	2	7

Easy 152								
4	5	2	7	3	9	1	6	8
9	8	7	1	6	5	3	4	2
1	3	6	4	2	8	9	7	5
2	1	3	6	7	4	5	8	9
8	6	9	3	5	2	4	1	7
7	4	5	9	8	1	6	2	3
5	9	1	8	4	7	2	3	6
3	7	4	2	9	6	8	5	1
6	2	8	5	1	3	7	9	4

Easy 153								
2	4	7	5	1	9	6	8	3
9	5	6	7	3	8	2	4	1
8	3	1	6	4	2	7	9	5
1	6	3	4	8	7	5	2	9
4	8	5	2	9	3	1	6	7
7	9	2	1	6	5	8	3	4
5	7	4	9	2	6	3	1	8
6	1	8	3	5	4	9	7	2
3	2	9	8	7	1	4	5	6

Easy 154								
8	9	1	7	6	5	4	2	3
6	4	3	8	2	9	5	1	7
7	2	5	4	3	1	9	8	6
9	8	6	3	4	7	1	5	2
5	3	2	6	1	8	7	4	9
1	7	4	5	9	2	3	6	8
4	5	9	2	8	3	6	7	1
3	6	8	1	7	4	2	9	5
2	1	7	9	5	6	8	3	4

Easy 155								
8	2	5	4	6	9	1	7	3
7	3	4	2	1	8	5	9	6
1	9	6	7	3	5	2	8	4
2	4	3	8	7	1	9	6	5
5	8	7	3	9	6	4	2	1
6	1	9	5	2	4	8	3	7
3	6	1	9	4	2	7	5	8
4	5	2	6	8	7	3	1	9
9	7	8	1	5	3	6	4	2

Easy 156								
8	4	1	5	3	2	7	9	6
9	7	3	8	4	6	5	2	1
5	2	6	1	7	9	3	8	4
2	1	5	6	9	3	8	4	7
4	8	7	2	5	1	9	6	3
6	3	9	7	8	4	2	1	5
7	5	2	4	6	8	1	3	9
1	9	4	3	2	5	6	7	8
3	6	8	9	1	7	4	5	2

Easy 157								
3	5	2	8	1	7	9	6	4
6	8	9	4	2	3	1	5	7
7	4	1	9	5	6	3	2	8
1	3	8	7	6	9	2	4	5
4	2	6	1	8	5	7	3	9
5	9	7	2	3	4	8	1	6
9	7	3	6	4	2	5	8	1
8	6	5	3	7	1	4	9	2
2	1	4	5	9	8	6	7	3

Easy 158								
7	9	3	8	1	4	6	5	2
4	2	6	5	3	7	9	1	8
8	5	1	9	6	2	7	3	4
9	4	5	6	2	8	3	7	1
2	3	7	1	5	9	4	8	6
1	6	8	7	4	3	2	9	5
3	1	4	2	7	5	8	6	9
6	8	2	3	9	1	5	4	7
5	7	9	4	8	6	1	2	3

Easy 159								
4	1	5	6	2	8	3	9	7
8	3	6	5	9	7	4	2	1
9	7	2	1	3	4	8	6	5
5	9	1	8	4	3	6	7	2
7	8	3	2	1	6	9	5	4
2	6	4	9	7	5	1	8	3
3	5	8	4	6	2	7	1	9
6	4	9	7	5	1	2	3	8
1	2	7	3	8	9	5	4	6

Easy 160								
6	5	3	1	2	8	4	7	9
9	7	1	3	6	4	5	8	2
4	8	2	9	5	7	1	3	6
2	6	8	5	9	3	7	4	1
7	1	5	4	8	2	9	6	3
3	4	9	7	1	6	2	5	8
5	2	6	8	7	9	3	1	4
1	9	4	6	3	5	8	2	7
8	3	7	2	4	1	6	9	5

Easy 161								
2	3	7	9	1	8	6	5	4
6	5	8	3	4	7	9	2	1
9	4	1	5	2	6	7	3	8
3	1	4	7	8	5	2	9	6
7	2	5	4	6	9	1	8	3
8	6	9	1	3	2	4	7	5
4	9	3	8	7	1	5	6	2
5	8	2	6	9	4	3	1	7
1	7	6	2	5	3	8	4	9

Easy 162								
2	8	3	7	1	5	9	6	4
4	1	5	6	2	9	8	7	3
7	9	6	8	4	3	1	5	2
8	6	9	5	7	2	4	3	1
1	3	2	4	8	6	5	9	7
5	7	4	9	3	1	2	8	6
9	4	1	3	5	7	6	2	8
6	2	7	1	9	8	3	4	5
3	5	8	2	6	4	7	1	9

Easy 163								
4	2	1	5	9	3	8	6	7
5	9	7	8	6	1	2	4	3
3	8	6	4	2	7	1	5	9
6	4	3	1	8	9	7	2	5
2	1	9	7	3	5	6	8	4
8	7	5	2	4	6	9	3	1
1	6	2	9	5	4	3	7	8
9	3	4	6	7	8	5	1	2
7	5	8	3	1	2	4	9	6

Easy 164								
8	5	3	7	2	1	6	4	9
7	6	1	4	5	9	3	2	8
4	2	9	6	8	3	1	7	5
1	7	5	3	9	4	8	6	2
3	9	2	8	7	6	5	1	4
6	8	4	2	1	5	9	3	7
2	3	7	5	6	8	4	9	1
9	4	8	1	3	2	7	5	6
5	1	6	9	4	7	2	8	3

Easy 165								
1	5	2	4	7	8	3	9	6
3	8	7	9	6	2	4	1	5
4	9	6	5	3	1	2	8	7
6	3	1	7	2	9	5	4	8
9	4	5	8	1	6	7	2	3
2	7	8	3	4	5	9	6	1
7	6	3	1	9	4	8	5	2
8	1	9	2	5	3	6	7	4
5	2	4	6	8	7	1	3	9

Easy 166								
1	6	2	5	9	8	7	4	3
4	8	7	2	3	6	1	9	5
5	9	3	7	1	4	2	6	8
3	7	8	6	4	9	5	1	2
6	1	5	3	7	2	4	8	9
2	4	9	8	5	1	3	7	6
9	5	6	4	2	7	8	3	1
8	3	4	1	6	5	9	2	7
7	2	1	9	8	3	6	5	4

Easy 167								
8	1	4	7	6	5	3	9	2
5	7	3	1	2	9	6	4	8
6	2	9	3	8	4	1	7	5
2	4	7	9	5	3	8	1	6
1	3	6	2	4	8	7	5	9
9	5	8	6	1	7	4	2	3
4	9	2	8	7	6	5	3	1
7	8	1	5	3	2	9	6	4
3	6	5	4	9	1	2	8	7

Easy 168								
8	5	7	3	6	9	4	1	2
9	4	6	2	7	1	8	3	5
1	3	2	5	8	4	6	7	9
3	2	8	6	1	5	7	9	4
6	7	1	9	4	3	5	2	8
5	9	4	8	2	7	1	6	3
7	1	9	4	5	2	3	8	6
4	8	3	1	9	6	2	5	7
2	6	5	7	3	8	9	4	1

Easy 169

1	2	7	3	5	4	8	6	9
5	8	9	6	2	1	7	4	3
3	4	6	9	7	8	1	2	5
8	1	5	7	4	3	2	9	6
2	6	3	5	8	9	4	1	7
7	9	4	2	1	6	5	3	8
9	7	1	8	3	2	6	5	4
4	3	8	1	6	5	9	7	2
6	5	2	4	9	7	3	8	1

Easy 170

8	3	4	5	2	1	9	7	6
7	5	9	8	6	3	1	2	4
1	6	2	9	4	7	8	3	5
5	2	6	7	1	4	3	9	8
9	4	1	6	3	8	7	5	2
3	8	7	2	5	9	6	4	1
2	7	3	4	8	6	5	1	9
4	1	8	3	9	5	2	6	7
6	9	5	1	7	2	4	8	3

Easy 171

1	4	9	2	6	5	7	8	3
5	6	2	3	7	8	9	1	4
3	8	7	9	1	4	5	6	2
6	2	3	5	9	7	8	4	1
7	5	8	6	4	1	3	2	9
9	1	4	8	3	2	6	7	5
2	7	5	1	8	9	4	3	6
8	3	1	4	5	6	2	9	7
4	9	6	7	2	3	1	5	8

Easy 172

6	1	3	9	5	4	2	7	8
8	9	2	6	1	7	4	5	3
7	4	5	3	8	2	9	1	6
4	6	1	2	7	3	5	8	9
3	8	9	1	4	5	6	2	7
5	2	7	8	9	6	3	4	1
1	7	6	5	2	9	8	3	4
2	3	4	7	6	8	1	9	5
9	5	8	4	3	1	7	6	2

Easy 173

1	2	4	3	8	7	6	9	5
5	7	3	6	2	9	8	4	1
8	6	9	1	4	5	3	2	7
3	5	7	9	6	8	2	1	4
9	1	8	4	7	2	5	6	3
6	4	2	5	3	1	9	7	8
4	8	1	2	9	3	7	5	6
7	9	6	8	5	4	1	3	2
2	3	5	7	1	6	4	8	9

Easy 174

2	1	4	5	8	9	7	6	3
9	8	3	1	7	6	2	4	5
7	5	6	4	2	3	8	1	9
5	6	9	7	1	2	3	8	4
8	7	1	6	3	4	9	5	2
4	3	2	9	5	8	6	7	1
3	9	5	8	6	1	4	2	7
1	4	8	2	9	7	5	3	6
6	2	7	3	4	5	1	9	8

Easy 175

5	4	2	6	3	9	8	1	7
7	1	3	8	4	2	5	9	6
6	8	9	7	1	5	4	2	3
1	3	7	4	9	6	2	8	5
8	6	5	3	2	1	7	4	9
9	2	4	5	8	7	6	3	1
4	5	1	9	7	8	3	6	2
3	9	6	2	5	4	1	7	8
2	7	8	1	6	3	9	5	4

Easy 176

2	3	1	9	4	5	6	7	8
6	7	5	1	8	2	9	4	3
8	9	4	6	3	7	2	5	1
4	2	3	5	9	8	7	1	6
7	5	6	2	1	3	4	8	9
1	8	9	7	6	4	5	3	2
5	1	7	3	2	9	8	6	4
9	6	8	4	5	1	3	2	7
3	4	2	8	7	6	1	9	5

Easy 177

6	8	5	4	7	3	1	2	9
1	3	9	6	5	2	8	4	7
7	2	4	1	9	8	6	5	3
2	5	8	7	6	4	9	3	1
9	4	7	3	8	1	5	6	2
3	1	6	5	2	9	7	8	4
4	7	3	8	1	5	2	9	6
8	9	1	2	4	6	3	7	5
5	6	2	9	3	7	4	1	8

Easy 178

4	9	5	3	8	2	6	1	7
3	7	8	4	6	1	2	5	9
6	2	1	5	9	7	8	4	3
8	3	2	7	4	9	1	6	5
7	5	9	6	1	8	4	3	2
1	6	4	2	3	5	9	7	8
5	1	7	8	2	4	3	9	6
2	4	6	9	7	3	5	8	1
9	8	3	1	5	6	7	2	4

Easy 179

7	5	6	3	9	8	1	4	2
1	9	8	7	4	2	3	5	6
3	4	2	5	1	6	8	7	9
4	8	7	9	5	3	6	2	1
6	2	5	1	8	4	7	9	3
9	1	3	6	2	7	5	8	4
2	3	4	8	7	1	9	6	5
8	6	9	2	3	5	4	1	7
5	7	1	4	6	9	2	3	8

Easy 180

4	3	8	6	7	2	5	1	9
2	9	1	5	8	4	6	3	7
6	5	7	9	3	1	2	8	4
9	4	6	7	5	8	3	2	1
7	1	3	2	9	6	8	4	5
8	2	5	1	4	3	9	7	6
3	6	2	4	1	5	7	9	8
1	8	9	3	6	7	4	5	2
5	7	4	8	2	9	1	6	3

Easy 181

6	9	4	8	2	1	5	7	3
3	5	7	4	6	9	2	8	1
2	1	8	5	7	3	4	6	9
9	8	3	2	5	6	7	1	4
7	6	1	3	9	4	8	5	2
5	4	2	7	1	8	9	3	6
1	2	6	9	8	7	3	4	5
8	3	9	1	4	5	6	2	7
4	7	5	6	3	2	1	9	8

Easy 182

4	8	6	1	5	7	3	2	9
3	7	1	8	9	2	4	6	5
2	9	5	3	6	4	7	1	8
6	3	2	5	1	8	9	7	4
7	1	8	9	4	6	5	3	2
5	4	9	2	7	3	1	8	6
9	5	7	6	2	1	8	4	3
8	2	4	7	3	9	6	5	1
1	6	3	4	8	5	2	9	7

Easy 183

9	2	7	3	5	1	6	4	8
6	5	8	9	7	4	3	2	1
1	3	4	8	2	6	5	7	9
4	7	1	5	6	2	8	9	3
5	9	6	4	8	3	2	1	7
2	8	3	7	1	9	4	5	6
8	1	2	6	9	5	7	3	4
7	4	5	1	3	8	9	6	2
3	6	9	2	4	7	1	8	5

Easy 184

8	4	1	9	7	3	5	2	6
9	6	3	5	4	2	7	8	1
2	5	7	1	6	8	3	4	9
1	9	2	7	8	6	4	3	5
7	8	4	3	5	1	6	9	2
5	3	6	4	2	9	1	7	8
6	7	8	2	1	4	9	5	3
3	2	5	6	9	7	8	1	4
4	1	9	8	3	5	2	6	7

Easy 185

6	9	4	5	1	7	3	8	2
8	1	5	3	2	4	6	7	9
2	3	7	6	8	9	5	1	4
1	4	2	9	3	8	7	5	6
7	6	8	4	5	1	2	9	3
3	5	9	7	6	2	8	4	1
4	7	6	2	9	5	1	3	8
5	2	1	8	4	3	9	6	7
9	8	3	1	7	6	4	2	5

Easy 186

9	4	1	7	3	6	5	2	8
3	8	7	2	9	5	6	1	4
5	2	6	1	8	4	7	3	9
7	1	3	8	4	2	9	6	5
8	9	5	6	7	3	1	4	2
2	6	4	9	5	1	3	8	7
4	3	8	5	1	9	2	7	6
6	7	9	3	2	8	4	5	1
1	5	2	4	6	7	8	9	3

Easy 187

1	3	2	9	6	7	5	8	4
7	6	5	2	8	4	9	1	3
8	9	4	1	3	5	2	6	7
4	2	8	3	5	9	1	7	6
3	7	9	6	2	1	4	5	8
5	1	6	4	7	8	3	2	9
2	8	1	7	4	3	6	9	5
9	5	3	8	1	6	7	4	2
6	4	7	5	9	2	8	3	1

Easy 188

7	4	6	9	1	3	5	2	8
5	2	8	4	7	6	9	1	3
1	3	9	8	5	2	4	7	6
4	7	1	3	6	9	8	5	2
9	8	5	2	4	7	3	6	1
3	6	2	5	8	1	7	9	4
2	5	7	1	3	8	6	4	9
8	9	4	6	2	5	1	3	7
6	1	3	7	9	4	2	8	5

Easy 189

8	1	4	6	2	5	9	7	3
6	9	2	7	3	8	5	4	1
5	7	3	4	1	9	2	8	6
3	8	7	9	4	2	6	1	5
4	2	5	1	8	6	3	9	7
1	6	9	5	7	3	8	2	4
7	5	6	2	9	4	1	3	8
9	3	1	8	6	7	4	5	2
2	4	8	3	5	1	7	6	9

Easy 190

5	2	9	8	4	3	7	1	6
4	1	7	5	9	6	3	8	2
6	8	3	7	2	1	4	5	9
2	5	6	4	1	7	9	3	8
9	7	4	2	3	8	1	6	5
8	3	1	6	5	9	2	7	4
1	9	5	3	8	4	6	2	7
7	4	8	1	6	2	5	9	3
3	6	2	9	7	5	8	4	1

Easy 191

8	1	2	3	5	7	9	4	6
6	4	9	1	8	2	5	7	3
5	7	3	6	9	4	1	8	2
3	6	5	4	2	9	7	1	8
7	2	8	5	6	1	4	3	9
1	9	4	8	7	3	6	2	5
9	5	7	2	4	8	3	6	1
4	8	1	9	3	6	2	5	7
2	3	6	7	1	5	8	9	4

Easy 192

5	6	8	1	7	9	2	4	3
1	4	9	8	3	2	5	6	7
3	2	7	5	4	6	1	8	9
9	5	3	6	1	7	4	2	8
2	8	1	3	5	4	9	7	6
6	7	4	2	9	8	3	5	1
4	3	2	7	8	1	6	9	5
8	9	5	4	6	3	7	1	2
7	1	6	9	2	5	8	3	4

Easy 193

9	8	3	6	2	4	1	5	7
2	4	1	7	3	5	9	8	6
7	5	6	8	9	1	2	3	4
1	9	4	5	8	2	6	7	3
5	6	8	3	1	7	4	2	9
3	2	7	4	6	9	5	1	8
8	1	2	9	4	3	7	6	5
4	3	5	1	7	6	8	9	2
6	7	9	2	5	8	3	4	1

Easy 194

4	6	8	5	1	9	2	7	3
5	9	7	3	8	2	4	1	6
1	3	2	6	7	4	9	8	5
3	8	4	2	6	7	5	9	1
7	5	9	1	4	3	8	6	2
6	2	1	8	9	5	3	4	7
9	1	3	4	5	6	7	2	8
2	4	6	7	3	8	1	5	9
8	7	5	9	2	1	6	3	4

Easy 195

6	2	7	8	3	4	5	1	9
3	9	5	6	7	1	4	2	8
4	1	8	9	5	2	7	3	6
5	3	1	2	8	6	9	7	4
7	8	9	4	1	3	2	6	5
2	4	6	5	9	7	3	8	1
1	5	2	3	6	9	8	4	7
8	6	3	7	4	5	1	9	2
9	7	4	1	2	8	6	5	3

Easy 196

1	9	3	6	7	4	5	2	8
8	2	4	5	1	3	6	7	9
5	7	6	2	9	8	1	4	3
7	4	1	9	6	5	3	8	2
2	8	9	3	4	1	7	6	5
6	3	5	7	8	2	9	1	4
3	1	2	4	5	7	8	9	6
9	5	7	8	2	6	4	3	1
4	6	8	1	3	9	2	5	7

Easy 197

6	4	5	9	3	8	2	1	7
3	2	1	5	7	6	8	9	4
9	7	8	1	2	4	6	5	3
1	8	4	2	6	3	9	7	5
2	9	6	7	1	5	4	3	8
7	5	3	4	8	9	1	2	6
4	1	2	8	5	7	3	6	9
8	3	7	6	9	2	5	4	1
5	6	9	3	4	1	7	8	2

Easy 198

3	8	9	2	5	6	4	7	1
5	7	6	9	4	1	8	2	3
1	4	2	7	3	8	6	5	9
4	9	1	5	8	7	3	6	2
6	2	7	1	9	3	5	4	8
8	5	3	4	6	2	1	9	7
9	3	5	8	2	4	7	1	6
7	6	4	3	1	9	2	8	5
2	1	8	6	7	5	9	3	4

Easy 199

3	5	2	4	1	8	6	7	9
7	8	1	9	6	3	5	4	2
6	4	9	7	2	5	8	1	3
9	6	8	1	3	4	7	2	5
4	3	5	2	7	9	1	6	8
2	1	7	5	8	6	9	3	4
5	9	3	6	4	7	2	8	1
8	2	6	3	5	1	4	9	7
1	7	4	8	9	2	3	5	6

Easy 200

9	1	5	3	6	7	8	4	2
2	4	3	8	1	9	6	5	7
6	7	8	4	2	5	9	3	1
7	9	2	5	4	1	3	8	6
5	6	1	7	3	8	2	9	4
3	8	4	6	9	2	1	7	5
1	3	6	9	5	4	7	2	8
8	5	9	2	7	6	4	1	3
4	2	7	1	8	3	5	6	9

Easy 201

8	7	5	4	2	6	3	9	1
1	2	4	3	7	9	6	8	5
9	3	6	1	8	5	2	4	7
5	9	3	6	1	7	8	2	4
4	6	7	2	5	8	1	3	9
2	8	1	9	4	3	7	5	6
7	5	2	8	9	1	4	6	3
3	4	9	7	6	2	5	1	8
6	1	8	5	3	4	9	7	2

Easy 202

6	4	8	1	7	5	2	3	9
9	5	7	3	4	2	8	6	1
3	1	2	8	9	6	7	5	4
2	7	6	9	3	1	5	4	8
1	9	4	7	5	8	6	2	3
5	8	3	6	2	4	9	1	7
8	3	5	4	6	9	1	7	2
4	6	1	2	8	7	3	9	5
7	2	9	5	1	3	4	8	6

Easy 203

3	1	9	6	4	7	5	8	2
7	2	4	8	5	3	1	9	6
5	8	6	1	9	2	7	3	4
1	3	5	4	8	6	2	7	9
6	4	7	9	2	5	3	1	8
8	9	2	7	3	1	6	4	5
2	5	8	3	7	9	4	6	1
9	6	3	2	1	4	8	5	7
4	7	1	5	6	8	9	2	3

Easy 204

1	9	5	8	2	4	6	3	7
4	7	2	1	6	3	5	9	8
6	3	8	7	9	5	4	2	1
7	6	4	9	3	2	8	1	5
2	8	3	6	5	1	9	7	4
5	1	9	4	8	7	2	6	3
9	2	1	3	4	8	7	5	6
3	4	6	5	7	9	1	8	2
8	5	7	2	1	6	3	4	9

Easy 205

2	3	1	5	7	4	6	9	8
4	8	5	1	6	9	7	3	2
7	6	9	3	2	8	5	4	1
3	5	6	9	1	7	2	8	4
8	1	7	4	3	2	9	5	6
9	4	2	8	5	6	1	7	3
1	7	8	6	9	3	4	2	5
5	9	4	2	8	1	3	6	7
6	2	3	7	4	5	8	1	9

Easy 206

6	7	1	9	8	4	5	2	3
4	2	8	5	3	1	7	9	6
3	9	5	6	7	2	1	4	8
1	8	9	4	5	6	2	3	7
5	6	4	7	2	3	9	8	1
2	3	7	1	9	8	6	5	4
8	1	6	2	4	5	3	7	9
7	4	2	3	6	9	8	1	5
9	5	3	8	1	7	4	6	2

Easy 207

3	7	1	5	8	4	9	6	2
9	4	6	2	7	3	1	8	5
5	8	2	9	6	1	7	3	4
2	3	4	7	9	6	8	5	1
1	9	5	8	3	2	6	4	7
8	6	7	4	1	5	3	2	9
7	2	3	6	4	9	5	1	8
6	5	9	1	2	8	4	7	3
4	1	8	3	5	7	2	9	6

Easy 208

5	7	1	9	2	4	8	3	6
3	9	6	1	8	5	2	4	7
8	2	4	7	3	6	9	1	5
2	3	7	4	6	1	5	9	8
1	6	5	2	9	8	4	7	3
9	4	8	5	7	3	1	6	2
7	1	3	8	5	9	6	2	4
6	5	9	3	4	2	7	8	1
4	8	2	6	1	7	3	5	9

Easy 209

5	6	8	4	3	1	7	2	9
4	3	1	7	9	2	5	8	6
2	7	9	6	5	8	1	3	4
1	5	6	8	2	7	9	4	3
8	9	2	1	4	3	6	7	5
3	4	7	5	6	9	2	1	8
9	1	4	3	7	6	8	5	2
6	8	3	2	1	5	4	9	7
7	2	5	9	8	4	3	6	1

Easy 210

1	7	4	8	9	5	3	6	2
2	8	9	4	6	3	1	7	5
6	3	5	7	1	2	4	9	8
4	2	3	5	8	9	7	1	6
5	6	1	3	4	7	2	8	9
7	9	8	1	2	6	5	4	3
3	1	6	2	7	8	9	5	4
8	4	2	9	5	1	6	3	7
9	5	7	6	3	4	8	2	1

Easy 211

3	9	4	6	2	1	7	5	8
2	8	6	5	9	7	3	1	4
7	1	5	8	4	3	6	9	2
6	3	8	9	1	5	2	4	7
4	5	7	2	6	8	9	3	1
9	2	1	7	3	4	8	6	5
5	4	2	3	7	9	1	8	6
8	7	3	1	5	6	4	2	9
1	6	9	4	8	2	5	7	3

Easy 212

1	3	7	5	6	2	8	9	4
8	6	9	3	1	4	7	2	5
5	2	4	7	8	9	3	6	1
4	1	6	9	3	7	5	8	2
7	8	2	6	5	1	4	3	9
3	9	5	4	2	8	6	1	7
6	7	8	2	9	5	1	4	3
9	5	1	8	4	3	2	7	6
2	4	3	1	7	6	9	5	8

Easy 213

9	5	7	6	8	2	4	3	1
6	1	4	5	9	3	8	7	2
3	8	2	7	1	4	5	9	6
8	6	5	9	3	1	2	4	7
1	7	3	4	2	5	9	6	8
2	4	9	8	6	7	1	5	3
4	3	8	1	5	6	7	2	9
5	2	1	3	7	9	6	8	4
7	9	6	2	4	8	3	1	5

Easy 214

4	9	5	3	2	1	6	7	8
3	6	1	7	8	9	4	2	5
7	2	8	6	4	5	3	9	1
8	4	9	5	6	7	2	1	3
6	1	3	2	9	8	7	5	4
5	7	2	4	1	3	9	8	6
2	8	4	1	7	6	5	3	9
1	3	6	9	5	2	8	4	7
9	5	7	8	3	4	1	6	2

Easy 215

6	1	5	9	7	8	4	3	2
8	4	2	6	3	5	1	7	9
9	3	7	2	1	4	6	8	5
1	6	8	4	9	3	2	5	7
4	7	3	8	5	2	9	6	1
2	5	9	7	6	1	3	4	8
3	2	1	5	4	7	8	9	6
7	9	4	1	8	6	5	2	3
5	8	6	3	2	9	7	1	4

Easy 216

2	6	1	7	3	8	9	5	4
4	5	8	1	2	9	7	3	6
3	9	7	4	5	6	1	2	8
6	7	4	8	1	5	2	9	3
5	2	9	3	6	7	8	4	1
1	8	3	2	9	4	6	7	5
9	1	2	6	4	3	5	8	7
8	4	5	9	7	1	3	6	2
7	3	6	5	8	2	4	1	9

Easy 217

6	7	5	4	1	2	3	8	9
3	1	2	8	6	9	4	5	7
9	4	8	5	7	3	1	2	6
1	9	4	6	2	7	8	3	5
5	3	7	1	9	8	6	4	2
8	2	6	3	5	4	7	9	1
2	5	3	7	4	6	9	1	8
7	8	1	9	3	5	2	6	4
4	6	9	2	8	1	5	7	3

Easy 218

2	6	1	5	3	4	7	9	8
5	9	7	2	6	8	3	1	4
3	8	4	1	9	7	5	6	2
1	7	5	3	2	6	8	4	9
8	4	2	9	7	5	1	3	6
9	3	6	8	4	1	2	7	5
7	5	3	6	8	9	4	2	1
4	1	9	7	5	2	6	8	3
6	2	8	4	1	3	9	5	7

Easy 219

1	9	6	5	2	3	4	8	7
5	7	8	9	4	6	2	1	3
2	4	3	7	1	8	9	5	6
8	2	7	4	6	1	5	3	9
6	5	1	3	9	7	8	2	4
9	3	4	2	8	5	7	6	1
4	1	9	6	5	2	3	7	8
7	6	2	8	3	4	1	9	5
3	8	5	1	7	9	6	4	2

Easy 220

4	1	3	7	8	2	5	9	6
6	7	5	4	9	3	8	2	1
2	9	8	6	5	1	4	7	3
5	6	9	1	4	7	2	3	8
3	2	7	5	6	8	9	1	4
8	4	1	2	3	9	6	5	7
9	5	4	3	7	6	1	8	2
7	8	2	9	1	4	3	6	5
1	3	6	8	2	5	7	4	9

Easy 221

5	3	7	9	1	6	8	2	4
4	6	9	7	2	8	1	3	5
1	2	8	5	4	3	9	7	6
8	4	2	1	6	7	5	9	3
7	5	3	2	9	4	6	1	8
9	1	6	8	3	5	7	4	2
3	9	1	6	5	2	4	8	7
6	8	4	3	7	1	2	5	9
2	7	5	4	8	9	3	6	1

Easy 222

5	9	6	7	4	2	8	1	3
8	4	1	6	3	9	7	5	2
2	3	7	8	5	1	9	4	6
1	7	5	3	2	4	6	9	8
9	8	3	1	6	5	4	2	7
4	6	2	9	7	8	5	3	1
3	2	8	4	9	6	1	7	5
7	1	9	5	8	3	2	6	4
6	5	4	2	1	7	3	8	9

Easy 223

3	6	1	2	5	8	7	4	9
9	5	4	7	6	1	3	2	8
8	2	7	3	9	4	5	6	1
7	9	5	4	8	6	2	1	3
1	8	6	5	2	3	9	7	4
4	3	2	9	1	7	6	8	5
2	7	8	1	3	9	4	5	6
6	4	9	8	7	5	1	3	2
5	1	3	6	4	2	8	9	7

Easy 224

6	8	9	4	1	7	5	3	2
5	2	1	9	3	6	7	4	8
4	7	3	2	8	5	6	9	1
8	1	4	6	7	3	2	5	9
7	9	5	8	4	2	1	6	3
2	3	6	5	9	1	4	8	7
9	5	8	1	2	4	3	7	6
3	4	2	7	6	9	8	1	5
1	6	7	3	5	8	9	2	4

Easy 225

9	5	8	6	7	3	2	1	4
2	1	6	8	9	4	3	7	5
7	3	4	1	2	5	6	8	9
5	9	2	4	8	1	7	6	3
1	8	7	3	6	9	4	5	2
6	4	3	2	5	7	1	9	8
4	2	9	7	1	8	5	3	6
8	6	1	5	3	2	9	4	7
3	7	5	9	4	6	8	2	1

Easy 226

4	1	7	2	3	6	9	8	5
2	6	9	8	7	5	1	4	3
8	5	3	9	4	1	7	6	2
3	7	5	6	1	9	4	2	8
9	8	1	4	2	3	6	5	7
6	2	4	5	8	7	3	1	9
1	9	6	7	5	2	8	3	4
5	3	8	1	9	4	2	7	6
7	4	2	3	6	8	5	9	1

Easy 227

5	6	2	9	4	8	1	7	3
9	1	8	7	3	2	5	4	6
4	3	7	1	5	6	8	9	2
3	5	1	2	9	7	6	8	4
7	9	6	5	8	4	3	2	1
8	2	4	6	1	3	9	5	7
1	4	3	8	7	5	2	6	9
6	7	5	3	2	9	4	1	8
2	8	9	4	6	1	7	3	5

Easy 228

7	8	2	5	3	9	1	4	6
1	3	5	4	6	8	9	2	7
6	4	9	1	2	7	3	8	5
2	7	1	8	5	6	4	9	3
9	5	4	7	1	3	2	6	8
3	6	8	2	9	4	5	7	1
4	9	3	6	7	1	8	5	2
5	1	6	9	8	2	7	3	4
8	2	7	3	4	5	6	1	9

Easy 229

4	1	5	9	8	6	7	3	2
9	3	8	7	4	2	6	5	1
7	2	6	3	5	1	8	9	4
6	5	7	1	9	4	3	2	8
8	4	3	2	6	5	9	1	7
1	9	2	8	3	7	5	4	6
3	6	9	4	1	8	2	7	5
2	8	4	5	7	3	1	6	9
5	7	1	6	2	9	4	8	3

Easy 230

5	4	7	1	8	6	2	9	3
1	6	3	2	9	4	7	8	5
8	2	9	3	5	7	6	1	4
4	9	6	5	2	1	8	3	7
2	5	1	8	7	3	4	6	9
7	3	8	4	6	9	1	5	2
6	1	2	7	3	5	9	4	8
3	7	4	9	1	8	5	2	6
9	8	5	6	4	2	3	7	1

Easy 231

5	6	1	9	3	4	2	8	7
7	4	9	2	8	5	3	1	6
8	3	2	7	1	6	9	4	5
2	8	7	4	9	1	6	5	3
6	9	4	8	5	3	1	7	2
1	5	3	6	7	2	4	9	8
9	1	5	3	2	7	8	6	4
4	2	8	5	6	9	7	3	1
3	7	6	1	4	8	5	2	9

Easy 232

3	8	4	1	9	2	6	5	7
2	1	9	7	5	6	8	3	4
7	6	5	8	3	4	1	2	9
1	3	7	2	6	8	9	4	5
6	4	2	5	1	9	7	8	3
9	5	8	4	7	3	2	6	1
4	9	3	6	8	7	5	1	2
5	7	6	3	2	1	4	9	8
8	2	1	9	4	5	3	7	6

Easy 233

4	8	3	9	1	5	2	7	6
6	5	7	8	2	4	3	1	9
9	1	2	3	7	6	5	8	4
2	9	1	7	6	8	4	5	3
3	4	8	5	9	2	1	6	7
7	6	5	1	4	3	8	9	2
1	2	6	4	8	9	7	3	5
8	3	9	2	5	7	6	4	1
5	7	4	6	3	1	9	2	8

Easy 234

9	5	2	3	4	6	1	7	8
6	8	7	1	2	9	4	5	3
3	1	4	8	7	5	2	9	6
8	4	5	2	6	1	9	3	7
1	7	6	9	5	3	8	4	2
2	9	3	7	8	4	5	6	1
4	6	1	5	3	8	7	2	9
5	2	9	6	1	7	3	8	4
7	3	8	4	9	2	6	1	5

Easy 235

9	6	4	8	7	1	2	5	3
5	3	7	2	4	9	1	8	6
8	1	2	6	5	3	9	7	4
7	2	1	4	3	6	5	9	8
4	5	9	1	8	2	6	3	7
3	8	6	5	9	7	4	1	2
2	9	8	3	1	4	7	6	5
6	7	3	9	2	5	8	4	1
1	4	5	7	6	8	3	2	9

Easy 236

4	9	1	6	3	8	2	7	5
7	5	3	9	2	1	4	8	6
2	8	6	7	4	5	3	1	9
9	6	8	1	7	3	5	2	4
3	7	4	5	8	2	9	6	1
1	2	5	4	6	9	7	3	8
8	4	2	3	9	6	1	5	7
6	1	7	2	5	4	8	9	3
5	3	9	8	1	7	6	4	2

Easy 237

5	4	1	3	6	2	8	7	9
6	2	3	8	9	7	1	5	4
7	9	8	1	5	4	6	2	3
3	1	2	4	7	9	5	8	6
9	6	4	5	2	8	3	1	7
8	7	5	6	1	3	4	9	2
4	5	7	9	3	1	2	6	8
2	3	6	7	8	5	9	4	1
1	8	9	2	4	6	7	3	5

Easy 238

4	8	1	3	2	6	9	5	7
7	6	9	1	4	5	2	3	8
2	5	3	8	7	9	4	1	6
9	7	6	5	3	4	1	8	2
8	1	5	7	6	2	3	9	4
3	2	4	9	1	8	7	6	5
5	3	8	2	9	7	6	4	1
1	4	2	6	8	3	5	7	9
6	9	7	4	5	1	8	2	3

Easy 239

3	9	2	1	4	5	8	7	6
8	4	7	2	3	6	9	1	5
5	6	1	8	9	7	4	2	3
6	7	9	3	1	8	5	4	2
2	3	4	6	5	9	7	8	1
1	5	8	4	7	2	3	6	9
4	8	5	9	6	1	2	3	7
9	2	6	7	8	3	1	5	4
7	1	3	5	2	4	6	9	8

Easy 240

5	1	3	2	9	7	4	6	8
9	8	7	3	6	4	5	2	1
2	6	4	5	1	8	3	7	9
1	3	6	9	5	2	8	4	7
8	5	9	4	7	1	2	3	6
4	7	2	6	8	3	9	1	5
6	4	8	7	2	5	1	9	3
3	9	5	1	4	6	7	8	2
7	2	1	8	3	9	6	5	4

Easy 241

3	8	9	4	6	1	7	5	2
6	7	2	9	5	3	4	1	8
4	5	1	8	7	2	3	6	9
5	1	6	2	3	7	9	8	4
2	4	3	6	8	9	5	7	1
8	9	7	1	4	5	2	3	6
7	2	4	3	1	6	8	9	5
1	3	8	5	9	4	6	2	7
9	6	5	7	2	8	1	4	3

Easy 242

8	3	7	4	9	2	1	6	5
6	2	1	7	8	5	4	3	9
4	5	9	3	1	6	8	7	2
7	4	2	9	3	8	5	1	6
5	6	8	1	2	7	9	4	3
9	1	3	5	6	4	2	8	7
2	7	4	8	5	3	6	9	1
3	9	5	6	4	1	7	2	8
1	8	6	2	7	9	3	5	4

Easy 243

8	3	7	6	2	4	5	1	9
5	2	6	9	8	1	7	3	4
4	1	9	3	7	5	2	6	8
7	6	1	2	4	9	3	8	5
2	4	8	5	6	3	1	9	7
9	5	3	7	1	8	4	2	6
1	9	2	8	5	7	6	4	3
6	8	5	4	3	2	9	7	1
3	7	4	1	9	6	8	5	2

Easy 244

8	4	1	7	2	6	5	3	9
9	6	2	5	8	3	7	4	1
3	5	7	4	9	1	6	8	2
7	1	4	9	5	8	3	2	6
6	8	5	2	3	4	9	1	7
2	3	9	6	1	7	8	5	4
1	2	8	3	6	9	4	7	5
5	7	6	8	4	2	1	9	3
4	9	3	1	7	5	2	6	8

Easy 245

6	8	5	1	4	7	9	2	3
3	2	1	9	6	8	4	5	7
4	9	7	5	2	3	8	6	1
1	7	2	3	8	6	5	9	4
5	6	9	4	7	1	3	8	2
8	3	4	2	9	5	1	7	6
2	5	6	8	1	4	7	3	9
7	1	8	6	3	9	2	4	5
9	4	3	7	5	2	6	1	8

Easy 246

1	8	6	2	7	4	9	5	3
4	2	3	8	5	9	6	7	1
7	5	9	3	1	6	2	4	8
9	7	8	4	2	1	5	3	6
5	1	2	6	3	8	4	9	7
3	6	4	5	9	7	1	8	2
8	9	7	1	4	2	3	6	5
2	4	5	7	6	3	8	1	9
6	3	1	9	8	5	7	2	4

Easy 247

2	6	1	7	4	9	5	3	8
8	3	5	6	2	1	7	9	4
4	7	9	3	8	5	6	1	2
3	2	8	4	7	6	9	5	1
1	4	7	9	5	8	3	2	6
9	5	6	2	1	3	4	8	7
6	8	4	5	3	2	1	7	9
5	9	2	1	6	7	8	4	3
7	1	3	8	9	4	2	6	5

Easy 248

4	7	5	1	9	6	8	2	3
8	6	9	2	3	5	1	4	7
1	3	2	7	4	8	6	5	9
7	1	8	4	6	2	3	9	5
5	2	4	3	8	9	7	6	1
3	9	6	5	1	7	4	8	2
2	4	7	8	5	3	9	1	6
9	8	3	6	2	1	5	7	4
6	5	1	9	7	4	2	3	8

Easy 249

5	3	1	9	8	7	6	2	4
9	4	2	6	3	1	5	7	8
8	7	6	5	4	2	9	1	3
2	5	8	4	6	9	7	3	1
6	9	3	7	1	8	4	5	2
4	1	7	2	5	3	8	6	9
3	2	5	8	9	6	1	4	7
7	6	9	1	2	4	3	8	5
1	8	4	3	7	5	2	9	6

Easy 250

1	6	4	2	8	9	7	3	5
7	8	9	5	6	3	1	2	4
3	2	5	4	1	7	9	6	8
6	3	8	1	5	2	4	7	9
2	5	7	9	4	8	6	1	3
9	4	1	7	3	6	8	5	2
5	7	2	6	9	4	3	8	1
8	9	6	3	2	1	5	4	7
4	1	3	8	7	5	2	9	6

Easy 251

5	2	9	1	4	7	3	8	6
1	6	3	9	5	8	4	7	2
7	4	8	3	6	2	9	1	5
4	1	5	2	9	6	7	3	8
8	7	6	4	1	3	2	5	9
9	3	2	8	7	5	1	6	4
2	8	4	5	3	1	6	9	7
6	5	1	7	2	9	8	4	3
3	9	7	6	8	4	5	2	1

Easy 252

8	1	9	2	4	6	7	5	3
3	6	2	5	9	7	8	4	1
4	5	7	1	3	8	2	6	9
2	4	1	7	5	3	6	9	8
7	3	8	9	6	2	4	1	5
6	9	5	8	1	4	3	2	7
9	2	6	3	7	5	1	8	4
1	8	3	4	2	9	5	7	6
5	7	4	6	8	1	9	3	2

Easy 253

9	7	8	3	1	5	2	4	6
5	6	3	4	9	2	7	8	1
1	4	2	7	8	6	3	9	5
4	8	9	5	6	7	1	3	2
6	2	1	8	3	9	4	5	7
7	3	5	2	4	1	8	6	9
8	5	7	9	2	4	6	1	3
2	1	4	6	5	3	9	7	8
3	9	6	1	7	8	5	2	4

Easy 254

1	8	7	6	9	2	4	5	3
2	4	6	5	3	7	9	8	1
3	5	9	8	1	4	2	7	6
7	3	2	4	6	8	5	1	9
4	9	8	1	5	3	6	2	7
5	6	1	2	7	9	8	3	4
8	7	3	9	2	6	1	4	5
6	2	5	3	4	1	7	9	8
9	1	4	7	8	5	3	6	2

Easy 255

9	7	6	1	4	2	3	5	8
1	5	2	3	8	7	4	9	6
4	3	8	9	6	5	1	7	2
2	6	3	5	9	1	8	4	7
7	1	4	2	3	8	9	6	5
8	9	5	6	7	4	2	3	1
3	2	1	7	5	9	6	8	4
6	4	7	8	1	3	5	2	9
5	8	9	4	2	6	7	1	3

Easy 256

6	8	2	1	9	7	3	4	5
9	5	1	4	8	3	6	2	7
7	4	3	6	2	5	8	9	1
1	7	4	8	5	9	2	3	6
3	2	9	7	1	6	4	5	8
5	6	8	2	3	4	7	1	9
8	3	7	5	4	1	9	6	2
4	1	6	9	7	2	5	8	3
2	9	5	3	6	8	1	7	4

Easy 257

7	4	3	6	9	2	5	8	1
5	2	1	3	4	8	9	6	7
6	9	8	5	1	7	4	2	3
3	7	4	9	8	5	2	1	6
1	8	2	4	7	6	3	9	5
9	5	6	1	2	3	7	4	8
2	3	9	8	5	1	6	7	4
8	6	7	2	3	4	1	5	9
4	1	5	7	6	9	8	3	2

Easy 258

9	3	1	7	4	8	6	2	5
5	4	7	6	3	2	8	9	1
8	6	2	9	5	1	3	7	4
3	1	4	5	2	9	7	6	8
6	7	8	4	1	3	9	5	2
2	5	9	8	7	6	1	4	3
1	9	3	2	6	5	4	8	7
4	8	5	3	9	7	2	1	6
7	2	6	1	8	4	5	3	9

Easy 259

4	9	2	6	7	3	1	8	5
5	8	7	9	2	1	3	4	6
1	6	3	8	5	4	2	9	7
3	5	8	2	9	7	6	1	4
2	7	1	4	6	8	5	3	9
9	4	6	3	1	5	7	2	8
8	1	5	7	4	2	9	6	3
6	2	4	5	3	9	8	7	1
7	3	9	1	8	6	4	5	2

Easy 260

7	1	5	2	4	8	6	9	3
4	9	2	6	7	3	8	5	1
8	6	3	5	1	9	2	4	7
3	4	7	9	8	2	1	6	5
2	5	9	1	6	7	4	3	8
6	8	1	3	5	4	7	2	9
9	7	4	8	3	6	5	1	2
1	2	8	4	9	5	3	7	6
5	3	6	7	2	1	9	8	4

Easy 261

9	8	5	2	7	3	4	1	6
2	4	7	6	5	1	9	3	8
3	6	1	4	9	8	2	5	7
7	5	3	1	6	2	8	9	4
1	2	4	7	8	9	3	6	5
8	9	6	3	4	5	7	2	1
5	7	9	8	3	6	1	4	2
4	3	2	5	1	7	6	8	9
6	1	8	9	2	4	5	7	3

Easy 262

2	8	4	1	5	6	7	9	3
9	7	6	3	4	2	8	5	1
5	1	3	8	7	9	6	4	2
7	3	1	2	8	5	9	6	4
6	9	5	7	1	4	3	2	8
8	4	2	9	6	3	5	1	7
4	5	8	6	2	7	1	3	9
1	2	9	5	3	8	4	7	6
3	6	7	4	9	1	2	8	5

Easy 263

7	9	8	4	5	3	6	1	2
2	4	3	1	6	7	9	8	5
5	1	6	2	8	9	3	4	7
3	7	2	8	4	6	1	5	9
4	8	9	5	7	1	2	3	6
1	6	5	3	9	2	4	7	8
8	2	7	9	1	4	5	6	3
9	5	1	6	3	8	7	2	4
6	3	4	7	2	5	8	9	1

Easy 264

7	5	1	2	3	9	8	4	6
3	4	9	6	8	5	7	2	1
8	2	6	4	1	7	3	9	5
1	3	5	9	2	4	6	7	8
9	6	8	5	7	3	4	1	2
2	7	4	1	6	8	9	5	3
6	9	2	8	4	1	5	3	7
4	8	3	7	5	2	1	6	9
5	1	7	3	9	6	2	8	4

Easy 265

5	4	2	3	7	6	8	9	1
1	9	6	5	8	2	7	4	3
7	8	3	4	9	1	2	5	6
8	5	1	9	6	4	3	7	2
3	6	9	1	2	7	4	8	5
2	7	4	8	3	5	6	1	9
4	3	7	2	5	9	1	6	8
6	2	5	7	1	8	9	3	4
9	1	8	6	4	3	5	2	7

Easy 266

1	4	2	3	6	7	5	8	9
7	9	3	4	8	5	1	2	6
5	6	8	2	1	9	7	3	4
3	2	7	8	5	4	6	9	1
9	1	4	6	7	3	2	5	8
6	8	5	9	2	1	4	7	3
8	7	9	1	4	2	3	6	5
2	3	1	5	9	6	8	4	7
4	5	6	7	3	8	9	1	2

Easy 267

6	3	1	9	8	4	2	7	5
2	5	8	7	1	6	4	3	9
9	4	7	5	2	3	6	1	8
8	6	3	1	5	7	9	2	4
7	9	2	3	4	8	5	6	1
4	1	5	6	9	2	7	8	3
1	7	4	8	6	9	3	5	2
5	2	6	4	3	1	8	9	7
3	8	9	2	7	5	1	4	6

Easy 268

8	5	2	9	6	4	1	7	3
6	7	3	5	1	8	2	4	9
1	9	4	2	3	7	8	5	6
4	3	1	8	9	2	7	6	5
5	2	9	4	7	6	3	1	8
7	6	8	3	5	1	9	2	4
3	4	6	7	2	9	5	8	1
2	8	5	1	4	3	6	9	7
9	1	7	6	8	5	4	3	2

Easy 269

9	4	5	1	2	6	7	8	3
7	1	3	9	4	8	6	2	5
6	2	8	5	7	3	4	1	9
8	7	2	6	3	1	5	9	4
3	5	9	2	8	4	1	6	7
1	6	4	7	5	9	2	3	8
2	8	6	4	9	5	3	7	1
5	9	1	3	6	7	8	4	2
4	3	7	8	1	2	9	5	6

Easy 270

1	2	7	6	3	8	9	4	5
3	4	5	2	9	1	7	6	8
6	8	9	4	7	5	2	1	3
9	7	4	1	8	3	6	5	2
8	6	1	7	5	2	4	3	9
2	5	3	9	4	6	1	8	7
5	1	6	8	2	9	3	7	4
4	3	2	5	6	7	8	9	1
7	9	8	3	1	4	5	2	6

Easy 271

6	7	2	4	9	1	3	8	5
4	1	9	8	5	3	7	6	2
5	8	3	2	7	6	1	4	9
8	3	6	9	1	2	5	7	4
2	9	5	7	4	8	6	3	1
7	4	1	6	3	5	2	9	8
9	5	8	1	6	7	4	2	3
1	2	7	3	8	4	9	5	6
3	6	4	5	2	9	8	1	7

Easy 272

1	6	4	7	9	5	2	8	3
5	9	2	8	3	1	4	6	7
7	8	3	6	4	2	1	5	9
3	7	5	9	1	4	6	2	8
9	2	6	5	8	7	3	1	4
8	4	1	3	2	6	7	9	5
6	3	7	1	5	9	8	4	2
2	1	9	4	7	8	5	3	6
4	5	8	2	6	3	9	7	1

Easy 273

3	4	8	5	6	7	9	1	2
9	5	1	3	2	8	6	7	4
7	2	6	9	1	4	3	8	5
4	6	9	8	7	5	1	2	3
5	1	3	2	9	6	8	4	7
8	7	2	1	4	3	5	6	9
2	9	7	6	5	1	4	3	8
6	3	4	7	8	9	2	5	1
1	8	5	4	3	2	7	9	6

Easy 274

6	1	3	7	9	4	8	2	5
7	5	8	2	6	3	4	9	1
9	2	4	5	8	1	7	3	6
2	6	7	4	5	9	1	8	3
1	8	9	3	7	6	2	5	4
3	4	5	1	2	8	9	6	7
5	9	2	6	1	7	3	4	8
4	7	6	8	3	2	5	1	9
8	3	1	9	4	5	6	7	2

Easy 275

6	8	5	3	4	7	2	9	1
4	9	2	5	1	6	8	3	7
3	7	1	9	8	2	4	5	6
1	5	9	4	7	8	3	6	2
8	3	4	6	2	9	1	7	5
2	6	7	1	5	3	9	4	8
5	1	6	2	9	4	7	8	3
7	4	3	8	6	1	5	2	9
9	2	8	7	3	5	6	1	4

Easy 276

2	4	9	8	5	7	6	3	1
1	7	3	2	6	9	4	8	5
8	5	6	1	4	3	7	2	9
9	6	1	5	2	4	3	7	8
7	2	4	3	1	8	9	5	6
3	8	5	7	9	6	2	1	4
4	1	7	9	3	5	8	6	2
6	3	2	4	8	1	5	9	7
5	9	8	6	7	2	1	4	3

Easy 277

7	4	1	3	5	8	9	2	6
8	5	6	7	2	9	4	3	1
9	3	2	4	1	6	5	7	8
2	9	4	1	6	7	3	8	5
1	7	5	2	8	3	6	9	4
3	6	8	9	4	5	7	1	2
5	1	7	8	3	4	2	6	9
4	2	9	6	7	1	8	5	3
6	8	3	5	9	2	1	4	7

Easy 278

1	2	4	7	9	5	8	3	6
3	5	6	8	4	1	9	2	7
7	9	8	2	6	3	1	4	5
6	8	3	5	2	4	7	1	9
9	4	7	1	8	6	2	5	3
2	1	5	9	3	7	6	8	4
4	7	2	3	1	9	5	6	8
8	6	9	4	5	2	3	7	1
5	3	1	6	7	8	4	9	2

Easy 279

2	4	3	7	6	9	1	8	5
5	8	9	4	1	3	2	6	7
6	7	1	2	5	8	9	3	4
8	6	4	9	7	5	3	2	1
1	3	7	6	8	2	5	4	9
9	2	5	1	3	4	8	7	6
3	9	8	5	4	6	7	1	2
7	5	6	8	2	1	4	9	3
4	1	2	3	9	7	6	5	8

Easy 280

9	6	1	7	2	5	8	4	3
5	2	8	4	3	6	1	7	9
4	3	7	9	1	8	6	5	2
1	7	6	8	9	4	2	3	5
8	9	2	3	5	1	7	6	4
3	5	4	6	7	2	9	1	8
6	1	3	5	8	9	4	2	7
2	8	5	1	4	7	3	9	6
7	4	9	2	6	3	5	8	1

Easy 281

3	5	7	4	1	8	6	9	2
9	6	1	2	3	5	4	8	7
8	4	2	9	6	7	5	1	3
5	1	6	3	2	9	7	4	8
2	3	8	7	4	1	9	6	5
4	7	9	8	5	6	2	3	1
1	2	4	6	7	3	8	5	9
6	9	3	5	8	2	1	7	4
7	8	5	1	9	4	3	2	6

Easy 282

3	5	6	1	4	8	2	9	7
9	8	1	2	7	5	3	4	6
7	4	2	9	3	6	1	5	8
6	7	5	8	2	1	4	3	9
8	1	4	7	9	3	6	2	5
2	9	3	5	6	4	7	8	1
1	3	9	4	5	7	8	6	2
4	2	7	6	8	9	5	1	3
5	6	8	3	1	2	9	7	4

Easy 283

3	8	2	4	1	5	7	9	6
9	1	6	3	2	7	5	4	8
7	5	4	8	9	6	1	2	3
1	2	3	6	7	9	4	8	5
5	4	9	1	8	2	3	6	7
8	6	7	5	3	4	2	1	9
6	9	1	7	4	3	8	5	2
2	3	8	9	5	1	6	7	4
4	7	5	2	6	8	9	3	1

Easy 284

4	6	7	8	3	5	1	2	9
9	3	2	4	6	1	7	5	8
8	5	1	2	9	7	3	4	6
1	8	5	7	4	6	9	3	2
6	7	9	3	8	2	4	1	5
2	4	3	1	5	9	6	8	7
3	9	4	5	7	8	2	6	1
5	1	6	9	2	4	8	7	3
7	2	8	6	1	3	5	9	4

Easy 285

7	8	3	2	9	1	4	6	5
1	5	9	6	4	8	3	7	2
2	6	4	3	7	5	9	1	8
6	1	5	8	3	7	2	4	9
4	2	7	5	6	9	8	3	1
9	3	8	4	1	2	7	5	6
5	9	6	7	8	3	1	2	4
3	4	1	9	2	6	5	8	7
8	7	2	1	5	4	6	9	3

Easy 286

9	3	7	5	6	2	8	1	4
1	5	8	3	4	7	9	2	6
6	4	2	9	8	1	7	3	5
5	6	1	7	2	9	3	4	8
8	9	3	4	1	6	5	7	2
2	7	4	8	3	5	6	9	1
4	2	5	6	7	3	1	8	9
7	8	9	1	5	4	2	6	3
3	1	6	2	9	8	4	5	7

Easy 287

3	5	9	6	1	4	7	2	8
8	1	4	9	7	2	5	3	6
7	6	2	8	5	3	9	4	1
5	3	6	7	9	8	4	1	2
4	9	7	3	2	1	6	8	5
2	8	1	5	4	6	3	9	7
9	4	5	1	8	7	2	6	3
1	7	3	2	6	9	8	5	4
6	2	8	4	3	5	1	7	9

Easy 288

3	4	8	7	1	6	5	2	9
2	5	6	8	3	9	1	7	4
9	1	7	5	2	4	3	6	8
4	6	2	3	5	7	9	8	1
8	7	5	9	6	1	4	3	2
1	3	9	2	4	8	6	5	7
5	8	3	1	9	2	7	4	6
6	2	1	4	7	3	8	9	5
7	9	4	6	8	5	2	1	3

Easy 289

2	9	3	4	1	7	8	6	5
6	5	8	2	9	3	1	4	7
7	1	4	5	8	6	3	2	9
1	6	2	3	7	8	5	9	4
4	8	9	1	6	5	2	7	3
5	3	7	9	4	2	6	8	1
8	4	5	7	2	1	9	3	6
9	2	1	6	3	4	7	5	8
3	7	6	8	5	9	4	1	2

Easy 290

4	5	8	7	6	1	9	3	2
3	6	7	9	2	8	1	4	5
9	2	1	5	3	4	8	7	6
8	9	6	4	1	7	2	5	3
7	4	5	2	8	3	6	9	1
1	3	2	6	5	9	4	8	7
6	1	4	8	7	5	3	2	9
2	7	9	3	4	6	5	1	8
5	8	3	1	9	2	7	6	4

Easy 291

1	4	7	9	5	2	6	8	3
8	6	3	7	4	1	5	2	9
2	9	5	6	3	8	4	1	7
5	2	9	3	7	4	8	6	1
3	1	4	5	8	6	9	7	2
7	8	6	2	1	9	3	4	5
4	7	2	8	9	5	1	3	6
9	3	8	1	6	7	2	5	4
6	5	1	4	2	3	7	9	8

Easy 292

8	5	4	7	9	6	1	2	3
3	2	7	4	5	1	9	6	8
9	6	1	8	3	2	4	7	5
2	4	8	3	6	7	5	9	1
5	1	3	9	2	8	7	4	6
6	7	9	5	1	4	8	3	2
4	9	6	1	8	3	2	5	7
1	3	5	2	7	9	6	8	4
7	8	2	6	4	5	3	1	9

Easy 293

6	1	2	4	8	7	9	5	3
3	9	5	6	1	2	4	8	7
4	8	7	5	9	3	6	1	2
9	5	4	1	2	6	7	3	8
2	7	3	9	5	8	1	6	4
8	6	1	3	7	4	5	2	9
5	4	6	2	3	9	8	7	1
7	3	9	8	6	1	2	4	5
1	2	8	7	4	5	3	9	6

Easy 294

3	1	5	9	7	4	2	8	6
6	2	4	3	5	8	9	1	7
7	9	8	2	1	6	3	4	5
5	4	2	1	8	9	7	6	3
8	6	9	7	4	3	5	2	1
1	3	7	5	6	2	4	9	8
4	5	1	6	9	7	8	3	2
9	7	3	8	2	1	6	5	4
2	8	6	4	3	5	1	7	9

Easy 295

2	8	7	6	5	3	1	9	4
3	6	1	8	4	9	5	7	2
4	9	5	1	2	7	8	6	3
6	1	2	7	9	4	3	8	5
7	3	9	5	8	1	2	4	6
5	4	8	2	3	6	7	1	9
1	2	4	3	6	8	9	5	7
8	5	6	9	7	2	4	3	1
9	7	3	4	1	5	6	2	8

Easy 296

7	4	1	8	3	9	2	6	5
9	2	5	1	4	6	8	7	3
8	6	3	2	5	7	9	1	4
1	5	9	6	7	4	3	8	2
6	3	7	5	8	2	4	9	1
4	8	2	3	9	1	6	5	7
5	7	8	9	2	3	1	4	6
3	9	6	4	1	5	7	2	8
2	1	4	7	6	8	5	3	9

Easy 297

3	4	9	7	1	6	2	8	5
2	5	7	8	9	4	1	3	6
6	8	1	3	5	2	9	4	7
8	3	6	9	4	5	7	2	1
7	1	4	2	6	8	5	9	3
5	9	2	1	3	7	4	6	8
4	7	8	5	2	3	6	1	9
1	6	3	4	7	9	8	5	2
9	2	5	6	8	1	3	7	4

Easy 298

4	1	8	5	9	7	3	6	2
3	5	9	2	6	8	7	1	4
7	6	2	4	1	3	5	9	8
2	4	7	6	3	9	1	8	5
6	9	1	8	5	4	2	7	3
5	8	3	1	7	2	9	4	6
9	7	5	3	4	6	8	2	1
8	3	4	7	2	1	6	5	9
1	2	6	9	8	5	4	3	7

Easy 299

9	3	4	2	1	5	7	8	6
1	6	5	7	3	8	9	2	4
8	7	2	4	9	6	3	5	1
7	5	3	6	8	2	1	4	9
6	1	8	9	5	4	2	7	3
2	4	9	3	7	1	5	6	8
3	2	1	8	4	7	6	9	5
5	8	6	1	2	9	4	3	7
4	9	7	5	6	3	8	1	2

Easy 300

6	2	8	4	9	1	7	3	5
5	1	3	2	7	8	6	9	4
7	4	9	5	6	3	1	8	2
3	5	4	9	8	7	2	6	1
9	6	1	3	2	4	8	5	7
2	8	7	6	1	5	3	4	9
8	7	5	1	3	9	4	2	6
1	9	6	8	4	2	5	7	3
4	3	2	7	5	6	9	1	8

Easy 301

6	2	8	5	4	7	9	1	3
4	9	7	8	3	1	2	6	5
1	5	3	6	2	9	8	4	7
5	8	2	7	9	4	1	3	6
7	6	4	1	8	3	5	2	9
3	1	9	2	6	5	4	7	8
8	4	1	3	5	6	7	9	2
9	3	5	4	7	2	6	8	1
2	7	6	9	1	8	3	5	4

Easy 302

2	8	5	3	9	6	7	1	4
9	3	7	1	5	4	8	2	6
1	4	6	7	8	2	3	9	5
4	2	1	8	3	5	9	6	7
6	5	9	4	2	7	1	3	8
3	7	8	6	1	9	5	4	2
8	1	2	5	6	3	4	7	9
5	9	4	2	7	1	6	8	3
7	6	3	9	4	8	2	5	1

Easy 303

6	2	5	4	8	1	7	9	3
9	4	1	7	5	3	8	2	6
7	3	8	2	6	9	4	5	1
3	6	7	5	1	4	2	8	9
5	1	2	9	7	8	3	6	4
8	9	4	3	2	6	5	1	7
4	8	3	1	9	2	6	7	5
1	7	6	8	3	5	9	4	2
2	5	9	6	4	7	1	3	8

Easy 304

9	4	6	1	5	7	8	2	3
8	1	3	4	6	2	9	5	7
2	7	5	8	9	3	6	1	4
5	6	2	3	8	9	4	7	1
3	8	1	6	7	4	2	9	5
7	9	4	2	1	5	3	6	8
1	5	8	9	4	6	7	3	2
4	3	9	7	2	1	5	8	6
6	2	7	5	3	8	1	4	9

Easy 305

4	8	5	2	1	7	9	3	6
3	6	9	4	8	5	7	2	1
7	2	1	9	6	3	4	5	8
8	7	3	1	4	6	2	9	5
2	1	4	3	5	9	6	8	7
5	9	6	7	2	8	3	1	4
6	3	7	8	9	1	5	4	2
1	5	2	6	3	4	8	7	9
9	4	8	5	7	2	1	6	3

Easy 306

7	1	4	3	6	2	9	8	5
8	5	2	9	7	4	3	6	1
9	3	6	5	1	8	4	2	7
5	6	9	7	2	3	1	4	8
3	4	8	1	5	9	2	7	6
2	7	1	8	4	6	5	9	3
4	9	7	6	3	5	8	1	2
1	2	3	4	8	7	6	5	9
6	8	5	2	9	1	7	3	4

Easy 307

4	6	3	2	8	1	9	7	5
2	7	5	9	3	6	1	4	8
1	9	8	5	4	7	2	6	3
6	5	1	8	7	9	4	3	2
9	2	4	3	1	5	7	8	6
8	3	7	6	2	4	5	9	1
5	8	2	7	9	3	6	1	4
3	1	9	4	6	2	8	5	7
7	4	6	1	5	8	3	2	9

Easy 308

4	7	6	1	8	2	5	9	3
5	3	8	6	9	7	2	4	1
1	2	9	4	5	3	8	7	6
7	4	5	8	1	9	6	3	2
9	8	1	2	3	6	4	5	7
3	6	2	5	7	4	9	1	8
2	1	3	9	6	5	7	8	4
6	9	7	3	4	8	1	2	5
8	5	4	7	2	1	3	6	9

Easy 309

7	1	9	5	3	6	4	8	2
8	6	3	9	2	4	1	7	5
5	2	4	8	1	7	9	6	3
4	3	6	7	9	1	5	2	8
2	5	7	4	8	3	6	1	9
9	8	1	2	6	5	3	4	7
1	9	8	6	5	2	7	3	4
6	4	5	3	7	8	2	9	1
3	7	2	1	4	9	8	5	6

Easy 310

4	5	9	8	3	7	1	2	6
1	3	7	2	6	9	5	4	8
2	6	8	5	4	1	7	9	3
9	4	5	6	2	3	8	1	7
3	8	6	7	1	4	2	5	9
7	1	2	9	5	8	3	6	4
8	2	4	3	9	5	6	7	1
6	7	1	4	8	2	9	3	5
5	9	3	1	7	6	4	8	2

Easy 311

1	2	8	5	6	7	3	4	9
4	7	3	9	1	8	6	5	2
5	9	6	3	2	4	1	8	7
7	1	2	8	3	6	4	9	5
9	8	5	2	4	1	7	3	6
6	3	4	7	9	5	8	2	1
3	5	1	6	8	9	2	7	4
2	4	9	1	7	3	5	6	8
8	6	7	4	5	2	9	1	3

Easy 312

1	4	3	2	5	6	9	7	8
5	2	8	7	9	3	1	4	6
7	6	9	8	1	4	3	2	5
9	3	1	5	7	2	6	8	4
6	8	5	3	4	9	2	1	7
2	7	4	6	8	1	5	9	3
4	5	6	1	2	7	8	3	9
8	1	7	9	3	5	4	6	2
3	9	2	4	6	8	7	5	1

Easy 313

5	9	4	8	6	2	1	7	3
6	1	2	5	3	7	4	8	9
8	3	7	9	1	4	5	6	2
1	7	3	4	2	9	8	5	6
2	8	6	1	7	5	3	9	4
4	5	9	3	8	6	2	1	7
7	2	8	6	5	3	9	4	1
3	4	1	7	9	8	6	2	5
9	6	5	2	4	1	7	3	8

Easy 314

8	9	3	2	1	4	5	6	7
5	7	4	6	8	9	1	3	2
2	6	1	3	5	7	4	9	8
9	5	6	7	3	1	2	8	4
3	1	8	4	6	2	9	7	5
7	4	2	8	9	5	3	1	6
6	8	5	9	4	3	7	2	1
1	2	9	5	7	6	8	4	3
4	3	7	1	2	8	6	5	9

Easy 315

3	6	2	4	1	7	8	9	5
8	5	7	2	3	9	6	1	4
4	1	9	5	6	8	7	3	2
2	4	5	8	7	1	3	6	9
6	8	3	9	2	5	4	7	1
9	7	1	3	4	6	5	2	8
5	2	6	7	9	4	1	8	3
7	9	4	1	8	3	2	5	6
1	3	8	6	5	2	9	4	7

Easy 316

5	6	9	7	1	2	3	4	8
7	3	8	6	4	9	1	5	2
4	2	1	8	5	3	6	9	7
9	8	3	4	2	6	7	1	5
6	7	2	5	3	1	4	8	9
1	5	4	9	7	8	2	3	6
8	1	6	3	9	7	5	2	4
2	4	7	1	8	5	9	6	3
3	9	5	2	6	4	8	7	1

Easy 317

2	9	1	5	8	3	4	7	6
3	6	8	7	1	4	9	2	5
5	4	7	6	2	9	1	3	8
6	7	5	2	3	1	8	4	9
1	8	4	9	6	7	2	5	3
9	2	3	4	5	8	6	1	7
7	3	6	1	9	2	5	8	4
8	5	2	3	4	6	7	9	1
4	1	9	8	7	5	3	6	2

Easy 318

1	4	6	8	9	2	3	5	7
5	7	3	6	4	1	2	9	8
2	9	8	5	7	3	6	4	1
7	2	9	1	3	8	5	6	4
4	3	1	9	5	6	8	7	2
8	6	5	4	2	7	1	3	9
6	1	4	3	8	9	7	2	5
3	5	7	2	1	4	9	8	6
9	8	2	7	6	5	4	1	3

Easy 319

2	3	8	1	7	6	4	5	9
7	6	5	4	9	8	2	1	3
9	1	4	3	5	2	7	6	8
3	5	2	9	8	4	1	7	6
1	4	7	5	6	3	8	9	2
6	8	9	7	2	1	3	4	5
4	2	6	8	1	9	5	3	7
8	7	3	6	4	5	9	2	1
5	9	1	2	3	7	6	8	4

Easy 320

6	7	3	5	4	2	1	8	9
4	8	1	9	7	3	6	2	5
9	5	2	8	6	1	7	4	3
7	9	6	4	5	8	3	1	2
3	4	5	1	2	6	8	9	7
2	1	8	7	3	9	4	5	6
1	6	9	2	8	7	5	3	4
5	2	7	3	1	4	9	6	8
8	3	4	6	9	5	2	7	1

Easy 321

6	5	7	2	8	3	4	9	1
2	1	4	6	5	9	7	8	3
9	8	3	4	1	7	5	2	6
3	9	1	7	6	5	8	4	2
5	7	8	1	2	4	3	6	9
4	2	6	3	9	8	1	7	5
8	6	2	5	7	1	9	3	4
7	4	5	9	3	6	2	1	8
1	3	9	8	4	2	6	5	7

Easy 322

1	7	2	9	6	5	8	3	4
3	5	8	4	7	1	9	6	2
4	6	9	8	2	3	5	1	7
5	4	7	6	1	2	3	9	8
9	1	3	5	4	8	2	7	6
2	8	6	3	9	7	1	4	5
7	9	5	2	3	4	6	8	1
6	2	1	7	8	9	4	5	3
8	3	4	1	5	6	7	2	9

Easy 323

8	1	4	9	2	7	6	3	5
3	6	7	5	4	8	2	1	9
5	2	9	1	3	6	8	7	4
6	3	8	4	5	9	1	2	7
1	4	5	7	6	2	3	9	8
7	9	2	3	8	1	5	4	6
9	7	3	6	1	5	4	8	2
4	8	6	2	7	3	9	5	1
2	5	1	8	9	4	7	6	3

Easy 324

9	5	6	8	2	7	3	1	4
8	4	2	9	3	1	6	7	5
3	7	1	6	5	4	9	8	2
5	2	3	4	9	8	7	6	1
1	9	7	2	6	3	5	4	8
4	6	8	7	1	5	2	9	3
2	8	4	5	7	6	1	3	9
6	1	5	3	8	9	4	2	7
7	3	9	1	4	2	8	5	6

Easy 325

5	7	1	6	8	4	2	9	3
2	8	6	9	5	3	4	7	1
9	4	3	1	2	7	8	5	6
8	1	4	2	9	5	6	3	7
6	2	7	8	3	1	5	4	9
3	9	5	4	7	6	1	8	2
1	6	8	3	4	9	7	2	5
4	5	9	7	6	2	3	1	8
7	3	2	5	1	8	9	6	4

Easy 326

9	5	7	6	1	2	8	4	3
1	3	4	7	8	5	2	9	6
2	8	6	3	4	9	5	7	1
3	4	2	5	7	8	6	1	9
6	1	8	2	9	4	3	5	7
7	9	5	1	3	6	4	8	2
5	7	9	4	2	3	1	6	8
4	2	1	8	6	7	9	3	5
8	6	3	9	5	1	7	2	4

Easy 327

1	3	6	5	8	2	9	7	4
9	2	7	1	4	3	6	8	5
5	4	8	7	9	6	2	3	1
3	7	1	6	2	9	5	4	8
4	8	2	3	5	7	1	6	9
6	5	9	8	1	4	7	2	3
8	6	4	9	7	1	3	5	2
2	1	3	4	6	5	8	9	7
7	9	5	2	3	8	4	1	6

Easy 328

9	2	8	6	3	1	4	7	5
7	3	4	2	5	8	6	9	1
1	5	6	7	4	9	2	8	3
6	7	9	1	2	3	8	5	4
4	8	2	9	6	5	1	3	7
5	1	3	8	7	4	9	6	2
3	4	1	5	8	6	7	2	9
8	9	7	3	1	2	5	4	6
2	6	5	4	9	7	3	1	8

Easy 329

3	2	1	4	8	9	7	6	5
7	9	4	3	6	5	1	2	8
5	8	6	1	2	7	4	3	9
6	3	2	8	5	4	9	7	1
4	1	7	6	9	3	8	5	2
8	5	9	7	1	2	6	4	3
1	4	3	2	7	8	5	9	6
2	6	5	9	4	1	3	8	7
9	7	8	5	3	6	2	1	4

Easy 330

9	4	1	2	7	3	6	8	5
8	7	6	9	5	1	2	4	3
3	5	2	8	6	4	1	7	9
7	3	9	1	8	5	4	2	6
6	8	5	4	2	7	9	3	1
1	2	4	6	3	9	8	5	7
2	6	7	5	1	8	3	9	4
5	9	8	3	4	6	7	1	2
4	1	3	7	9	2	5	6	8

Medium 1

8	2	1	5	7	3	6	4	9
6	4	3	1	9	8	5	7	2
5	9	7	4	6	2	3	8	1
7	3	2	8	1	5	4	9	6
4	8	9	2	3	6	1	5	7
1	5	6	7	4	9	8	2	3
3	6	5	9	2	4	7	1	8
2	7	8	3	5	1	9	6	4
9	1	4	6	8	7	2	3	5

Medium 2

8	9	5	7	2	6	1	3	4
3	7	2	1	4	5	8	9	6
1	6	4	3	9	8	2	5	7
6	2	7	9	3	4	5	8	1
5	4	3	8	1	2	6	7	9
9	1	8	5	6	7	4	2	3
4	3	6	2	5	9	7	1	8
7	5	9	6	8	1	3	4	2
2	8	1	4	7	3	9	6	5

Medium 3

5	9	1	7	2	8	4	6	3
8	2	3	1	6	4	7	9	5
4	7	6	5	9	3	1	2	8
1	4	9	2	8	6	5	3	7
3	8	2	4	5	7	6	1	9
7	6	5	9	3	1	2	8	4
6	5	4	8	1	9	3	7	2
9	1	7	3	4	2	8	5	6
2	3	8	6	7	5	9	4	1

Medium 4

5	4	2	9	7	3	8	6	1
8	9	7	6	1	2	4	5	3
3	6	1	5	4	8	2	9	7
4	1	6	3	2	9	5	7	8
9	7	3	8	5	4	1	2	6
2	8	5	7	6	1	9	3	4
7	2	8	1	3	5	6	4	9
1	3	4	2	9	6	7	8	5
6	5	9	4	8	7	3	1	2

Medium 5

1	3	4	7	8	6	5	9	2
2	9	7	3	5	1	6	4	8
5	8	6	2	4	9	7	3	1
6	5	3	4	7	2	1	8	9
7	2	9	1	3	8	4	5	6
4	1	8	9	6	5	3	2	7
8	4	1	5	9	7	2	6	3
3	6	2	8	1	4	9	7	5
9	7	5	6	2	3	8	1	4

Medium 6

5	1	3	7	8	2	6	4	9
4	7	9	1	5	6	8	2	3
8	6	2	3	9	4	1	7	5
6	8	7	9	4	3	2	5	1
9	2	4	5	6	1	7	3	8
3	5	1	8	2	7	4	9	6
7	4	8	6	3	5	9	1	2
2	3	6	4	1	9	5	8	7
1	9	5	2	7	8	3	6	4

Medium 7

2	5	7	3	8	4	6	9	1
6	3	4	1	7	9	8	5	2
1	9	8	2	5	6	4	7	3
7	2	9	5	4	1	3	8	6
5	4	6	8	3	2	9	1	7
8	1	3	9	6	7	5	2	4
4	6	1	7	9	8	2	3	5
3	8	2	4	1	5	7	6	9
9	7	5	6	2	3	1	4	8

Medium 8

5	3	1	9	2	7	6	4	8
7	8	2	4	6	1	3	9	5
9	4	6	8	5	3	2	7	1
4	2	5	7	9	8	1	6	3
8	7	9	3	1	6	5	2	4
6	1	3	5	4	2	7	8	9
2	6	4	1	3	9	8	5	7
1	5	7	6	8	4	9	3	2
3	9	8	2	7	5	4	1	6

Medium 9

8	1	5	2	4	6	9	7	3
4	6	7	9	8	3	1	2	5
9	3	2	1	7	5	8	4	6
2	8	4	7	5	1	6	3	9
1	9	3	4	6	2	5	8	7
5	7	6	8	3	9	2	1	4
6	2	1	3	9	7	4	5	8
7	5	8	6	2	4	3	9	1
3	4	9	5	1	8	7	6	2

Medium 10

4	7	2	6	1	8	5	3	9
5	6	1	7	9	3	2	8	4
9	8	3	4	5	2	1	6	7
3	2	6	5	8	7	9	4	1
7	5	8	1	4	9	3	2	6
1	4	9	2	3	6	8	7	5
2	1	4	8	7	5	6	9	3
6	3	5	9	2	4	7	1	8
8	9	7	3	6	1	4	5	2

Medium 11

5	4	6	2	7	3	8	1	9
7	8	2	9	5	1	3	6	4
9	1	3	4	6	8	2	7	5
4	5	8	7	3	9	1	2	6
6	3	1	5	2	4	9	8	7
2	7	9	1	8	6	5	4	3
3	6	4	8	1	5	7	9	2
8	2	5	6	9	7	4	3	1
1	9	7	3	4	2	6	5	8

Medium 12

8	7	2	9	3	4	1	5	6
6	9	1	8	7	5	3	4	2
4	5	3	6	1	2	8	7	9
2	1	6	3	4	9	7	8	5
5	4	9	2	8	7	6	1	3
3	8	7	5	6	1	2	9	4
9	3	5	1	2	8	4	6	7
7	6	8	4	9	3	5	2	1
1	2	4	7	5	6	9	3	8

Medium 13

7	9	5	4	1	8	3	2	6
8	2	1	7	6	3	4	9	5
3	6	4	9	2	5	8	1	7
5	8	9	6	4	2	1	7	3
2	7	3	1	5	9	6	8	4
1	4	6	3	8	7	9	5	2
9	3	2	8	7	6	5	4	1
6	1	7	5	9	4	2	3	8
4	5	8	2	3	1	7	6	9

Medium 14

8	7	3	1	6	2	5	4	9
2	9	4	5	3	8	1	6	7
1	5	6	9	4	7	8	3	2
3	6	5	8	2	4	9	7	1
4	2	9	6	7	1	3	8	5
7	1	8	3	5	9	6	2	4
9	3	7	4	1	6	2	5	8
5	8	2	7	9	3	4	1	6
6	4	1	2	8	5	7	9	3

Medium 15

3	8	6	9	2	7	5	4	1
9	2	5	4	8	1	7	3	6
4	7	1	3	6	5	8	9	2
7	5	2	1	9	4	6	8	3
6	1	4	2	3	8	9	7	5
8	3	9	7	5	6	2	1	4
1	9	3	5	7	2	4	6	8
5	6	7	8	4	3	1	2	9
2	4	8	6	1	9	3	5	7

Medium 16

7	1	2	6	3	5	4	9	8
8	4	3	7	2	9	6	1	5
9	6	5	1	8	4	2	7	3
6	2	9	3	7	1	5	8	4
3	7	8	4	5	6	9	2	1
1	5	4	8	9	2	7	3	6
5	8	1	2	4	7	3	6	9
4	3	7	9	6	8	1	5	2
2	9	6	5	1	3	8	4	7

Medium 17

2	5	7	4	3	1	8	9	6
8	6	4	7	9	5	2	1	3
3	9	1	8	2	6	4	5	7
6	3	2	5	4	8	1	7	9
1	4	5	9	7	2	3	6	8
9	7	8	1	6	3	5	2	4
7	8	3	2	1	9	6	4	5
5	1	9	6	8	4	7	3	2
4	2	6	3	5	7	9	8	1

Medium 18

8	9	1	5	3	7	2	4	6
6	7	5	9	2	4	8	3	1
3	2	4	8	6	1	5	7	9
2	4	7	1	9	3	6	5	8
9	3	8	4	5	6	1	2	7
1	5	6	2	7	8	4	9	3
5	8	2	3	1	9	7	6	4
7	1	3	6	4	5	9	8	2
4	6	9	7	8	2	3	1	5

Medium 19

7	3	2	9	1	4	8	6	5
1	8	6	5	3	7	4	9	2
4	9	5	8	2	6	3	7	1
5	1	9	4	6	8	2	3	7
8	7	4	2	9	3	5	1	6
6	2	3	7	5	1	9	8	4
2	4	7	6	8	9	1	5	3
9	5	1	3	7	2	6	4	8
3	6	8	1	4	5	7	2	9

Medium 20

2	3	6	1	9	4	7	8	5
7	1	4	5	6	8	2	9	3
5	9	8	2	3	7	1	4	6
9	8	2	4	1	3	6	5	7
4	6	1	7	5	9	3	2	8
3	7	5	8	2	6	9	1	4
8	5	9	3	7	2	4	6	1
1	2	7	6	4	5	8	3	9
6	4	3	9	8	1	5	7	2

Medium 21

8	4	1	2	7	6	3	9	5
9	3	6	4	8	5	2	1	7
5	2	7	9	1	3	4	8	6
7	6	2	8	5	4	9	3	1
3	9	8	1	6	7	5	2	4
4	1	5	3	9	2	7	6	8
6	7	3	5	2	8	1	4	9
1	5	4	6	3	9	8	7	2
2	8	9	7	4	1	6	5	3

Medium 22

3	9	4	2	1	8	6	7	5
7	2	6	5	4	9	3	8	1
1	8	5	3	7	6	2	4	9
9	1	7	4	6	5	8	2	3
5	4	3	1	8	2	7	9	6
8	6	2	7	9	3	5	1	4
2	7	9	6	3	1	4	5	8
4	3	8	9	5	7	1	6	2
6	5	1	8	2	4	9	3	7

Medium 23

8	9	4	3	2	7	5	6	1
2	1	3	9	5	6	4	7	8
6	5	7	4	8	1	3	2	9
7	2	1	8	4	3	6	9	5
9	8	6	7	1	5	2	4	3
3	4	5	2	6	9	1	8	7
5	6	8	1	7	4	9	3	2
4	7	9	5	3	2	8	1	6
1	3	2	6	9	8	7	5	4

Medium 24

4	3	2	1	9	5	6	7	8
5	8	9	7	3	6	2	4	1
7	1	6	8	2	4	5	3	9
1	4	8	9	6	2	3	5	7
6	2	3	5	7	8	1	9	4
9	7	5	4	1	3	8	2	6
3	5	4	6	8	9	7	1	2
8	9	7	2	5	1	4	6	3
2	6	1	3	4	7	9	8	5

Medium 25

6	2	4	8	1	7	9	3	5
1	9	3	2	4	5	8	7	6
5	8	7	6	9	3	2	1	4
2	6	8	5	3	9	1	4	7
4	1	5	7	8	6	3	9	2
3	7	9	1	2	4	6	5	8
8	4	1	3	5	2	7	6	9
9	3	6	4	7	8	5	2	1
7	5	2	9	6	1	4	8	3

Medium 26

6	9	5	2	7	1	8	3	4
1	7	3	8	5	4	2	6	9
2	8	4	6	3	9	7	1	5
3	2	7	5	4	8	6	9	1
4	5	9	1	2	6	3	8	7
8	6	1	7	9	3	5	4	2
5	4	6	3	1	7	9	2	8
7	1	8	9	6	2	4	5	3
9	3	2	4	8	5	1	7	6

Medium 27

7	9	4	3	1	8	6	5	2
1	6	5	7	9	2	3	4	8
2	8	3	4	6	5	7	9	1
9	5	7	6	8	3	2	1	4
8	3	2	1	7	4	5	6	9
4	1	6	5	2	9	8	3	7
3	2	8	9	5	1	4	7	6
5	7	1	2	4	6	9	8	3
6	4	9	8	3	7	1	2	5

Medium 28

5	9	3	1	8	2	4	6	7
6	1	4	3	7	5	8	9	2
8	2	7	6	9	4	3	5	1
7	3	5	2	1	9	6	8	4
1	4	9	5	6	8	7	2	3
2	6	8	7	4	3	9	1	5
9	7	2	8	3	1	5	4	6
4	5	6	9	2	7	1	3	8
3	8	1	4	5	6	2	7	9

Medium 29

9	4	5	2	3	8	7	6	1
3	8	6	1	4	7	5	9	2
1	7	2	9	5	6	4	3	8
2	6	3	7	8	4	9	1	5
8	5	1	6	2	9	3	7	4
7	9	4	5	1	3	2	8	6
4	1	7	8	9	2	6	5	3
6	2	8	3	7	5	1	4	9
5	3	9	4	6	1	8	2	7

Medium 30

8	7	1	4	5	2	9	3	6
9	3	2	7	1	6	4	5	8
5	6	4	9	3	8	2	7	1
2	8	5	3	7	1	6	9	4
7	4	6	5	8	9	3	1	2
3	1	9	6	2	4	5	8	7
6	2	3	8	9	7	1	4	5
4	9	7	1	6	5	8	2	3
1	5	8	2	4	3	7	6	9

Medium 31

1	2	9	3	5	7	8	6	4
8	5	7	9	6	4	3	2	1
4	6	3	8	1	2	7	9	5
9	8	5	4	2	3	1	7	6
7	4	1	5	9	6	2	3	8
6	3	2	1	7	8	5	4	9
2	7	8	6	4	5	9	1	3
3	9	4	7	8	1	6	5	2
5	1	6	2	3	9	4	8	7

Medium 32

3	7	4	2	5	9	6	8	1
9	6	2	3	1	8	5	7	4
8	1	5	4	7	6	2	3	9
6	2	9	7	3	1	8	4	5
1	5	3	8	2	4	9	6	7
7	4	8	6	9	5	3	1	2
4	8	1	9	6	2	7	5	3
5	9	7	1	8	3	4	2	6
2	3	6	5	4	7	1	9	8

Medium 33

7	3	6	2	5	1	4	8	9
1	8	4	7	6	9	5	2	3
2	9	5	8	4	3	1	6	7
4	7	3	6	1	5	8	9	2
8	5	2	9	7	4	6	3	1
6	1	9	3	8	2	7	4	5
3	6	7	1	9	8	2	5	4
9	4	8	5	2	7	3	1	6
5	2	1	4	3	6	9	7	8

Medium 34

3	9	5	2	4	6	1	7	8
4	8	1	9	7	5	6	2	3
2	6	7	1	3	8	9	5	4
6	5	4	3	2	7	8	9	1
7	3	8	5	1	9	4	6	2
9	1	2	6	8	4	5	3	7
8	2	9	7	6	1	3	4	5
5	4	3	8	9	2	7	1	6
1	7	6	4	5	3	2	8	9

Medium 35

2	6	5	7	4	3	8	1	9
8	7	3	2	1	9	5	4	6
4	9	1	8	6	5	3	7	2
5	1	2	3	9	8	7	6	4
7	3	4	1	5	6	2	9	8
6	8	9	4	7	2	1	3	5
3	4	6	5	2	7	9	8	1
9	2	7	6	8	1	4	5	3
1	5	8	9	3	4	6	2	7

Medium 36

3	8	7	4	1	5	9	2	6
1	9	6	3	2	7	8	5	4
5	2	4	8	6	9	7	3	1
6	4	9	5	3	8	2	1	7
7	1	3	9	4	2	6	8	5
2	5	8	6	7	1	3	4	9
4	3	5	7	8	6	1	9	2
9	6	1	2	5	3	4	7	8
8	7	2	1	9	4	5	6	3

Medium 37

4	8	5	6	7	9	3	2	1
9	7	1	2	4	3	8	6	5
3	6	2	8	5	1	9	7	4
8	9	4	3	2	6	5	1	7
5	3	6	1	9	7	4	8	2
1	2	7	5	8	4	6	9	3
6	5	3	9	1	2	7	4	8
2	4	9	7	3	8	1	5	6
7	1	8	4	6	5	2	3	9

Medium 38

3	1	4	9	7	2	5	8	6
6	5	2	1	4	8	3	9	7
9	8	7	5	6	3	4	2	1
2	3	1	8	9	6	7	4	5
4	6	8	7	2	5	1	3	9
7	9	5	4	3	1	8	6	2
5	4	3	6	1	9	2	7	8
1	2	9	3	8	7	6	5	4
8	7	6	2	5	4	9	1	3

Medium 39

4	9	2	5	3	6	7	8	1
5	1	7	9	2	8	4	6	3
8	6	3	4	1	7	5	9	2
9	2	4	6	8	1	3	7	5
7	8	1	3	5	4	6	2	9
6	3	5	2	7	9	1	4	8
2	7	8	1	4	3	9	5	6
3	4	6	8	9	5	2	1	7
1	5	9	7	6	2	8	3	4

Medium 40

4	6	3	9	8	2	1	5	7
8	1	7	5	6	4	9	2	3
2	9	5	3	7	1	4	8	6
3	8	1	2	5	6	7	4	9
5	4	9	7	1	8	3	6	2
6	7	2	4	3	9	8	1	5
7	3	4	1	2	5	6	9	8
9	2	8	6	4	7	5	3	1
1	5	6	8	9	3	2	7	4

Medium 41

8	7	2	5	6	1	9	3	4
3	6	4	2	9	8	1	5	7
5	1	9	7	4	3	8	6	2
6	4	8	9	3	2	5	7	1
7	9	5	6	1	4	2	8	3
2	3	1	8	7	5	6	4	9
4	8	3	1	5	9	7	2	6
1	5	7	4	2	6	3	9	8
9	2	6	3	8	7	4	1	5

Medium 42

2	3	5	1	7	4	6	8	9
7	9	6	2	5	8	1	3	4
8	4	1	9	6	3	5	2	7
1	6	3	7	4	5	8	9	2
5	8	4	6	9	2	3	7	1
9	2	7	3	8	1	4	6	5
4	7	2	8	1	6	9	5	3
6	1	9	5	3	7	2	4	8
3	5	8	4	2	9	7	1	6

Medium 43

3	7	6	8	4	9	5	2	1
2	9	8	5	7	1	4	3	6
5	4	1	2	6	3	9	8	7
7	8	5	1	2	4	3	6	9
4	6	3	9	8	5	7	1	2
1	2	9	6	3	7	8	4	5
8	1	7	4	5	2	6	9	3
9	5	4	3	1	6	2	7	8
6	3	2	7	9	8	1	5	4

Medium 44

3	9	8	5	2	4	1	7	6
5	4	2	1	7	6	8	9	3
6	7	1	9	8	3	2	5	4
9	6	4	3	5	8	7	2	1
1	8	5	7	4	2	6	3	9
2	3	7	6	9	1	4	8	5
7	1	6	2	3	5	9	4	8
8	2	3	4	1	9	5	6	7
4	5	9	8	6	7	3	1	2

Medium 45

8	7	1	5	6	3	4	9	2
6	4	9	1	8	2	3	5	7
2	3	5	4	9	7	1	6	8
5	9	2	8	4	6	7	1	3
4	8	7	3	5	1	9	2	6
3	1	6	7	2	9	8	4	5
9	6	8	2	3	4	5	7	1
7	5	4	6	1	8	2	3	9
1	2	3	9	7	5	6	8	4

Medium 46

6	9	5	1	4	8	2	7	3
8	3	2	9	7	6	5	4	1
4	1	7	2	5	3	8	6	9
2	7	6	8	3	4	9	1	5
9	8	3	6	1	5	7	2	4
1	5	4	7	2	9	3	8	6
7	4	9	3	8	1	6	5	2
3	2	1	5	6	7	4	9	8
5	6	8	4	9	2	1	3	7

Medium 47

9	6	1	8	7	4	3	5	2
2	4	3	5	6	9	1	8	7
8	5	7	1	3	2	6	9	4
3	7	9	6	5	1	4	2	8
5	1	2	4	8	7	9	6	3
6	8	4	2	9	3	5	7	1
4	2	6	9	1	8	7	3	5
7	9	8	3	4	5	2	1	6
1	3	5	7	2	6	8	4	9

Medium 48

3	8	5	6	9	1	7	4	2
7	6	4	2	5	3	9	1	8
2	1	9	4	8	7	6	5	3
9	4	1	5	6	2	8	3	7
6	7	8	1	3	4	5	2	9
5	3	2	8	7	9	1	6	4
8	5	7	3	2	6	4	9	1
4	9	3	7	1	5	2	8	6
1	2	6	9	4	8	3	7	5

Medium 49

9	2	8	7	3	6	1	4	5
1	3	6	4	5	2	9	7	8
4	7	5	1	8	9	3	6	2
8	6	1	3	2	5	4	9	7
7	5	9	6	1	4	2	8	3
3	4	2	9	7	8	5	1	6
5	8	4	2	6	1	7	3	9
6	1	3	5	9	7	8	2	4
2	9	7	8	4	3	6	5	1

Medium 50

8	5	7	9	3	4	1	6	2
4	1	9	2	6	8	7	5	3
2	3	6	5	7	1	8	9	4
9	2	4	1	8	3	5	7	6
3	8	1	7	5	6	2	4	9
6	7	5	4	2	9	3	1	8
7	6	2	3	9	5	4	8	1
1	9	3	8	4	7	6	2	5
5	4	8	6	1	2	9	3	7

Medium 51

5	1	9	8	3	2	6	4	7
2	8	4	5	6	7	9	1	3
3	7	6	1	4	9	5	8	2
4	5	2	9	7	8	3	6	1
9	3	7	6	1	5	8	2	4
8	6	1	3	2	4	7	5	9
1	9	5	4	8	3	2	7	6
7	4	3	2	5	6	1	9	8
6	2	8	7	9	1	4	3	5

Medium 52

5	4	2	3	7	9	8	6	1
6	3	9	1	8	2	7	5	4
1	8	7	6	5	4	3	9	2
7	1	8	9	3	6	4	2	5
2	5	6	8	4	1	9	3	7
4	9	3	5	2	7	6	1	8
8	2	5	4	9	3	1	7	6
3	7	1	2	6	8	5	4	9
9	6	4	7	1	5	2	8	3

Medium 53

1	3	7	2	6	4	5	9	8
5	4	8	3	7	9	6	2	1
2	9	6	8	5	1	4	3	7
3	8	9	5	1	6	2	7	4
4	5	2	7	9	3	8	1	6
7	6	1	4	2	8	3	5	9
8	7	5	1	4	2	9	6	3
6	1	3	9	8	5	7	4	2
9	2	4	6	3	7	1	8	5

Medium 54

9	2	6	4	1	5	7	3	8
1	7	3	2	9	8	4	5	6
5	4	8	3	7	6	9	1	2
8	9	4	1	5	2	6	7	3
2	6	7	9	8	3	1	4	5
3	1	5	7	6	4	2	8	9
7	3	1	5	2	9	8	6	4
4	8	2	6	3	1	5	9	7
6	5	9	8	4	7	3	2	1

Medium 55

7	6	3	2	8	9	4	5	1
4	5	2	3	6	1	9	8	7
8	9	1	5	4	7	3	2	6
1	8	7	4	2	5	6	9	3
5	2	9	6	1	3	7	4	8
3	4	6	7	9	8	5	1	2
6	7	8	1	5	4	2	3	9
2	1	4	9	3	6	8	7	5
9	3	5	8	7	2	1	6	4

Medium 56

5	3	1	6	9	8	4	7	2
6	2	9	7	4	5	3	8	1
4	7	8	1	2	3	6	9	5
8	9	4	2	5	7	1	6	3
7	6	2	3	1	9	8	5	4
3	1	5	4	8	6	7	2	9
1	5	7	8	3	2	9	4	6
2	8	3	9	6	4	5	1	7
9	4	6	5	7	1	2	3	8

Medium 57

3	6	9	4	8	1	5	7	2
7	8	4	2	6	5	1	3	9
5	2	1	9	7	3	4	8	6
8	5	6	1	2	7	3	9	4
9	1	2	5	3	4	8	6	7
4	3	7	6	9	8	2	5	1
1	4	3	7	5	6	9	2	8
6	9	8	3	4	2	7	1	5
2	7	5	8	1	9	6	4	3

Medium 58

3	2	6	9	7	8	4	1	5
5	4	8	3	1	2	6	7	9
1	9	7	4	5	6	8	2	3
2	6	3	1	8	9	7	5	4
7	8	4	2	3	5	9	6	1
9	1	5	7	6	4	2	3	8
4	7	9	5	2	1	3	8	6
6	5	2	8	4	3	1	9	7
8	3	1	6	9	7	5	4	2

Medium 59

9	6	8	5	4	2	1	7	3
2	4	3	7	6	1	9	8	5
7	1	5	3	8	9	4	2	6
5	2	7	8	1	4	6	3	9
6	3	1	9	2	5	8	4	7
8	9	4	6	7	3	2	5	1
4	5	9	1	3	8	7	6	2
3	8	6	2	9	7	5	1	4
1	7	2	4	5	6	3	9	8

Medium 60

7	8	3	5	4	6	2	9	1
4	6	1	7	9	2	8	3	5
9	2	5	8	3	1	4	6	7
5	7	8	4	1	3	6	2	9
2	4	9	6	5	7	1	8	3
3	1	6	2	8	9	5	7	4
1	9	4	3	2	8	7	5	6
8	3	7	1	6	5	9	4	2
6	5	2	9	7	4	3	1	8

Medium 61

7	8	4	1	2	9	6	3	5
1	2	5	6	4	3	8	9	7
9	6	3	8	7	5	2	4	1
2	9	1	5	3	8	4	7	6
8	3	7	4	1	6	9	5	2
4	5	6	7	9	2	3	1	8
6	4	8	9	5	7	1	2	3
5	1	2	3	8	4	7	6	9
3	7	9	2	6	1	5	8	4

Medium 62

6	4	5	9	2	7	3	8	1
2	8	7	1	3	4	5	6	9
3	1	9	8	5	6	2	7	4
7	9	3	2	6	8	4	1	5
4	6	1	5	7	9	8	3	2
8	5	2	4	1	3	6	9	7
1	3	6	7	4	5	9	2	8
5	7	8	6	9	2	1	4	3
9	2	4	3	8	1	7	5	6

Medium 63

4	8	6	5	9	2	1	3	7
5	2	7	3	1	8	4	6	9
3	1	9	7	6	4	2	8	5
1	4	8	9	7	5	6	2	3
7	6	2	1	8	3	5	9	4
9	5	3	4	2	6	8	7	1
8	9	4	2	3	1	7	5	6
2	7	5	6	4	9	3	1	8
6	3	1	8	5	7	9	4	2

Medium 64

5	7	1	2	6	4	3	8	9
2	4	6	8	9	3	5	7	1
9	8	3	5	1	7	4	6	2
1	5	7	6	4	2	9	3	8
8	9	2	7	3	1	6	4	5
6	3	4	9	8	5	2	1	7
4	1	8	3	2	9	7	5	6
3	2	5	1	7	6	8	9	4
7	6	9	4	5	8	1	2	3

Medium 65

8	6	1	3	9	7	4	2	5
4	7	5	2	6	1	3	9	8
3	9	2	8	5	4	7	6	1
7	3	4	1	2	6	5	8	9
2	1	8	9	4	5	6	3	7
6	5	9	7	3	8	1	4	2
1	4	7	6	8	2	9	5	3
9	2	6	5	1	3	8	7	4
5	8	3	4	7	9	2	1	6

Medium 66

4	6	2	7	8	1	5	9	3
9	1	3	5	6	4	2	8	7
8	7	5	9	2	3	1	6	4
3	5	4	2	1	9	8	7	6
2	9	7	8	5	6	3	4	1
1	8	6	4	3	7	9	5	2
7	3	8	1	4	5	6	2	9
6	2	9	3	7	8	4	1	5
5	4	1	6	9	2	7	3	8

Medium 67

9	8	7	5	1	4	3	2	6
5	2	3	8	6	7	1	9	4
1	4	6	9	2	3	5	7	8
3	1	2	6	7	5	8	4	9
4	9	5	3	8	2	6	1	7
6	7	8	1	4	9	2	3	5
2	5	1	7	9	8	4	6	3
7	3	4	2	5	6	9	8	1
8	6	9	4	3	1	7	5	2

Medium 68

4	3	6	2	9	5	1	7	8
5	2	8	6	7	1	9	4	3
9	1	7	3	8	4	2	5	6
8	4	5	9	1	2	3	6	7
1	6	2	4	3	7	8	9	5
3	7	9	8	5	6	4	1	2
7	8	4	1	6	3	5	2	9
6	9	1	5	2	8	7	3	4
2	5	3	7	4	9	6	8	1

Medium 69

2	5	3	9	6	8	1	4	7
1	7	6	4	2	3	8	5	9
4	9	8	1	7	5	3	2	6
9	3	7	5	1	6	2	8	4
6	8	4	2	3	7	9	1	5
5	2	1	8	9	4	6	7	3
7	1	9	6	4	2	5	3	8
8	4	2	3	5	9	7	6	1
3	6	5	7	8	1	4	9	2

Medium 70

1	4	9	8	2	6	7	3	5
3	8	6	7	5	1	2	4	9
7	2	5	9	3	4	1	8	6
2	5	7	1	4	9	8	6	3
6	9	4	3	7	8	5	2	1
8	1	3	5	6	2	9	7	4
4	6	8	2	9	5	3	1	7
5	3	2	6	1	7	4	9	8
9	7	1	4	8	3	6	5	2

Medium 71

3	9	7	1	2	4	6	5	8
1	2	6	5	3	8	4	7	9
4	8	5	6	9	7	2	3	1
6	4	2	3	1	5	8	9	7
5	3	8	7	6	9	1	2	4
9	7	1	8	4	2	5	6	3
8	6	3	2	7	1	9	4	5
2	1	4	9	5	3	7	8	6
7	5	9	4	8	6	3	1	2

Medium 72

6	3	2	8	1	5	4	9	7
4	7	1	2	6	9	5	3	8
9	8	5	7	3	4	6	2	1
3	6	8	4	9	2	7	1	5
7	2	9	6	5	1	8	4	3
1	5	4	3	7	8	9	6	2
5	4	6	1	8	3	2	7	9
2	9	3	5	4	7	1	8	6
8	1	7	9	2	6	3	5	4

Medium 73

3	1	4	5	7	6	8	9	2
8	6	2	1	9	4	7	5	3
9	5	7	3	2	8	6	1	4
2	3	8	7	4	5	1	6	9
5	7	6	9	1	2	3	4	8
4	9	1	8	6	3	5	2	7
1	2	3	6	8	9	4	7	5
6	8	9	4	5	7	2	3	1
7	4	5	2	3	1	9	8	6

Medium 74

6	4	5	7	2	1	9	3	8
3	2	7	9	4	8	1	6	5
8	1	9	6	3	5	7	2	4
4	3	8	5	9	7	2	1	6
7	9	2	4	1	6	8	5	3
1	5	6	3	8	2	4	7	9
9	6	1	8	7	3	5	4	2
2	8	3	1	5	4	6	9	7
5	7	4	2	6	9	3	8	1

Medium 75

7	2	9	5	3	4	6	1	8
1	3	6	8	9	2	5	4	7
5	4	8	6	1	7	3	9	2
8	5	7	1	2	9	4	6	3
4	6	1	7	5	3	2	8	9
2	9	3	4	8	6	7	5	1
3	7	5	9	4	8	1	2	6
9	1	2	3	6	5	8	7	4
6	8	4	2	7	1	9	3	5

Medium 76

3	1	6	8	4	5	9	7	2
2	7	4	9	3	6	1	5	8
5	9	8	1	7	2	6	4	3
9	8	2	7	6	1	5	3	4
7	4	3	2	5	9	8	1	6
1	6	5	3	8	4	7	2	9
4	2	7	5	9	8	3	6	1
8	5	1	6	2	3	4	9	7
6	3	9	4	1	7	2	8	5

Medium 77

6	7	5	4	1	9	3	8	2
9	4	3	2	6	8	7	1	5
8	1	2	3	7	5	4	9	6
5	2	1	9	4	7	8	6	3
3	9	8	1	5	6	2	4	7
7	6	4	8	2	3	1	5	9
1	3	7	5	9	4	6	2	8
4	8	9	6	3	2	5	7	1
2	5	6	7	8	1	9	3	4

Medium 78

1	4	7	6	9	2	8	3	5
8	5	6	4	3	1	2	9	7
9	2	3	8	5	7	4	1	6
6	1	8	5	7	4	9	2	3
3	9	5	2	6	8	1	7	4
4	7	2	3	1	9	5	6	8
5	6	9	1	8	3	7	4	2
7	3	4	9	2	5	6	8	1
2	8	1	7	4	6	3	5	9

Medium 79

9	5	4	3	1	6	8	7	2
3	2	8	7	4	9	5	6	1
1	7	6	8	5	2	9	4	3
5	4	7	1	8	3	6	2	9
2	6	3	9	7	5	4	1	8
8	1	9	2	6	4	7	3	5
6	3	2	5	9	7	1	8	4
4	9	1	6	2	8	3	5	7
7	8	5	4	3	1	2	9	6

Medium 80

2	4	6	3	5	9	1	8	7
5	7	3	1	6	8	9	2	4
8	9	1	4	7	2	6	5	3
1	2	9	8	4	7	3	6	5
7	3	5	2	9	6	4	1	8
6	8	4	5	3	1	7	9	2
3	6	7	9	8	5	2	4	1
9	1	8	7	2	4	5	3	6
4	5	2	6	1	3	8	7	9

Medium 81

8	7	2	1	6	3	5	4	9
9	1	5	7	8	4	6	2	3
6	4	3	5	9	2	8	1	7
1	2	7	8	4	9	3	5	6
3	9	6	2	5	1	7	8	4
4	5	8	3	7	6	2	9	1
2	8	4	9	3	7	1	6	5
5	3	9	6	1	8	4	7	2
7	6	1	4	2	5	9	3	8

Medium 82

8	6	1	9	3	5	7	4	2
4	9	7	6	8	2	5	3	1
2	5	3	4	1	7	9	6	8
5	8	4	2	7	1	6	9	3
7	1	6	3	9	4	8	2	5
3	2	9	8	5	6	1	7	4
1	3	5	7	2	9	4	8	6
9	4	8	5	6	3	2	1	7
6	7	2	1	4	8	3	5	9

Medium 83

8	5	6	2	9	4	1	7	3
9	2	3	1	5	7	8	6	4
1	7	4	8	6	3	5	2	9
6	3	1	4	2	9	7	8	5
4	9	5	6	7	8	3	1	2
7	8	2	5	3	1	9	4	6
5	4	9	7	1	6	2	3	8
2	6	7	3	8	5	4	9	1
3	1	8	9	4	2	6	5	7

Medium 84

1	7	9	2	3	6	4	8	5
6	5	4	1	9	8	2	3	7
8	2	3	5	7	4	6	1	9
3	9	2	6	8	1	7	5	4
5	1	8	4	2	7	3	9	6
4	6	7	9	5	3	8	2	1
2	8	5	7	4	9	1	6	3
9	4	6	3	1	2	5	7	8
7	3	1	8	6	5	9	4	2

Medium 85

1	6	9	8	2	5	3	4	7
2	3	5	7	6	4	9	8	1
8	4	7	9	3	1	5	2	6
9	7	2	1	8	6	4	3	5
6	5	4	3	7	9	2	1	8
3	1	8	5	4	2	7	6	9
5	2	1	6	9	3	8	7	4
7	9	3	4	1	8	6	5	2
4	8	6	2	5	7	1	9	3

Medium 86

2	6	3	8	4	7	5	9	1
7	1	5	2	3	9	8	6	4
4	8	9	5	6	1	2	7	3
9	2	1	6	7	8	4	3	5
8	7	6	3	5	4	9	1	2
5	3	4	9	1	2	6	8	7
1	4	8	7	2	6	3	5	9
6	5	2	1	9	3	7	4	8
3	9	7	4	8	5	1	2	6

Medium 87

1	7	3	2	9	5	6	4	8
8	4	5	7	6	1	3	9	2
9	2	6	3	4	8	7	5	1
2	9	7	5	1	6	8	3	4
4	5	1	8	3	2	9	7	6
6	3	8	9	7	4	2	1	5
5	8	9	4	2	7	1	6	3
3	6	2	1	5	9	4	8	7
7	1	4	6	8	3	5	2	9

Medium 88

4	5	2	7	6	8	1	3	9
1	6	3	5	9	2	4	7	8
8	9	7	1	4	3	2	6	5
6	1	5	9	7	4	8	2	3
2	8	4	3	1	6	9	5	7
3	7	9	8	2	5	6	4	1
5	4	1	6	3	9	7	8	2
9	3	6	2	8	7	5	1	4
7	2	8	4	5	1	3	9	6

Medium 89

2	6	7	8	9	3	1	4	5
8	3	5	2	4	1	9	7	6
4	1	9	7	6	5	8	3	2
6	9	8	4	1	2	3	5	7
1	4	3	6	5	7	2	8	9
5	7	2	9	3	8	4	6	1
9	2	6	5	8	4	7	1	3
3	5	4	1	7	9	6	2	8
7	8	1	3	2	6	5	9	4

Medium 90

5	7	8	4	2	3	1	6	9
6	2	1	9	7	8	5	4	3
9	3	4	5	6	1	8	7	2
4	5	7	3	8	2	6	9	1
2	9	6	1	4	5	7	3	8
1	8	3	6	9	7	2	5	4
3	4	2	7	1	6	9	8	5
7	1	9	8	5	4	3	2	6
8	6	5	2	3	9	4	1	7

Medium 91

3	4	5	7	2	8	9	6	1
2	1	6	9	3	5	8	7	4
9	8	7	4	6	1	2	5	3
4	7	3	2	9	6	5	1	8
8	9	2	5	1	4	6	3	7
6	5	1	8	7	3	4	2	9
7	2	4	3	5	9	1	8	6
5	6	9	1	8	7	3	4	2
1	3	8	6	4	2	7	9	5

Medium 92

8	4	1	3	6	7	2	9	5
3	2	5	4	9	1	7	6	8
6	9	7	5	2	8	1	3	4
1	8	9	6	5	4	3	2	7
5	3	2	7	1	9	8	4	6
7	6	4	8	3	2	5	1	9
2	5	3	9	7	6	4	8	1
4	1	6	2	8	5	9	7	3
9	7	8	1	4	3	6	5	2

Medium 93

2	5	3	8	4	7	1	6	9
8	1	7	6	9	5	4	2	3
6	4	9	1	3	2	8	7	5
4	7	5	9	1	6	2	3	8
1	2	6	3	5	8	9	4	7
3	9	8	2	7	4	6	5	1
5	3	1	4	6	9	7	8	2
9	8	4	7	2	3	5	1	6
7	6	2	5	8	1	3	9	4

Medium 94

1	9	5	8	4	3	6	2	7
4	7	3	9	6	2	8	1	5
6	8	2	1	5	7	9	4	3
8	1	9	7	3	6	2	5	4
3	4	7	2	8	5	1	9	6
5	2	6	4	1	9	3	7	8
2	3	1	6	7	4	5	8	9
9	5	4	3	2	8	7	6	1
7	6	8	5	9	1	4	3	2

Medium 95

6	8	3	4	1	7	9	5	2
1	5	9	2	6	3	7	4	8
4	7	2	8	5	9	3	1	6
8	6	5	9	7	4	2	3	1
2	9	4	1	3	5	8	6	7
3	1	7	6	2	8	5	9	4
9	4	6	5	8	2	1	7	3
7	2	1	3	9	6	4	8	5
5	3	8	7	4	1	6	2	9

Medium 96

6	1	2	7	8	9	4	5	3
9	5	4	3	2	6	8	1	7
8	7	3	4	1	5	2	6	9
3	2	7	1	4	8	6	9	5
1	9	6	5	7	2	3	4	8
5	4	8	9	6	3	1	7	2
7	3	1	2	5	4	9	8	6
2	6	5	8	9	1	7	3	4
4	8	9	6	3	7	5	2	1

Medium 97

5	8	7	3	4	1	9	2	6
2	9	1	5	6	7	8	4	3
6	4	3	8	2	9	1	7	5
3	1	5	2	8	6	4	9	7
9	2	4	7	1	3	5	6	8
7	6	8	4	9	5	3	1	2
8	5	9	1	7	2	6	3	4
4	7	6	9	3	8	2	5	1
1	3	2	6	5	4	7	8	9

Medium 98

3	1	6	7	2	9	4	5	8
8	5	7	4	3	6	9	2	1
9	2	4	1	8	5	3	7	6
4	6	9	2	5	1	8	3	7
1	8	3	9	7	4	5	6	2
2	7	5	8	6	3	1	4	9
5	9	2	6	4	8	7	1	3
7	3	8	5	1	2	6	9	4
6	4	1	3	9	7	2	8	5

Medium 99

1	8	2	9	6	5	7	4	3
6	5	7	4	3	2	1	8	9
9	3	4	1	8	7	5	6	2
7	9	3	2	4	1	6	5	8
5	4	6	3	7	8	2	9	1
8	2	1	5	9	6	3	7	4
2	1	8	6	5	4	9	3	7
3	7	5	8	2	9	4	1	6
4	6	9	7	1	3	8	2	5

Medium 100

5	7	3	8	9	6	1	4	2
9	1	4	5	3	2	8	6	7
6	8	2	7	1	4	3	9	5
3	5	6	2	4	7	9	8	1
8	4	1	6	5	9	2	7	3
2	9	7	1	8	3	4	5	6
7	2	8	9	6	1	5	3	4
4	6	9	3	2	5	7	1	8
1	3	5	4	7	8	6	2	9

Medium 101

1	2	8	5	6	4	7	3	9
9	7	4	3	8	2	1	5	6
3	5	6	1	9	7	8	2	4
2	4	7	6	3	5	9	1	8
8	3	9	7	2	1	4	6	5
5	6	1	9	4	8	3	7	2
7	1	2	8	5	9	6	4	3
4	8	3	2	7	6	5	9	1
6	9	5	4	1	3	2	8	7

Medium 102

3	4	2	5	7	9	6	1	8
6	1	8	3	4	2	7	9	5
5	7	9	1	6	8	4	2	3
7	6	5	4	3	1	9	8	2
2	8	3	9	5	6	1	4	7
4	9	1	2	8	7	5	3	6
8	3	6	7	9	4	2	5	1
1	5	4	6	2	3	8	7	9
9	2	7	8	1	5	3	6	4

Medium 103

8	3	4	5	2	6	7	1	9
6	1	2	3	9	7	4	5	8
5	9	7	8	4	1	3	2	6
3	6	9	2	8	4	5	7	1
4	2	1	6	7	5	8	9	3
7	8	5	9	1	3	2	6	4
9	7	8	1	3	2	6	4	5
1	4	6	7	5	8	9	3	2
2	5	3	4	6	9	1	8	7

Medium 104

1	9	3	5	6	4	2	8	7
2	4	8	9	3	7	1	5	6
5	7	6	1	8	2	3	4	9
6	3	5	2	9	1	8	7	4
9	8	4	3	7	5	6	1	2
7	1	2	6	4	8	5	9	3
4	5	7	8	2	6	9	3	1
3	6	1	4	5	9	7	2	8
8	2	9	7	1	3	4	6	5

Medium 105

3	7	8	9	5	2	1	6	4
1	9	2	4	7	6	5	3	8
5	4	6	8	1	3	2	9	7
7	5	9	6	3	4	8	2	1
6	3	4	2	8	1	9	7	5
8	2	1	5	9	7	3	4	6
9	1	3	7	6	5	4	8	2
4	8	7	1	2	9	6	5	3
2	6	5	3	4	8	7	1	9

Medium 106

2	4	5	1	6	3	9	8	7
8	7	3	2	9	4	5	1	6
6	9	1	5	7	8	3	2	4
1	5	6	7	4	9	8	3	2
4	8	9	3	1	2	7	6	5
7	3	2	6	8	5	1	4	9
3	6	4	9	5	1	2	7	8
5	2	7	8	3	6	4	9	1
9	1	8	4	2	7	6	5	3

Medium 107

4	7	6	5	8	1	2	9	3
3	2	8	7	9	4	5	1	6
1	5	9	2	6	3	8	7	4
7	8	3	4	2	9	1	6	5
5	9	1	6	7	8	3	4	2
2	6	4	1	3	5	9	8	7
6	3	7	8	1	2	4	5	9
9	1	5	3	4	6	7	2	8
8	4	2	9	5	7	6	3	1

Medium 108

6	2	7	5	9	1	3	8	4
4	5	9	3	8	6	1	2	7
3	1	8	4	7	2	9	5	6
1	7	6	2	4	3	5	9	8
5	9	3	8	6	7	2	4	1
2	8	4	1	5	9	7	6	3
9	3	1	6	2	4	8	7	5
7	6	5	9	3	8	4	1	2
8	4	2	7	1	5	6	3	9

Medium 109

1	3	4	9	2	7	5	8	6
6	7	2	4	5	8	1	9	3
5	8	9	1	6	3	4	7	2
2	1	6	7	3	9	8	5	4
7	5	8	2	1	4	3	6	9
9	4	3	5	8	6	2	1	7
4	6	5	3	7	1	9	2	8
8	9	1	6	4	2	7	3	5
3	2	7	8	9	5	6	4	1

Medium 110

5	6	2	9	1	7	8	4	3
1	9	4	8	2	3	5	7	6
8	3	7	4	6	5	9	1	2
7	5	1	6	4	9	2	3	8
9	4	6	2	3	8	1	5	7
2	8	3	5	7	1	6	9	4
6	2	5	7	9	4	3	8	1
4	1	9	3	8	6	7	2	5
3	7	8	1	5	2	4	6	9

Medium 111

4	5	7	1	9	6	2	3	8
1	8	2	4	5	3	9	6	7
3	9	6	7	8	2	5	4	1
5	4	1	9	6	7	8	2	3
9	2	8	3	4	5	7	1	6
6	7	3	8	2	1	4	5	9
2	3	9	6	7	4	1	8	5
7	1	5	2	3	8	6	9	4
8	6	4	5	1	9	3	7	2

Medium 112

1	7	3	9	4	8	2	6	5
8	5	9	6	2	1	3	7	4
6	2	4	5	7	3	9	1	8
5	3	6	8	1	2	7	4	9
4	1	2	7	6	9	5	8	3
7	9	8	4	3	5	1	2	6
9	4	5	1	8	7	6	3	2
2	8	7	3	9	6	4	5	1
3	6	1	2	5	4	8	9	7

Medium 113

2	1	7	5	9	4	8	3	6
4	8	6	1	2	3	7	9	5
3	5	9	8	7	6	1	4	2
1	9	2	3	4	7	6	5	8
7	3	8	9	6	5	2	1	4
6	4	5	2	8	1	3	7	9
9	6	4	7	3	8	5	2	1
8	7	1	4	5	2	9	6	3
5	2	3	6	1	9	4	8	7

Medium 114

6	8	2	7	4	9	1	3	5
9	5	7	1	8	3	4	2	6
1	3	4	6	2	5	9	7	8
5	9	3	4	1	2	6	8	7
4	6	8	9	5	7	2	1	3
2	7	1	3	6	8	5	9	4
3	4	6	2	7	1	8	5	9
8	2	9	5	3	6	7	4	1
7	1	5	8	9	4	3	6	2

Medium 115

6	4	5	2	9	3	8	7	1
1	3	2	7	4	8	9	5	6
8	7	9	1	6	5	4	2	3
5	2	4	9	8	6	1	3	7
9	1	6	4	3	7	5	8	2
7	8	3	5	2	1	6	9	4
4	5	8	3	1	2	7	6	9
2	9	7	6	5	4	3	1	8
3	6	1	8	7	9	2	4	5

Medium 116

1	3	5	9	8	2	4	7	6
8	4	6	1	5	7	2	3	9
2	9	7	3	6	4	1	8	5
4	2	8	6	3	5	7	9	1
6	7	9	2	4	1	3	5	8
3	5	1	7	9	8	6	4	2
7	6	3	5	2	9	8	1	4
9	1	4	8	7	6	5	2	3
5	8	2	4	1	3	9	6	7

Medium 117

8	4	7	6	2	1	3	5	9
3	5	1	7	4	9	6	2	8
9	6	2	5	8	3	7	4	1
2	3	6	9	7	4	1	8	5
5	7	9	2	1	8	4	6	3
4	1	8	3	6	5	2	9	7
1	2	4	8	5	7	9	3	6
6	9	5	1	3	2	8	7	4
7	8	3	4	9	6	5	1	2

Medium 118

6	3	7	9	8	1	2	4	5
8	5	2	7	4	6	1	3	9
9	1	4	3	5	2	7	6	8
4	7	8	5	2	9	6	1	3
5	9	1	4	6	3	8	2	7
2	6	3	1	7	8	9	5	4
7	2	5	6	9	4	3	8	1
3	8	9	2	1	5	4	7	6
1	4	6	8	3	7	5	9	2

Medium 119

3	5	4	2	8	1	7	9	6
1	8	7	3	9	6	2	5	4
6	2	9	7	4	5	8	1	3
4	7	6	8	1	9	5	3	2
5	1	2	6	7	3	4	8	9
9	3	8	5	2	4	6	7	1
7	9	1	4	5	2	3	6	8
2	6	5	1	3	8	9	4	7
8	4	3	9	6	7	1	2	5

Medium 120

4	5	8	9	2	6	7	3	1
6	2	3	5	1	7	9	4	8
9	7	1	3	4	8	5	2	6
2	1	4	7	5	9	6	8	3
3	6	9	1	8	2	4	5	7
7	8	5	6	3	4	2	1	9
5	9	2	8	7	1	3	6	4
1	4	7	2	6	3	8	9	5
8	3	6	4	9	5	1	7	2

Medium 121

2	3	4	7	5	9	6	1	8
7	9	6	3	8	1	2	5	4
8	5	1	6	4	2	3	9	7
1	8	7	4	6	3	9	2	5
9	4	3	2	7	5	1	8	6
6	2	5	1	9	8	4	7	3
3	7	9	8	1	4	5	6	2
5	6	2	9	3	7	8	4	1
4	1	8	5	2	6	7	3	9

Medium 122

3	1	7	5	6	4	9	2	8
2	9	5	8	1	3	7	4	6
6	8	4	7	2	9	1	5	3
4	5	8	6	9	1	3	7	2
1	7	2	4	3	8	6	9	5
9	3	6	2	5	7	8	1	4
5	6	3	1	7	2	4	8	9
8	2	1	9	4	6	5	3	7
7	4	9	3	8	5	2	6	1

Medium 123

3	9	5	6	7	4	2	1	8
4	2	6	5	1	8	7	9	3
8	7	1	9	3	2	5	6	4
9	4	3	8	5	1	6	2	7
2	6	8	4	9	7	3	5	1
1	5	7	3	2	6	8	4	9
6	8	9	7	4	5	1	3	2
7	1	4	2	6	3	9	8	5
5	3	2	1	8	9	4	7	6

Medium 124

6	5	2	8	3	9	1	4	7
9	7	4	6	1	2	3	5	8
8	1	3	5	7	4	6	9	2
5	6	7	1	8	3	4	2	9
4	3	8	2	9	7	5	1	6
1	2	9	4	6	5	8	7	3
7	9	1	3	5	8	2	6	4
3	4	6	9	2	1	7	8	5
2	8	5	7	4	6	9	3	1

Medium 125

5	7	1	2	4	9	6	8	3
9	6	4	8	1	3	5	2	7
3	2	8	7	5	6	9	4	1
7	4	2	1	6	5	3	9	8
1	5	3	9	8	2	4	7	6
8	9	6	3	7	4	1	5	2
2	3	7	4	9	1	8	6	5
4	1	5	6	2	8	7	3	9
6	8	9	5	3	7	2	1	4

Medium 126

8	5	6	7	9	1	3	4	2
4	1	3	2	8	5	6	9	7
7	9	2	4	3	6	1	8	5
3	2	1	9	7	4	5	6	8
5	7	9	8	6	2	4	3	1
6	8	4	5	1	3	7	2	9
1	6	5	3	2	9	8	7	4
9	4	8	6	5	7	2	1	3
2	3	7	1	4	8	9	5	6

Medium 127

8	6	4	2	7	1	3	5	9
2	1	9	5	6	3	4	7	8
5	7	3	8	4	9	6	2	1
3	4	5	6	2	8	1	9	7
6	9	8	4	1	7	2	3	5
7	2	1	9	3	5	8	6	4
9	5	6	1	8	2	7	4	3
1	3	2	7	5	4	9	8	6
4	8	7	3	9	6	5	1	2

Medium 128

8	2	9	3	6	4	1	7	5
3	5	4	7	9	1	8	2	6
6	1	7	5	2	8	9	3	4
2	8	1	4	3	7	6	5	9
7	3	5	9	8	6	2	4	1
9	4	6	1	5	2	3	8	7
5	6	3	8	4	9	7	1	2
1	9	8	2	7	5	4	6	3
4	7	2	6	1	3	5	9	8

Medium 129

2	5	7	8	6	4	9	3	1
9	3	8	1	7	5	2	4	6
6	4	1	9	3	2	8	5	7
4	6	3	2	5	1	7	9	8
5	8	2	7	9	3	1	6	4
1	7	9	6	4	8	3	2	5
8	9	5	3	1	6	4	7	2
7	2	6	4	8	9	5	1	3
3	1	4	5	2	7	6	8	9

Medium 130

4	9	5	3	8	2	1	6	7
6	2	1	5	9	7	8	3	4
8	7	3	4	1	6	2	5	9
5	4	8	2	3	1	9	7	6
9	1	2	6	7	4	3	8	5
7	3	6	8	5	9	4	1	2
3	6	4	7	2	8	5	9	1
1	5	7	9	4	3	6	2	8
2	8	9	1	6	5	7	4	3

Medium 131

5	3	4	2	1	6	7	8	9
1	2	7	8	4	9	3	5	6
8	6	9	5	3	7	2	4	1
4	5	2	6	7	3	1	9	8
9	7	6	1	5	8	4	2	3
3	1	8	9	2	4	5	6	7
2	9	5	7	6	1	8	3	4
6	4	1	3	8	2	9	7	5
7	8	3	4	9	5	6	1	2

Medium 132

9	2	1	8	3	6	5	7	4
7	5	6	9	4	1	3	8	2
8	3	4	5	7	2	6	9	1
4	9	2	6	1	5	8	3	7
5	1	7	3	8	9	2	4	6
3	6	8	4	2	7	1	5	9
1	8	3	7	6	4	9	2	5
6	4	5	2	9	3	7	1	8
2	7	9	1	5	8	4	6	3

Medium 133

4	2	9	7	8	1	3	5	6
3	6	8	5	9	4	7	1	2
1	7	5	6	2	3	8	9	4
6	8	1	2	4	5	9	7	3
5	9	3	8	6	7	2	4	1
7	4	2	3	1	9	6	8	5
9	5	6	1	3	8	4	2	7
8	3	7	4	5	2	1	6	9
2	1	4	9	7	6	5	3	8

Medium 134

9	8	3	1	7	5	6	2	4
2	4	5	9	8	6	7	1	3
1	7	6	2	4	3	5	8	9
7	9	4	5	6	1	2	3	8
6	3	8	4	9	2	1	7	5
5	1	2	7	3	8	9	4	6
8	2	9	3	5	7	4	6	1
4	6	1	8	2	9	3	5	7
3	5	7	6	1	4	8	9	2

Medium 135

1	4	5	8	9	6	7	3	2
9	6	7	2	3	1	5	4	8
3	8	2	5	4	7	9	6	1
8	2	1	9	7	3	4	5	6
6	5	3	4	1	2	8	7	9
4	7	9	6	5	8	2	1	3
7	9	8	1	6	5	3	2	4
5	1	4	3	2	9	6	8	7
2	3	6	7	8	4	1	9	5

Medium 136

3	2	1	5	9	4	8	7	6
7	5	9	8	2	6	3	1	4
8	6	4	3	7	1	9	5	2
6	4	8	2	1	7	5	3	9
9	1	5	6	3	8	2	4	7
2	3	7	9	4	5	1	6	8
5	9	2	7	6	3	4	8	1
4	8	6	1	5	2	7	9	3
1	7	3	4	8	9	6	2	5

Medium 137

7	4	2	8	3	9	5	1	6
1	6	9	2	7	5	3	8	4
5	8	3	1	4	6	2	9	7
3	5	6	4	8	1	7	2	9
8	7	1	3	9	2	4	6	5
2	9	4	6	5	7	8	3	1
9	2	7	5	6	8	1	4	3
6	3	8	7	1	4	9	5	2
4	1	5	9	2	3	6	7	8

Medium 138

5	7	3	8	2	6	9	4	1
1	9	2	4	5	3	8	7	6
6	4	8	7	1	9	2	3	5
7	6	9	1	4	8	3	5	2
4	3	1	2	6	5	7	9	8
2	8	5	3	9	7	1	6	4
8	5	7	6	3	1	4	2	9
9	1	4	5	7	2	6	8	3
3	2	6	9	8	4	5	1	7

Medium 139

1	5	9	4	7	8	3	2	6
3	4	6	2	9	5	7	1	8
7	2	8	3	1	6	9	5	4
8	9	5	7	4	2	6	3	1
6	7	4	5	3	1	8	9	2
2	1	3	8	6	9	4	7	5
5	3	1	6	8	7	2	4	9
4	6	2	9	5	3	1	8	7
9	8	7	1	2	4	5	6	3

Medium 140

7	2	4	1	5	3	8	9	6
3	9	6	8	2	7	4	1	5
8	1	5	4	6	9	2	3	7
5	6	1	3	9	8	7	2	4
2	7	3	6	4	1	5	8	9
4	8	9	2	7	5	1	6	3
1	4	8	5	3	6	9	7	2
6	5	7	9	8	2	3	4	1
9	3	2	7	1	4	6	5	8

Medium 141

7	3	6	8	2	5	9	4	1
9	8	4	6	7	1	2	3	5
2	5	1	4	3	9	8	6	7
4	9	3	5	8	2	7	1	6
8	1	5	7	4	6	3	9	2
6	7	2	9	1	3	4	5	8
5	4	9	2	6	7	1	8	3
3	2	8	1	5	4	6	7	9
1	6	7	3	9	8	5	2	4

Medium 142

4	5	9	1	6	2	3	8	7
2	1	7	4	8	3	6	5	9
8	3	6	5	9	7	1	4	2
9	2	1	8	3	6	4	7	5
6	7	8	2	5	4	9	3	1
3	4	5	9	7	1	8	2	6
5	8	2	3	1	9	7	6	4
1	6	3	7	4	5	2	9	8
7	9	4	6	2	8	5	1	3

Medium 143

5	4	8	2	1	6	9	3	7
2	7	1	9	4	3	6	5	8
3	9	6	8	5	7	2	1	4
8	1	9	5	3	4	7	6	2
4	2	7	1	6	8	3	9	5
6	5	3	7	2	9	4	8	1
1	6	5	4	9	2	8	7	3
7	3	2	6	8	1	5	4	9
9	8	4	3	7	5	1	2	6

Medium 144

1	6	2	4	5	9	3	7	8
4	9	8	7	3	2	5	1	6
3	5	7	6	8	1	9	2	4
7	8	9	2	4	6	1	3	5
2	1	3	8	7	5	4	6	9
6	4	5	9	1	3	7	8	2
9	7	6	1	2	4	8	5	3
8	3	4	5	6	7	2	9	1
5	2	1	3	9	8	6	4	7

Medium 145

9	6	1	5	8	3	7	2	4
8	7	3	9	2	4	1	6	5
2	5	4	6	1	7	9	3	8
4	2	9	8	5	6	3	7	1
6	3	7	4	9	1	8	5	2
1	8	5	3	7	2	6	4	9
7	4	2	1	6	9	5	8	3
3	9	8	7	4	5	2	1	6
5	1	6	2	3	8	4	9	7

Medium 146

9	1	2	5	3	4	8	7	6
8	3	7	6	1	9	5	2	4
5	4	6	2	7	8	9	1	3
3	7	5	4	2	1	6	9	8
6	9	8	3	5	7	1	4	2
4	2	1	8	9	6	3	5	7
1	5	3	7	8	2	4	6	9
7	8	4	9	6	5	2	3	1
2	6	9	1	4	3	7	8	5

Medium 147

4	9	5	6	7	3	8	1	2
2	8	7	9	5	1	4	6	3
3	1	6	4	8	2	9	5	7
8	7	3	1	4	6	2	9	5
6	5	1	8	2	9	7	3	4
9	2	4	5	3	7	6	8	1
5	4	2	3	9	8	1	7	6
1	3	9	7	6	4	5	2	8
7	6	8	2	1	5	3	4	9

Medium 148

3	9	4	5	6	7	8	1	2
5	1	7	8	9	2	3	6	4
8	2	6	3	4	1	9	7	5
4	5	1	2	8	6	7	3	9
2	6	9	1	7	3	4	5	8
7	3	8	9	5	4	6	2	1
6	7	5	4	1	8	2	9	3
9	4	3	6	2	5	1	8	7
1	8	2	7	3	9	5	4	6

Medium 149

6	8	5	9	4	7	2	3	1
2	7	9	3	6	1	5	4	8
3	1	4	5	2	8	9	7	6
7	5	6	1	3	2	8	9	4
4	9	2	7	8	6	3	1	5
8	3	1	4	5	9	6	2	7
5	4	7	8	9	3	1	6	2
9	6	8	2	1	4	7	5	3
1	2	3	6	7	5	4	8	9

Medium 150

6	2	7	1	8	9	3	5	4
8	1	3	7	4	5	2	9	6
5	4	9	3	2	6	8	7	1
9	6	4	2	5	1	7	3	8
1	3	5	8	7	4	6	2	9
7	8	2	9	6	3	4	1	5
4	9	6	5	3	2	1	8	7
3	7	1	4	9	8	5	6	2
2	5	8	6	1	7	9	4	3

Medium 151

6	8	4	1	9	5	2	7	3
2	7	1	3	6	4	5	9	8
5	3	9	2	8	7	1	4	6
8	1	7	5	4	9	6	3	2
4	9	2	6	1	3	7	8	5
3	5	6	7	2	8	4	1	9
9	6	5	8	7	1	3	2	4
1	2	8	4	3	6	9	5	7
7	4	3	9	5	2	8	6	1

Medium 152

6	8	7	5	9	3	4	1	2
2	3	4	7	1	8	5	6	9
9	1	5	4	6	2	8	7	3
5	4	9	3	2	7	6	8	1
1	7	6	8	5	9	2	3	4
3	2	8	1	4	6	7	9	5
4	6	1	9	7	5	3	2	8
7	9	3	2	8	4	1	5	6
8	5	2	6	3	1	9	4	7

Medium 153

8	7	3	6	2	4	1	5	9
4	1	2	9	5	7	3	8	6
5	6	9	3	1	8	2	7	4
7	3	4	5	6	2	8	9	1
2	8	1	7	3	9	4	6	5
6	9	5	8	4	1	7	3	2
1	5	6	4	8	3	9	2	7
3	4	7	2	9	6	5	1	8
9	2	8	1	7	5	6	4	3

Medium 154

3	9	1	5	7	8	2	4	6
4	5	7	1	6	2	8	3	9
8	6	2	9	3	4	1	7	5
2	1	6	4	8	3	5	9	7
5	3	9	7	1	6	4	8	2
7	4	8	2	9	5	6	1	3
1	2	3	6	4	7	9	5	8
9	8	5	3	2	1	7	6	4
6	7	4	8	5	9	3	2	1

Medium 155

6	4	8	5	1	3	2	7	9
5	2	3	7	9	8	6	4	1
9	7	1	2	6	4	3	8	5
8	5	2	6	7	9	1	3	4
3	6	9	4	2	1	7	5	8
4	1	7	8	3	5	9	6	2
7	8	6	9	4	2	5	1	3
2	3	5	1	8	6	4	9	7
1	9	4	3	5	7	8	2	6

Medium 156

2	3	6	8	9	5	4	7	1
1	7	5	6	4	2	3	9	8
4	9	8	3	7	1	2	5	6
9	5	3	1	8	6	7	2	4
8	4	1	9	2	7	5	6	3
7	6	2	5	3	4	1	8	9
5	8	9	7	1	3	6	4	2
3	2	7	4	6	8	9	1	5
6	1	4	2	5	9	8	3	7

Medium 157

6	7	5	9	8	4	1	2	3
4	1	2	6	7	3	8	5	9
9	8	3	5	1	2	4	6	7
8	2	4	1	9	5	3	7	6
5	3	6	7	4	8	9	1	2
1	9	7	2	3	6	5	4	8
3	6	8	4	2	1	7	9	5
7	5	1	3	6	9	2	8	4
2	4	9	8	5	7	6	3	1

Medium 158

9	7	1	3	4	5	8	6	2
5	4	2	7	6	8	9	3	1
8	3	6	2	9	1	4	7	5
4	8	9	1	3	7	2	5	6
3	2	5	4	8	6	1	9	7
1	6	7	9	5	2	3	8	4
6	1	4	8	7	3	5	2	9
2	5	8	6	1	9	7	4	3
7	9	3	5	2	4	6	1	8

Medium 159

6	5	4	9	2	1	8	7	3
7	2	9	8	3	5	6	1	4
1	3	8	6	4	7	9	5	2
3	8	7	2	1	4	5	6	9
4	6	2	5	7	9	3	8	1
5	9	1	3	8	6	2	4	7
2	1	3	7	5	8	4	9	6
9	7	5	4	6	2	1	3	8
8	4	6	1	9	3	7	2	5

Medium 160

6	9	3	7	2	4	1	5	8
5	4	7	9	1	8	3	2	6
8	1	2	5	3	6	9	4	7
7	3	1	6	4	5	2	8	9
2	6	8	1	7	9	5	3	4
9	5	4	3	8	2	7	6	1
1	7	5	8	6	3	4	9	2
4	8	9	2	5	7	6	1	3
3	2	6	4	9	1	8	7	5

Medium 161

1	4	5	7	6	2	8	9	3
8	6	2	9	3	5	7	4	1
3	7	9	4	8	1	6	5	2
4	8	7	1	9	6	3	2	5
9	5	3	2	7	4	1	8	6
2	1	6	8	5	3	9	7	4
7	3	4	6	2	9	5	1	8
5	2	8	3	1	7	4	6	9
6	9	1	5	4	8	2	3	7

Medium 162

2	3	9	4	8	5	7	6	1
5	1	4	6	7	9	3	2	8
8	6	7	2	1	3	5	9	4
7	8	5	3	4	2	9	1	6
3	4	6	7	9	1	2	8	5
1	9	2	8	5	6	4	3	7
9	5	8	1	2	4	6	7	3
4	7	3	9	6	8	1	5	2
6	2	1	5	3	7	8	4	9

Medium 163

7	1	8	2	6	9	5	3	4
5	2	3	7	8	4	6	9	1
9	4	6	3	1	5	8	2	7
4	3	7	8	5	6	2	1	9
2	8	9	4	3	1	7	5	6
6	5	1	9	2	7	3	4	8
8	9	4	5	7	2	1	6	3
3	6	5	1	4	8	9	7	2
1	7	2	6	9	3	4	8	5

Medium 164

7	3	2	1	6	8	4	5	9
9	4	8	7	5	2	6	3	1
5	1	6	3	4	9	2	7	8
8	6	1	5	9	3	7	2	4
4	5	7	2	8	6	9	1	3
2	9	3	4	1	7	5	8	6
6	7	4	8	2	1	3	9	5
3	8	9	6	7	5	1	4	2
1	2	5	9	3	4	8	6	7

Medium 165

7	9	2	4	8	3	6	1	5
3	6	5	7	9	1	2	4	8
4	8	1	5	2	6	7	3	9
2	1	8	3	7	4	9	5	6
5	7	4	6	1	9	3	8	2
9	3	6	2	5	8	4	7	1
8	4	9	1	3	2	5	6	7
6	2	7	8	4	5	1	9	3
1	5	3	9	6	7	8	2	4

Medium 166

5	2	9	6	4	3	7	1	8
7	1	4	2	8	5	6	3	9
3	6	8	7	9	1	4	5	2
8	3	5	1	2	6	9	7	4
1	9	6	4	3	7	2	8	5
4	7	2	8	5	9	1	6	3
6	5	3	9	1	4	8	2	7
9	8	1	3	7	2	5	4	6
2	4	7	5	6	8	3	9	1

Medium 167

9	4	2	3	7	6	8	5	1
3	5	7	1	9	8	6	2	4
8	6	1	2	4	5	9	7	3
6	9	8	7	2	4	3	1	5
2	1	5	9	8	3	4	6	7
4	7	3	5	6	1	2	8	9
5	2	4	8	3	7	1	9	6
1	8	6	4	5	9	7	3	2
7	3	9	6	1	2	5	4	8

Medium 168

2	3	5	9	7	4	1	8	6
4	8	9	6	5	1	2	7	3
6	7	1	3	2	8	5	9	4
5	1	6	4	9	7	8	3	2
7	9	3	8	1	2	6	4	5
8	2	4	5	6	3	7	1	9
1	6	7	2	4	9	3	5	8
9	5	8	7	3	6	4	2	1
3	4	2	1	8	5	9	6	7

Medium 169

8	1	9	3	2	6	4	7	5
4	6	3	7	5	9	8	2	1
2	7	5	1	8	4	3	9	6
6	3	2	5	4	1	9	8	7
7	5	8	9	6	3	2	1	4
1	9	4	2	7	8	6	5	3
9	4	7	6	1	2	5	3	8
3	8	1	4	9	5	7	6	2
5	2	6	8	3	7	1	4	9

Medium 170

5	3	4	7	6	9	8	2	1
8	9	6	3	1	2	7	5	4
2	1	7	8	4	5	3	9	6
6	5	1	9	7	8	2	4	3
7	4	2	5	3	6	1	8	9
9	8	3	1	2	4	6	7	5
4	2	9	6	8	3	5	1	7
3	7	5	2	9	1	4	6	8
1	6	8	4	5	7	9	3	2

Medium 171

8	2	4	3	1	5	6	7	9
1	7	6	8	2	9	5	4	3
5	9	3	6	7	4	8	1	2
9	4	5	2	6	8	7	3	1
2	3	7	5	9	1	4	8	6
6	8	1	7	4	3	2	9	5
4	5	8	9	3	6	1	2	7
3	1	2	4	5	7	9	6	8
7	6	9	1	8	2	3	5	4

Medium 172

4	2	3	6	8	5	9	7	1
6	5	7	3	1	9	4	8	2
1	8	9	2	7	4	3	5	6
2	4	8	5	3	1	6	9	7
7	3	6	4	9	8	1	2	5
5	9	1	7	2	6	8	4	3
3	7	4	9	6	2	5	1	8
8	6	5	1	4	7	2	3	9
9	1	2	8	5	3	7	6	4

Medium 173

4	9	3	2	1	5	7	8	6
5	6	1	9	7	8	4	3	2
2	8	7	3	4	6	1	5	9
1	7	4	6	8	9	5	2	3
3	2	8	7	5	4	9	6	1
6	5	9	1	2	3	8	4	7
9	1	5	4	6	2	3	7	8
7	4	6	8	3	1	2	9	5
8	3	2	5	9	7	6	1	4

Medium 174

6	2	7	5	1	8	3	9	4
3	5	8	4	2	9	7	1	6
9	4	1	6	3	7	8	2	5
1	8	2	3	5	4	6	7	9
7	3	5	8	9	6	1	4	2
4	9	6	1	7	2	5	8	3
5	7	3	2	4	1	9	6	8
2	6	9	7	8	5	4	3	1
8	1	4	9	6	3	2	5	7

Medium 175

6	4	8	3	5	9	7	1	2
1	3	5	7	2	6	4	9	8
9	7	2	4	8	1	5	3	6
4	9	7	5	3	8	6	2	1
3	2	6	9	1	7	8	4	5
8	5	1	2	6	4	3	7	9
5	8	3	1	7	2	9	6	4
7	1	9	6	4	5	2	8	3
2	6	4	8	9	3	1	5	7

Medium 176

9	8	6	3	1	4	7	2	5
1	4	7	6	2	5	8	9	3
2	3	5	9	7	8	4	1	6
4	5	9	1	8	2	6	3	7
3	2	8	7	6	9	5	4	1
7	6	1	5	4	3	2	8	9
5	7	4	2	9	1	3	6	8
8	9	3	4	5	6	1	7	2
6	1	2	8	3	7	9	5	4

Medium 177

4	9	1	8	7	3	5	2	6
8	5	7	2	9	6	1	4	3
3	2	6	1	4	5	8	7	9
6	8	9	3	5	4	7	1	2
7	1	4	6	2	9	3	8	5
2	3	5	7	1	8	9	6	4
5	7	8	9	6	2	4	3	1
1	4	2	5	3	7	6	9	8
9	6	3	4	8	1	2	5	7

Medium 178

2	5	3	6	4	7	8	9	1
9	8	6	3	5	1	4	7	2
1	7	4	2	8	9	5	3	6
6	4	9	5	1	3	7	2	8
8	3	2	7	9	6	1	4	5
7	1	5	8	2	4	3	6	9
5	9	8	4	3	2	6	1	7
3	6	1	9	7	8	2	5	4
4	2	7	1	6	5	9	8	3

Medium 179

7	3	1	5	6	9	2	4	8
5	6	4	8	1	2	9	7	3
8	2	9	4	7	3	5	1	6
4	9	8	2	3	5	1	6	7
6	7	2	1	9	8	4	3	5
3	1	5	7	4	6	8	9	2
2	4	3	6	8	1	7	5	9
1	8	6	9	5	7	3	2	4
9	5	7	3	2	4	6	8	1

Medium 180

1	5	9	2	7	6	8	3	4
3	2	8	4	5	1	9	7	6
4	6	7	3	8	9	1	2	5
9	3	5	1	4	8	2	6	7
8	4	6	7	2	3	5	9	1
2	7	1	9	6	5	3	4	8
7	9	4	8	1	2	6	5	3
5	8	2	6	3	7	4	1	9
6	1	3	5	9	4	7	8	2

Medium 181

8	4	2	1	3	7	9	5	6
5	3	6	9	2	8	7	4	1
7	1	9	4	6	5	3	8	2
6	9	4	7	8	2	1	3	5
3	7	8	5	1	6	4	2	9
2	5	1	3	9	4	8	6	7
4	2	3	6	7	9	5	1	8
9	8	5	2	4	1	6	7	3
1	6	7	8	5	3	2	9	4

Medium 182

6	9	7	3	2	8	1	5	4
3	8	5	4	7	1	6	2	9
2	1	4	6	5	9	3	7	8
4	2	3	1	8	7	5	9	6
8	7	9	5	4	6	2	1	3
1	5	6	9	3	2	8	4	7
7	6	8	2	1	4	9	3	5
5	4	1	8	9	3	7	6	2
9	3	2	7	6	5	4	8	1

Medium 183

3	6	2	9	8	5	4	7	1
1	9	8	4	6	7	2	5	3
7	4	5	1	2	3	6	8	9
2	5	1	8	3	4	9	6	7
6	8	3	7	5	9	1	4	2
9	7	4	6	1	2	5	3	8
4	1	9	3	7	6	8	2	5
5	3	6	2	9	8	7	1	4
8	2	7	5	4	1	3	9	6

Medium 184

7	2	1	8	4	5	3	9	6
5	8	3	6	9	2	4	7	1
6	9	4	3	7	1	5	2	8
9	5	6	2	8	4	7	1	3
4	1	8	7	3	9	6	5	2
2	3	7	1	5	6	8	4	9
3	6	5	9	2	7	1	8	4
8	7	9	4	1	3	2	6	5
1	4	2	5	6	8	9	3	7

Medium 185

4	7	3	8	1	2	6	5	9
5	9	2	4	3	6	7	1	8
1	8	6	9	5	7	3	2	4
8	3	5	2	9	4	1	6	7
7	6	9	1	8	5	2	4	3
2	1	4	6	7	3	9	8	5
6	2	8	3	4	9	5	7	1
9	5	1	7	2	8	4	3	6
3	4	7	5	6	1	8	9	2

Medium 186

7	1	5	3	9	4	2	8	6
4	9	3	8	6	2	7	5	1
6	2	8	7	1	5	3	9	4
5	4	2	1	8	7	9	6	3
8	3	9	2	4	6	5	1	7
1	6	7	5	3	9	4	2	8
2	5	1	4	7	8	6	3	9
3	7	6	9	5	1	8	4	2
9	8	4	6	2	3	1	7	5

Medium 187

1	8	6	5	2	9	3	4	7
3	5	2	4	8	7	6	9	1
9	4	7	3	6	1	2	8	5
2	9	4	8	7	5	1	6	3
8	6	5	1	3	2	9	7	4
7	3	1	6	9	4	5	2	8
5	7	9	2	4	3	8	1	6
4	1	8	9	5	6	7	3	2
6	2	3	7	1	8	4	5	9

Medium 188

4	8	5	9	3	1	6	2	7
7	2	9	8	6	5	1	3	4
1	3	6	2	4	7	8	5	9
9	5	2	6	7	3	4	1	8
8	1	7	4	5	2	3	9	6
3	6	4	1	8	9	2	7	5
2	4	1	7	9	8	5	6	3
6	7	3	5	1	4	9	8	2
5	9	8	3	2	6	7	4	1

Medium 189

9	8	1	4	2	3	6	7	5
7	6	5	1	9	8	4	3	2
3	2	4	5	6	7	9	1	8
8	5	3	2	7	6	1	4	9
4	9	2	3	8	1	5	6	7
1	7	6	9	4	5	2	8	3
2	3	9	7	1	4	8	5	6
6	1	7	8	5	2	3	9	4
5	4	8	6	3	9	7	2	1

Medium 190

7	4	8	2	1	9	5	3	6
2	6	1	4	3	5	8	7	9
3	9	5	6	8	7	4	1	2
4	1	7	9	6	3	2	5	8
9	8	6	5	7	2	1	4	3
5	2	3	1	4	8	9	6	7
6	5	2	7	9	4	3	8	1
1	3	4	8	2	6	7	9	5
8	7	9	3	5	1	6	2	4

Medium 191

1	7	3	2	9	5	8	6	4
2	8	5	6	3	4	7	9	1
6	9	4	1	7	8	5	2	3
7	1	8	4	5	2	9	3	6
4	2	9	7	6	3	1	5	8
3	5	6	8	1	9	2	4	7
5	4	7	9	8	6	3	1	2
8	3	2	5	4	1	6	7	9
9	6	1	3	2	7	4	8	5

Medium 192

8	9	5	1	2	6	4	3	7
2	3	4	5	7	9	6	1	8
1	6	7	3	8	4	9	2	5
6	4	8	9	1	2	7	5	3
7	1	2	6	3	5	8	9	4
9	5	3	7	4	8	1	6	2
3	2	1	8	6	7	5	4	9
5	7	6	4	9	3	2	8	1
4	8	9	2	5	1	3	7	6

Medium 193

3	4	1	5	8	9	2	6	7
8	2	6	3	7	1	5	9	4
7	9	5	2	4	6	3	8	1
9	8	4	1	2	5	7	3	6
5	6	3	4	9	7	1	2	8
2	1	7	8	6	3	9	4	5
1	5	2	6	3	4	8	7	9
6	3	9	7	5	8	4	1	2
4	7	8	9	1	2	6	5	3

Medium 194

2	3	4	7	1	6	9	5	8
8	1	9	5	3	2	7	6	4
5	7	6	8	9	4	1	2	3
9	2	5	4	7	3	6	8	1
4	6	3	1	2	8	5	9	7
1	8	7	9	6	5	4	3	2
3	4	1	6	8	9	2	7	5
7	9	2	3	5	1	8	4	6
6	5	8	2	4	7	3	1	9

Medium 195

5	7	4	1	8	3	2	6	9
2	6	1	9	5	7	3	4	8
9	8	3	2	4	6	7	1	5
8	3	9	5	6	4	1	2	7
4	5	6	7	2	1	8	9	3
1	2	7	3	9	8	6	5	4
6	1	5	8	7	9	4	3	2
3	9	8	4	1	2	5	7	6
7	4	2	6	3	5	9	8	1

Medium 196

6	7	4	1	9	3	2	8	5
1	3	5	6	2	8	7	4	9
9	2	8	4	7	5	1	3	6
5	1	7	9	8	4	3	6	2
8	4	2	7	3	6	9	5	1
3	9	6	5	1	2	8	7	4
7	5	3	2	6	1	4	9	8
4	8	1	3	5	9	6	2	7
2	6	9	8	4	7	5	1	3

Medium 197

7	6	5	4	2	3	8	9	1
9	1	2	8	6	7	4	3	5
3	4	8	1	9	5	6	7	2
6	5	4	2	7	1	3	8	9
1	8	3	5	4	9	2	6	7
2	9	7	3	8	6	1	5	4
5	3	6	7	1	2	9	4	8
8	7	1	9	3	4	5	2	6
4	2	9	6	5	8	7	1	3

Medium 198

1	5	3	2	7	9	4	6	8
6	8	9	5	3	4	7	1	2
7	2	4	8	1	6	9	5	3
9	4	2	3	5	8	1	7	6
3	7	5	6	2	1	8	9	4
8	1	6	4	9	7	3	2	5
5	3	1	9	4	2	6	8	7
2	6	7	1	8	3	5	4	9
4	9	8	7	6	5	2	3	1

Medium 199

9	8	4	1	2	5	3	7	6
1	6	5	3	7	9	8	4	2
7	3	2	4	6	8	5	1	9
5	4	9	2	8	7	6	3	1
8	1	7	6	4	3	2	9	5
3	2	6	5	9	1	7	8	4
2	9	3	8	5	4	1	6	7
4	5	1	7	3	6	9	2	8
6	7	8	9	1	2	4	5	3

Medium 200

6	9	1	5	2	7	8	3	4
4	2	3	9	1	8	6	5	7
7	8	5	6	3	4	2	1	9
2	6	8	4	5	3	9	7	1
1	4	9	8	7	6	5	2	3
3	5	7	2	9	1	4	6	8
5	3	4	1	8	2	7	9	6
8	7	2	3	6	9	1	4	5
9	1	6	7	4	5	3	8	2

Medium 201

6	3	9	5	4	7	8	1	2
1	4	8	6	9	2	5	7	3
5	7	2	3	8	1	9	6	4
2	9	1	7	3	5	6	4	8
8	5	7	2	6	4	3	9	1
3	6	4	9	1	8	7	2	5
7	1	3	4	5	9	2	8	6
9	8	5	1	2	6	4	3	7
4	2	6	8	7	3	1	5	9

Medium 202

8	7	5	4	3	1	2	6	9
4	9	3	2	8	6	1	5	7
2	6	1	9	7	5	4	3	8
1	5	7	8	4	2	6	9	3
6	2	8	5	9	3	7	4	1
3	4	9	1	6	7	8	2	5
7	1	2	6	5	9	3	8	4
5	8	6	3	1	4	9	7	2
9	3	4	7	2	8	5	1	6

Medium 203

8	3	2	1	4	7	5	9	6
6	5	7	9	8	2	3	4	1
9	4	1	5	3	6	2	8	7
3	2	6	4	9	1	7	5	8
4	8	5	2	7	3	6	1	9
1	7	9	6	5	8	4	2	3
2	6	8	3	1	4	9	7	5
5	1	3	7	2	9	8	6	4
7	9	4	8	6	5	1	3	2

Medium 204

8	9	1	7	2	4	6	3	5
6	5	7	9	3	1	8	2	4
2	3	4	5	6	8	1	9	7
4	2	9	1	8	6	7	5	3
7	1	3	2	9	5	4	8	6
5	6	8	3	4	7	9	1	2
1	4	6	8	5	2	3	7	9
3	7	5	4	1	9	2	6	8
9	8	2	6	7	3	5	4	1

Medium 205

6	7	4	3	2	9	1	5	8
2	9	3	1	5	8	4	7	6
8	5	1	7	6	4	3	2	9
1	3	8	4	9	7	2	6	5
5	2	9	6	1	3	7	8	4
7	4	6	2	8	5	9	3	1
4	1	5	8	3	2	6	9	7
3	8	7	9	4	6	5	1	2
9	6	2	5	7	1	8	4	3

Medium 206

6	8	5	7	3	9	2	1	4
1	9	3	4	2	6	8	5	7
7	4	2	8	1	5	9	6	3
2	7	1	5	4	3	6	8	9
8	5	9	6	7	1	3	4	2
3	6	4	2	9	8	1	7	5
4	1	8	9	5	2	7	3	6
9	3	7	1	6	4	5	2	8
5	2	6	3	8	7	4	9	1

Medium 207

6	3	4	5	2	9	8	7	1
5	1	9	7	4	8	6	2	3
7	2	8	1	6	3	9	4	5
4	8	5	2	3	1	7	6	9
1	6	2	9	5	7	4	3	8
3	9	7	6	8	4	1	5	2
2	7	3	8	9	6	5	1	4
9	4	1	3	7	5	2	8	6
8	5	6	4	1	2	3	9	7

Medium 208

4	8	5	9	3	1	6	7	2
7	1	2	6	8	4	3	9	5
6	3	9	5	2	7	4	1	8
3	4	8	1	9	6	5	2	7
9	6	1	2	7	5	8	3	4
2	5	7	8	4	3	1	6	9
1	2	3	7	5	8	9	4	6
5	7	4	3	6	9	2	8	1
8	9	6	4	1	2	7	5	3

Medium 209

8	3	4	5	6	7	1	9	2
1	2	7	4	3	9	6	8	5
5	9	6	8	2	1	7	4	3
9	5	8	1	4	3	2	6	7
4	7	3	2	9	6	8	5	1
6	1	2	7	8	5	4	3	9
2	6	9	3	1	8	5	7	4
3	4	5	6	7	2	9	1	8
7	8	1	9	5	4	3	2	6

Medium 210

5	2	3	1	4	9	6	8	7
1	7	6	8	2	3	5	9	4
9	4	8	6	5	7	1	2	3
8	5	2	9	3	6	7	4	1
6	9	1	7	8	4	2	3	5
4	3	7	2	1	5	8	6	9
7	8	5	4	9	2	3	1	6
2	6	9	3	7	1	4	5	8
3	1	4	5	6	8	9	7	2

Medium 211

3	1	5	7	8	4	6	9	2
9	6	4	2	1	5	3	8	7
8	7	2	3	6	9	1	4	5
2	3	6	9	7	1	4	5	8
1	9	7	4	5	8	2	3	6
4	5	8	6	2	3	9	7	1
6	2	9	5	4	7	8	1	3
5	4	1	8	3	6	7	2	9
7	8	3	1	9	2	5	6	4

Medium 212

9	6	8	3	1	5	2	4	7
7	1	5	2	8	4	9	3	6
3	2	4	6	9	7	5	1	8
5	7	6	1	2	9	4	8	3
8	9	2	4	3	6	1	7	5
1	4	3	5	7	8	6	9	2
4	3	1	7	6	2	8	5	9
6	5	9	8	4	3	7	2	1
2	8	7	9	5	1	3	6	4

Medium 213

1	6	8	4	5	3	9	7	2
4	9	7	6	8	2	1	5	3
5	2	3	9	7	1	6	4	8
2	4	9	1	3	7	8	6	5
3	8	5	2	4	6	7	9	1
6	7	1	5	9	8	2	3	4
9	1	2	3	6	4	5	8	7
8	5	4	7	2	9	3	1	6
7	3	6	8	1	5	4	2	9

Medium 214

7	8	1	3	9	6	5	2	4
2	5	3	7	1	4	9	6	8
6	4	9	8	5	2	1	7	3
3	9	5	4	6	8	2	1	7
1	6	4	9	2	7	3	8	5
8	7	2	1	3	5	6	4	9
5	2	7	6	4	9	8	3	1
9	1	8	2	7	3	4	5	6
4	3	6	5	8	1	7	9	2

Medium 215

9	6	8	5	3	7	1	4	2
1	4	7	8	6	2	5	9	3
2	3	5	9	1	4	7	8	6
7	2	6	1	9	8	4	3	5
8	1	3	7	4	5	2	6	9
5	9	4	3	2	6	8	1	7
3	5	1	4	7	9	6	2	8
4	7	2	6	8	3	9	5	1
6	8	9	2	5	1	3	7	4

Medium 216

6	3	8	9	5	4	2	7	1
9	7	4	3	1	2	6	8	5
1	2	5	8	7	6	4	3	9
4	8	2	5	3	1	7	9	6
7	6	9	2	4	8	1	5	3
3	5	1	7	6	9	8	4	2
8	9	7	1	2	5	3	6	4
5	1	6	4	8	3	9	2	7
2	4	3	6	9	7	5	1	8

Medium 217

1	7	6	9	4	3	2	8	5
5	9	4	8	2	1	7	3	6
3	2	8	7	5	6	9	1	4
6	1	7	4	9	2	3	5	8
2	4	9	3	8	5	1	6	7
8	3	5	1	6	7	4	2	9
4	8	3	6	1	9	5	7	2
7	6	2	5	3	4	8	9	1
9	5	1	2	7	8	6	4	3

Medium 218

2	4	9	8	7	6	1	5	3
8	7	3	9	5	1	2	6	4
5	1	6	4	3	2	9	7	8
6	5	8	2	1	9	4	3	7
9	3	1	7	8	4	5	2	6
4	2	7	5	6	3	8	1	9
3	6	5	1	9	8	7	4	2
1	8	2	3	4	7	6	9	5
7	9	4	6	2	5	3	8	1

Medium 219

7	1	4	5	8	2	9	3	6
5	8	2	3	6	9	1	7	4
9	6	3	4	1	7	2	5	8
2	5	8	9	4	6	3	1	7
6	9	7	8	3	1	5	4	2
4	3	1	7	2	5	6	8	9
1	4	9	6	7	3	8	2	5
3	7	5	2	9	8	4	6	1
8	2	6	1	5	4	7	9	3

Medium 220

4	8	7	9	6	1	3	2	5
6	1	2	3	7	5	8	4	9
5	9	3	8	2	4	7	6	1
2	6	4	1	9	7	5	3	8
9	5	1	2	3	8	6	7	4
3	7	8	4	5	6	1	9	2
7	4	6	5	8	9	2	1	3
1	2	5	6	4	3	9	8	7
8	3	9	7	1	2	4	5	6

Medium 221

7	3	9	8	2	5	6	1	4
5	2	6	7	4	1	8	9	3
8	4	1	6	3	9	7	2	5
9	6	7	3	5	2	4	8	1
4	8	2	9	1	7	3	5	6
1	5	3	4	8	6	9	7	2
2	9	4	5	7	3	1	6	8
6	1	8	2	9	4	5	3	7
3	7	5	1	6	8	2	4	9

Medium 222

7	2	9	4	5	6	3	8	1
1	6	3	8	2	7	5	9	4
4	8	5	1	9	3	6	2	7
5	7	6	2	4	8	1	3	9
2	3	4	9	6	1	8	7	5
9	1	8	7	3	5	2	4	6
6	4	7	5	8	2	9	1	3
3	9	2	6	1	4	7	5	8
8	5	1	3	7	9	4	6	2

Medium 223

1	8	9	2	5	4	6	7	3
7	4	6	3	8	1	5	9	2
5	2	3	7	6	9	1	8	4
4	5	2	6	9	3	8	1	7
6	9	1	4	7	8	3	2	5
3	7	8	5	1	2	4	6	9
2	6	4	8	3	7	9	5	1
9	3	5	1	2	6	7	4	8
8	1	7	9	4	5	2	3	6

Medium 224

5	6	7	2	1	3	4	9	8
8	2	9	6	4	7	1	3	5
3	4	1	9	5	8	2	7	6
1	8	4	3	6	2	7	5	9
9	5	2	7	8	1	3	6	4
6	7	3	4	9	5	8	1	2
7	9	6	1	2	4	5	8	3
2	1	5	8	3	6	9	4	7
4	3	8	5	7	9	6	2	1

Medium 225

6	5	9	8	4	3	7	2	1
7	4	1	5	2	9	3	8	6
3	2	8	1	6	7	9	4	5
5	3	4	7	1	6	8	9	2
8	7	6	2	9	5	4	1	3
9	1	2	3	8	4	5	6	7
1	9	7	4	3	2	6	5	8
2	6	5	9	7	8	1	3	4
4	8	3	6	5	1	2	7	9

Medium 226

7	2	3	9	6	4	8	5	1
6	4	5	8	1	2	7	3	9
1	8	9	3	7	5	2	4	6
8	6	1	5	4	3	9	2	7
9	5	4	7	2	8	1	6	3
3	7	2	1	9	6	5	8	4
2	3	7	6	5	9	4	1	8
4	1	8	2	3	7	6	9	5
5	9	6	4	8	1	3	7	2

Medium 227

9	6	7	5	3	2	4	8	1
2	4	3	8	6	1	5	7	9
5	1	8	7	4	9	3	2	6
7	9	1	6	8	3	2	5	4
4	3	2	1	5	7	9	6	8
6	8	5	9	2	4	1	3	7
1	5	6	3	9	8	7	4	2
3	2	9	4	7	6	8	1	5
8	7	4	2	1	5	6	9	3

Medium 228

1	5	3	7	6	2	9	8	4
2	7	4	8	9	3	1	6	5
9	8	6	5	1	4	2	7	3
3	9	7	6	5	1	4	2	8
6	2	5	3	4	8	7	1	9
4	1	8	2	7	9	5	3	6
7	6	9	1	8	5	3	4	2
5	3	1	4	2	6	8	9	7
8	4	2	9	3	7	6	5	1

Medium 229

2	5	4	9	6	7	8	3	1
8	3	9	5	4	1	7	6	2
1	6	7	8	3	2	5	4	9
3	7	8	2	9	5	4	1	6
9	1	5	6	8	4	3	2	7
6	4	2	1	7	3	9	5	8
4	2	6	7	5	8	1	9	3
5	8	1	3	2	9	6	7	4
7	9	3	4	1	6	2	8	5

Medium 230

8	2	3	9	6	7	1	4	5
9	5	1	8	3	4	7	6	2
4	6	7	5	2	1	8	9	3
3	7	9	2	4	6	5	1	8
6	1	4	3	8	5	2	7	9
5	8	2	7	1	9	4	3	6
7	3	6	4	5	8	9	2	1
2	9	8	1	7	3	6	5	4
1	4	5	6	9	2	3	8	7

Medium 231

5	1	9	3	8	6	7	4	2
3	8	6	7	2	4	9	5	1
7	4	2	5	1	9	3	6	8
1	2	7	6	5	3	8	9	4
9	3	8	1	4	7	6	2	5
6	5	4	8	9	2	1	7	3
8	9	1	2	6	5	4	3	7
4	7	5	9	3	8	2	1	6
2	6	3	4	7	1	5	8	9

Medium 232

2	1	6	3	5	9	8	7	4
4	8	5	2	7	1	6	3	9
3	9	7	4	6	8	5	1	2
6	7	1	5	2	3	4	9	8
8	3	4	9	1	6	2	5	7
9	5	2	7	8	4	1	6	3
5	6	3	8	9	2	7	4	1
1	4	8	6	3	7	9	2	5
7	2	9	1	4	5	3	8	6

Medium 233

9	4	2	7	6	1	3	5	8
3	5	1	8	2	9	6	4	7
7	8	6	5	3	4	9	1	2
8	9	5	2	7	6	1	3	4
1	3	7	4	9	8	5	2	6
6	2	4	1	5	3	7	8	9
5	7	3	9	4	2	8	6	1
4	1	9	6	8	5	2	7	3
2	6	8	3	1	7	4	9	5

Medium 234

3	9	1	8	6	2	5	4	7
5	2	4	9	1	7	8	3	6
7	6	8	3	4	5	2	9	1
2	4	6	5	8	3	7	1	9
1	5	3	4	7	9	6	8	2
8	7	9	6	2	1	4	5	3
9	3	2	7	5	4	1	6	8
4	8	7	1	3	6	9	2	5
6	1	5	2	9	8	3	7	4

Medium 235

5	3	9	1	7	8	6	2	4
6	4	7	3	2	9	5	1	8
1	8	2	4	6	5	9	7	3
7	2	1	5	4	3	8	9	6
8	6	4	9	1	2	3	5	7
3	9	5	7	8	6	2	4	1
9	7	6	2	3	4	1	8	5
4	5	3	8	9	1	7	6	2
2	1	8	6	5	7	4	3	9

Medium 236

5	2	8	3	7	1	4	6	9
6	1	9	4	2	5	8	3	7
7	3	4	6	8	9	2	5	1
2	4	1	9	5	7	3	8	6
3	5	7	8	6	4	1	9	2
8	9	6	2	1	3	7	4	5
4	7	3	5	9	2	6	1	8
9	6	2	1	4	8	5	7	3
1	8	5	7	3	6	9	2	4

Medium 237

7	6	4	1	5	8	3	9	2
3	2	5	9	7	6	8	4	1
9	1	8	4	3	2	7	5	6
5	4	7	6	2	3	1	8	9
6	3	1	8	9	7	5	2	4
2	8	9	5	4	1	6	7	3
4	9	6	7	1	5	2	3	8
8	5	2	3	6	9	4	1	7
1	7	3	2	8	4	9	6	5

Medium 238

8	9	1	7	6	5	2	4	3
7	4	3	1	8	2	6	9	5
5	2	6	4	9	3	1	7	8
4	6	5	9	2	7	3	8	1
1	8	7	3	4	6	9	5	2
2	3	9	8	5	1	4	6	7
3	7	8	6	1	9	5	2	4
6	1	2	5	7	4	8	3	9
9	5	4	2	3	8	7	1	6

Medium 239

9	7	8	6	3	1	4	5	2
3	4	5	8	7	2	1	6	9
2	6	1	4	9	5	3	8	7
1	9	3	5	2	4	8	7	6
6	5	2	3	8	7	9	1	4
4	8	7	1	6	9	5	2	3
7	1	9	2	5	3	6	4	8
5	2	6	9	4	8	7	3	1
8	3	4	7	1	6	2	9	5

Medium 240

4	2	7	6	8	3	5	1	9
3	5	9	7	1	2	6	4	8
8	6	1	5	9	4	7	2	3
6	9	8	4	5	7	2	3	1
5	7	3	1	2	9	8	6	4
1	4	2	8	3	6	9	5	7
2	3	6	9	4	8	1	7	5
9	1	4	2	7	5	3	8	6
7	8	5	3	6	1	4	9	2

Medium 241

1	2	3	6	5	7	9	8	4
6	8	9	3	4	1	2	5	7
5	7	4	2	8	9	3	6	1
8	3	6	7	1	2	5	4	9
9	4	2	5	6	8	1	7	3
7	1	5	4	9	3	8	2	6
3	6	7	1	2	5	4	9	8
2	9	1	8	7	4	6	3	5
4	5	8	9	3	6	7	1	2

Medium 242

7	3	1	9	8	2	4	5	6
9	6	4	1	3	5	7	8	2
5	2	8	4	6	7	3	1	9
3	1	7	5	9	8	6	2	4
8	5	2	6	7	4	1	9	3
4	9	6	3	2	1	8	7	5
1	8	9	2	4	3	5	6	7
2	7	3	8	5	6	9	4	1
6	4	5	7	1	9	2	3	8

Medium 243

2	9	3	7	5	6	4	1	8
5	7	6	1	8	4	2	3	9
8	4	1	9	2	3	7	5	6
9	8	2	6	1	5	3	4	7
7	3	5	8	4	2	9	6	1
1	6	4	3	9	7	8	2	5
6	1	7	2	3	9	5	8	4
3	5	9	4	6	8	1	7	2
4	2	8	5	7	1	6	9	3

Medium 244

7	2	1	5	9	3	8	4	6
9	6	5	8	4	7	3	1	2
3	4	8	6	1	2	9	7	5
6	5	2	1	3	8	4	9	7
8	3	9	4	7	5	6	2	1
4	1	7	9	2	6	5	3	8
2	7	6	3	8	9	1	5	4
1	8	3	7	5	4	2	6	9
5	9	4	2	6	1	7	8	3

Medium 245

8	5	6	4	2	9	7	1	3
1	4	7	5	3	8	2	6	9
3	9	2	7	6	1	4	5	8
7	1	5	2	9	6	3	8	4
6	3	4	8	7	5	9	2	1
9	2	8	3	1	4	5	7	6
2	7	9	1	8	3	6	4	5
5	6	1	9	4	7	8	3	2
4	8	3	6	5	2	1	9	7

Medium 246

8	7	5	4	3	6	2	9	1
4	2	3	9	1	8	7	5	6
6	9	1	2	5	7	3	8	4
1	3	2	7	8	4	5	6	9
5	6	4	3	9	1	8	7	2
9	8	7	6	2	5	1	4	3
2	5	6	8	4	3	9	1	7
3	4	8	1	7	9	6	2	5
7	1	9	5	6	2	4	3	8

Medium 247

6	7	9	3	2	4	1	8	5
8	4	3	1	9	5	2	7	6
1	5	2	8	6	7	9	3	4
7	3	8	2	5	9	4	6	1
2	1	6	7	4	8	3	5	9
5	9	4	6	1	3	7	2	8
4	8	5	9	7	2	6	1	3
9	6	7	5	3	1	8	4	2
3	2	1	4	8	6	5	9	7

Medium 248

5	3	4	6	7	8	2	9	1
1	6	9	4	5	2	7	8	3
7	2	8	1	9	3	6	4	5
8	7	5	2	4	1	9	3	6
4	1	3	8	6	9	5	2	7
6	9	2	7	3	5	8	1	4
2	8	7	5	1	4	3	6	9
3	4	6	9	2	7	1	5	8
9	5	1	3	8	6	4	7	2

Medium 249

6	5	7	3	2	1	4	9	8
1	2	9	8	4	5	3	7	6
3	4	8	6	7	9	2	5	1
9	8	3	4	1	7	6	2	5
2	7	1	5	6	8	9	3	4
4	6	5	9	3	2	8	1	7
8	9	4	7	5	3	1	6	2
7	1	6	2	9	4	5	8	3
5	3	2	1	8	6	7	4	9

Medium 250

6	7	3	5	8	2	9	1	4
5	4	9	7	1	6	3	2	8
8	1	2	9	4	3	7	6	5
1	2	7	8	3	5	6	4	9
4	3	8	1	6	9	2	5	7
9	6	5	4	2	7	8	3	1
2	5	4	3	9	8	1	7	6
7	8	6	2	5	1	4	9	3
3	9	1	6	7	4	5	8	2

Medium 251

8	1	7	9	6	5	3	4	2
9	2	4	7	3	1	6	8	5
6	3	5	8	2	4	7	1	9
5	7	9	2	8	6	1	3	4
1	8	2	5	4	3	9	6	7
3	4	6	1	7	9	5	2	8
7	9	3	4	1	2	8	5	6
2	5	1	6	9	8	4	7	3
4	6	8	3	5	7	2	9	1

Medium 252

8	1	5	4	3	2	7	9	6
7	6	2	8	9	5	3	1	4
4	9	3	7	1	6	8	5	2
3	5	1	6	7	4	2	8	9
2	7	9	5	8	1	6	4	3
6	4	8	9	2	3	1	7	5
5	8	7	3	6	9	4	2	1
9	2	6	1	4	7	5	3	8
1	3	4	2	5	8	9	6	7

Medium 253

5	4	8	9	6	7	3	2	1
9	7	1	8	2	3	4	6	5
3	2	6	4	1	5	7	9	8
2	9	3	7	8	1	6	5	4
4	1	5	6	3	9	8	7	2
8	6	7	5	4	2	1	3	9
6	5	2	1	7	4	9	8	3
7	3	4	2	9	8	5	1	6
1	8	9	3	5	6	2	4	7

Medium 254

4	8	6	9	3	7	1	5	2
5	7	3	6	1	2	9	8	4
1	2	9	4	5	8	3	6	7
2	9	5	7	6	1	8	4	3
7	6	4	3	8	9	2	1	5
8	3	1	2	4	5	6	7	9
3	1	7	5	2	6	4	9	8
9	4	8	1	7	3	5	2	6
6	5	2	8	9	4	7	3	1

Medium 255

1	6	7	2	4	5	9	3	8
3	2	8	9	7	6	1	4	5
5	4	9	8	1	3	6	2	7
4	9	2	7	6	8	3	5	1
8	1	5	4	3	9	7	6	2
6	7	3	1	5	2	8	9	4
7	3	6	5	2	1	4	8	9
2	8	4	6	9	7	5	1	3
9	5	1	3	8	4	2	7	6

Medium 256

8	2	5	1	4	9	3	6	7
7	6	1	2	3	5	9	4	8
3	9	4	6	7	8	5	1	2
4	8	6	9	2	1	7	3	5
9	1	7	4	5	3	2	8	6
2	5	3	7	8	6	1	9	4
6	7	2	3	9	4	8	5	1
1	3	8	5	6	7	4	2	9
5	4	9	8	1	2	6	7	3

Medium 257

8	4	6	3	5	9	2	1	7
9	5	7	2	1	8	4	6	3
1	2	3	6	7	4	5	9	8
6	9	2	4	8	5	7	3	1
5	3	4	1	6	7	8	2	9
7	8	1	9	2	3	6	4	5
3	7	9	8	4	2	1	5	6
2	1	5	7	9	6	3	8	4
4	6	8	5	3	1	9	7	2

Medium 258

6	9	5	2	8	3	7	1	4
7	8	1	6	5	4	9	2	3
3	4	2	1	7	9	8	6	5
5	3	8	9	1	6	4	7	2
2	1	9	3	4	7	6	5	8
4	6	7	8	2	5	1	3	9
9	2	3	7	6	8	5	4	1
8	5	6	4	3	1	2	9	7
1	7	4	5	9	2	3	8	6

Medium 259

5	7	1	2	8	3	4	9	6
3	4	8	6	7	9	2	5	1
6	9	2	1	5	4	7	3	8
4	3	7	9	1	8	5	6	2
1	2	9	7	6	5	8	4	3
8	5	6	4	3	2	9	1	7
9	1	3	5	2	7	6	8	4
7	8	5	3	4	6	1	2	9
2	6	4	8	9	1	3	7	5

Medium 260

8	1	6	5	4	9	2	7	3
5	9	2	1	3	7	4	8	6
7	3	4	8	6	2	5	1	9
6	8	3	2	9	1	7	4	5
1	2	5	4	7	6	9	3	8
9	4	7	3	5	8	6	2	1
4	5	9	7	8	3	1	6	2
3	7	1	6	2	5	8	9	4
2	6	8	9	1	4	3	5	7

Medium 261

8	2	1	6	3	5	9	4	7
3	5	7	4	2	9	8	1	6
9	6	4	1	8	7	3	5	2
5	1	2	9	4	8	6	7	3
6	9	3	7	5	2	1	8	4
4	7	8	3	6	1	5	2	9
2	4	6	5	1	3	7	9	8
7	8	5	2	9	6	4	3	1
1	3	9	8	7	4	2	6	5

Medium 262

6	3	8	9	7	2	1	5	4
9	1	2	3	4	5	6	8	7
4	7	5	8	1	6	3	2	9
1	5	4	2	8	7	9	3	6
7	8	3	1	6	9	2	4	5
2	6	9	5	3	4	8	7	1
8	2	7	6	5	1	4	9	3
5	9	6	4	2	3	7	1	8
3	4	1	7	9	8	5	6	2

Medium 263

3	1	6	2	4	7	5	9	8
9	8	4	5	3	1	2	7	6
2	5	7	9	8	6	3	1	4
4	6	2	7	9	8	1	5	3
1	7	5	4	2	3	8	6	9
8	9	3	1	6	5	7	4	2
7	4	9	8	1	2	6	3	5
6	2	1	3	5	9	4	8	7
5	3	8	6	7	4	9	2	1

Medium 264

8	4	3	7	9	5	2	1	6
2	5	7	6	8	1	9	4	3
1	9	6	3	2	4	5	8	7
5	8	4	1	7	6	3	2	9
7	3	2	5	4	9	8	6	1
9	6	1	2	3	8	4	7	5
4	1	5	8	6	3	7	9	2
3	7	9	4	1	2	6	5	8
6	2	8	9	5	7	1	3	4

Medium 265

3	6	1	2	5	8	9	4	7
2	5	9	4	1	7	6	3	8
7	4	8	6	9	3	5	2	1
6	9	7	3	2	5	1	8	4
4	2	5	9	8	1	7	6	3
8	1	3	7	6	4	2	9	5
5	7	2	8	3	6	4	1	9
1	8	6	5	4	9	3	7	2
9	3	4	1	7	2	8	5	6

Medium 266

7	3	8	1	5	4	2	6	9
6	1	5	2	3	9	4	8	7
9	4	2	7	6	8	3	1	5
8	9	4	3	7	1	5	2	6
2	7	6	8	9	5	1	3	4
1	5	3	6	4	2	9	7	8
3	6	9	5	1	7	8	4	2
5	2	7	4	8	3	6	9	1
4	8	1	9	2	6	7	5	3

Medium 267

7	5	2	1	3	6	4	9	8
6	9	8	2	7	4	3	1	5
3	4	1	9	5	8	6	7	2
4	1	6	8	2	9	5	3	7
9	3	5	6	1	7	8	2	4
2	8	7	3	4	5	9	6	1
1	2	9	5	8	3	7	4	6
5	6	4	7	9	2	1	8	3
8	7	3	4	6	1	2	5	9

Medium 268

9	7	8	1	5	6	2	3	4
2	6	4	8	3	9	5	7	1
5	3	1	7	4	2	8	9	6
3	1	2	4	8	5	9	6	7
6	4	5	9	7	1	3	8	2
7	8	9	2	6	3	4	1	5
4	5	6	3	9	7	1	2	8
1	9	7	5	2	8	6	4	3
8	2	3	6	1	4	7	5	9

Medium 269

5	2	8	1	6	9	3	7	4
7	4	9	3	8	5	6	1	2
6	3	1	4	7	2	8	5	9
1	5	4	2	9	8	7	3	6
8	7	6	5	4	3	9	2	1
3	9	2	7	1	6	5	4	8
2	8	5	9	3	1	4	6	7
9	1	7	6	5	4	2	8	3
4	6	3	8	2	7	1	9	5

Medium 270

8	9	6	5	3	4	2	7	1
7	3	4	1	8	2	5	9	6
1	5	2	6	7	9	4	8	3
3	4	1	9	2	8	6	5	7
2	6	7	4	1	5	8	3	9
9	8	5	3	6	7	1	2	4
4	1	8	2	9	3	7	6	5
6	2	3	7	5	1	9	4	8
5	7	9	8	4	6	3	1	2

Medium 271

3	9	1	7	4	5	6	2	8
6	7	5	2	8	3	9	4	1
2	8	4	6	1	9	5	7	3
1	2	6	5	3	7	8	9	4
9	5	8	4	2	1	3	6	7
7	4	3	8	9	6	2	1	5
8	6	7	9	5	4	1	3	2
5	1	9	3	7	2	4	8	6
4	3	2	1	6	8	7	5	9

Medium 272

8	1	6	4	2	7	9	5	3
4	9	5	1	6	3	8	7	2
2	7	3	5	8	9	4	1	6
7	2	4	3	1	8	6	9	5
1	3	9	2	5	6	7	4	8
5	6	8	9	7	4	2	3	1
3	8	7	6	9	5	1	2	4
6	4	1	7	3	2	5	8	9
9	5	2	8	4	1	3	6	7

Medium 273

2	1	4	3	8	6	5	9	7
8	5	7	9	1	2	6	3	4
3	6	9	4	5	7	8	1	2
6	7	3	1	4	5	2	8	9
4	9	2	8	6	3	1	7	5
5	8	1	7	2	9	4	6	3
7	4	5	6	3	1	9	2	8
1	3	8	2	9	4	7	5	6
9	2	6	5	7	8	3	4	1

Medium 274

8	1	2	6	9	3	7	4	5
9	7	4	5	2	8	6	3	1
6	3	5	7	4	1	2	8	9
7	4	6	2	1	9	8	5	3
2	5	9	3	8	6	1	7	4
3	8	1	4	7	5	9	6	2
5	9	3	8	6	2	4	1	7
1	6	7	9	5	4	3	2	8
4	2	8	1	3	7	5	9	6

Medium 275

9	7	5	4	3	2	8	6	1
1	2	8	6	9	5	3	7	4
6	3	4	7	8	1	5	9	2
2	6	3	1	7	4	9	5	8
4	1	9	3	5	8	7	2	6
8	5	7	9	2	6	1	4	3
5	9	2	8	4	3	6	1	7
7	8	1	2	6	9	4	3	5
3	4	6	5	1	7	2	8	9

Medium 276

3	6	1	2	7	9	5	4	8
5	8	2	3	4	1	7	9	6
4	7	9	6	8	5	3	1	2
1	3	5	8	2	7	4	6	9
9	2	7	1	6	4	8	3	5
8	4	6	9	5	3	2	7	1
7	9	8	5	3	6	1	2	4
6	5	3	4	1	2	9	8	7
2	1	4	7	9	8	6	5	3

Medium 277

5	9	7	1	8	4	6	2	3
2	8	4	7	6	3	5	9	1
3	1	6	2	5	9	4	7	8
7	2	5	6	1	8	9	3	4
1	3	9	4	2	5	7	8	6
6	4	8	3	9	7	2	1	5
4	5	1	9	3	2	8	6	7
9	7	3	8	4	6	1	5	2
8	6	2	5	7	1	3	4	9

Medium 278

7	1	8	9	2	4	5	3	6
9	6	5	1	3	7	4	2	8
4	3	2	5	8	6	7	1	9
1	8	6	7	4	3	2	9	5
3	4	9	8	5	2	1	6	7
2	5	7	6	1	9	8	4	3
8	9	1	2	6	5	3	7	4
5	7	4	3	9	1	6	8	2
6	2	3	4	7	8	9	5	1

Medium 279

1	3	6	2	4	7	9	8	5
9	4	7	8	5	6	3	2	1
8	2	5	3	9	1	7	6	4
7	6	8	5	2	3	4	1	9
4	5	9	7	1	8	6	3	2
2	1	3	4	6	9	8	5	7
3	7	4	1	8	2	5	9	6
6	8	1	9	7	5	2	4	3
5	9	2	6	3	4	1	7	8

Medium 280

7	3	9	6	5	4	1	2	8
2	6	8	7	9	1	5	3	4
1	4	5	8	2	3	7	6	9
8	1	3	9	4	5	6	7	2
9	2	6	1	7	8	3	4	5
5	7	4	3	6	2	8	9	1
4	8	2	5	3	6	9	1	7
6	9	1	4	8	7	2	5	3
3	5	7	2	1	9	4	8	6

Medium 281

1	5	8	2	7	9	3	6	4
7	4	2	3	1	6	8	5	9
6	9	3	4	8	5	1	7	2
8	7	5	9	2	4	6	1	3
4	6	9	1	5	3	7	2	8
3	2	1	8	6	7	9	4	5
5	8	4	6	9	1	2	3	7
2	3	6	7	4	8	5	9	1
9	1	7	5	3	2	4	8	6

Medium 282

7	4	1	9	5	8	3	6	2
2	6	5	1	7	3	9	8	4
9	8	3	2	4	6	7	5	1
8	9	7	4	3	2	5	1	6
5	3	2	8	6	1	4	9	7
4	1	6	7	9	5	2	3	8
3	7	4	6	1	9	8	2	5
1	5	8	3	2	7	6	4	9
6	2	9	5	8	4	1	7	3

Medium 283

8	6	9	3	7	2	5	1	4
4	3	5	8	1	9	6	2	7
2	1	7	6	5	4	3	8	9
3	9	8	1	6	5	4	7	2
1	5	6	4	2	7	9	3	8
7	4	2	9	3	8	1	5	6
5	2	4	7	9	1	8	6	3
6	8	1	2	4	3	7	9	5
9	7	3	5	8	6	2	4	1

Medium 284

9	7	8	6	4	3	2	1	5
6	3	2	5	8	1	9	4	7
1	5	4	7	2	9	8	6	3
8	6	1	3	7	5	4	2	9
5	4	9	8	6	2	7	3	1
7	2	3	9	1	4	5	8	6
2	1	6	4	5	7	3	9	8
3	8	5	2	9	6	1	7	4
4	9	7	1	3	8	6	5	2

Medium 285

4	6	8	9	1	7	3	5	2
2	3	7	5	6	4	1	8	9
1	5	9	2	3	8	6	7	4
9	1	4	7	8	5	2	3	6
5	2	3	6	4	1	8	9	7
8	7	6	3	2	9	5	4	1
7	9	2	8	5	6	4	1	3
3	4	5	1	7	2	9	6	8
6	8	1	4	9	3	7	2	5

Medium 286

7	4	1	6	8	3	5	9	2
9	5	3	2	4	1	6	7	8
8	2	6	7	5	9	1	3	4
5	6	8	9	3	4	2	1	7
3	1	4	5	2	7	9	8	6
2	7	9	8	1	6	3	4	5
1	8	2	3	7	5	4	6	9
4	9	5	1	6	8	7	2	3
6	3	7	4	9	2	8	5	1

Medium 287

7	4	1	3	6	9	8	5	2
5	2	3	7	8	4	6	9	1
6	8	9	5	1	2	4	3	7
1	7	2	8	5	6	9	4	3
3	5	6	9	4	1	2	7	8
8	9	4	2	3	7	1	6	5
9	1	5	4	7	8	3	2	6
4	3	8	6	2	5	7	1	9
2	6	7	1	9	3	5	8	4

Medium 288

6	7	1	2	5	3	9	8	4
8	3	5	4	6	9	7	1	2
2	9	4	8	1	7	3	6	5
1	5	3	6	9	2	4	7	8
4	6	8	1	7	5	2	9	3
7	2	9	3	4	8	1	5	6
3	1	2	9	8	6	5	4	7
5	4	6	7	2	1	8	3	9
9	8	7	5	3	4	6	2	1

Medium 289

2	9	4	7	8	6	3	1	5
5	6	8	1	4	3	9	2	7
3	7	1	5	2	9	6	8	4
7	4	3	2	1	5	8	6	9
6	8	2	9	3	4	5	7	1
1	5	9	8	6	7	4	3	2
8	2	5	3	9	1	7	4	6
4	1	7	6	5	8	2	9	3
9	3	6	4	7	2	1	5	8

Medium 290

9	4	2	7	5	1	6	8	3
5	8	1	6	2	3	4	9	7
6	7	3	9	8	4	2	5	1
8	3	6	4	1	2	9	7	5
7	2	9	5	6	8	3	1	4
4	1	5	3	7	9	8	6	2
2	6	7	8	4	5	1	3	9
1	9	8	2	3	7	5	4	6
3	5	4	1	9	6	7	2	8

Medium 291

5	8	3	1	7	2	4	6	9
1	9	2	4	3	6	7	8	5
6	7	4	9	8	5	3	1	2
3	2	5	7	6	4	1	9	8
7	6	8	5	1	9	2	3	4
9	4	1	8	2	3	6	5	7
8	3	6	2	5	7	9	4	1
2	5	9	6	4	1	8	7	3
4	1	7	3	9	8	5	2	6

Medium 292

4	8	6	7	3	9	1	2	5
9	7	5	6	2	1	8	4	3
1	3	2	8	4	5	9	6	7
7	6	8	3	9	4	5	1	2
2	1	3	5	6	8	7	9	4
5	4	9	1	7	2	3	8	6
3	2	7	9	8	6	4	5	1
6	9	1	4	5	3	2	7	8
8	5	4	2	1	7	6	3	9

Medium 293

6	4	1	5	3	9	2	8	7
3	5	8	2	1	7	4	9	6
2	7	9	4	8	6	5	3	1
8	1	2	9	5	3	6	7	4
7	3	6	1	2	4	8	5	9
5	9	4	6	7	8	1	2	3
4	2	3	7	6	5	9	1	8
1	6	7	8	9	2	3	4	5
9	8	5	3	4	1	7	6	2

Medium 294

3	2	5	6	8	4	9	1	7
7	6	8	5	1	9	4	2	3
4	9	1	2	3	7	5	8	6
9	3	2	8	7	6	1	4	5
8	1	6	4	9	5	3	7	2
5	7	4	3	2	1	6	9	8
2	4	3	1	5	8	7	6	9
6	5	7	9	4	2	8	3	1
1	8	9	7	6	3	2	5	4

Medium 295

4	1	2	8	5	3	6	7	9
9	5	8	6	7	4	2	1	3
3	7	6	1	9	2	8	5	4
8	4	5	2	3	7	9	6	1
7	3	1	9	4	6	5	8	2
6	2	9	5	8	1	3	4	7
5	6	7	4	2	9	1	3	8
2	8	4	3	1	5	7	9	6
1	9	3	7	6	8	4	2	5

Medium 296

5	6	3	1	4	8	2	7	9
9	4	2	7	3	5	8	6	1
1	8	7	2	6	9	5	4	3
8	5	4	6	7	3	1	9	2
2	9	1	8	5	4	7	3	6
7	3	6	9	1	2	4	8	5
3	1	8	5	9	7	6	2	4
4	7	5	3	2	6	9	1	8
6	2	9	4	8	1	3	5	7

Medium 297

1	7	6	8	4	9	5	3	2
8	3	4	6	2	5	7	9	1
2	9	5	3	7	1	8	6	4
9	6	2	5	1	8	3	4	7
4	1	3	7	9	2	6	8	5
7	5	8	4	6	3	1	2	9
3	8	1	2	5	4	9	7	6
6	2	9	1	3	7	4	5	8
5	4	7	9	8	6	2	1	3

Medium 298

3	7	1	5	4	2	6	9	8
9	5	4	7	8	6	3	2	1
6	8	2	9	3	1	4	7	5
5	9	8	2	6	4	7	1	3
1	6	7	8	9	3	2	5	4
4	2	3	1	7	5	9	8	6
7	4	9	6	5	8	1	3	2
2	3	5	4	1	7	8	6	9
8	1	6	3	2	9	5	4	7

Medium 299

4	2	8	7	6	1	3	9	5
6	9	5	3	4	2	7	8	1
7	1	3	8	9	5	2	4	6
2	7	9	1	5	3	4	6	8
5	8	6	4	2	7	1	3	9
1	3	4	6	8	9	5	2	7
3	5	2	9	7	6	8	1	4
9	4	1	5	3	8	6	7	2
8	6	7	2	1	4	9	5	3

Medium 300

9	6	5	2	1	7	8	3	4
2	7	4	3	9	8	5	6	1
3	1	8	5	4	6	2	9	7
1	8	9	6	7	3	4	2	5
4	5	2	1	8	9	3	7	6
6	3	7	4	5	2	9	1	8
5	4	6	9	2	1	7	8	3
7	2	1	8	3	4	6	5	9
8	9	3	7	6	5	1	4	2

Medium 301

3	8	4	7	6	1	9	2	5
6	2	7	3	5	9	8	4	1
5	9	1	8	4	2	7	6	3
9	7	3	5	1	4	6	8	2
2	4	8	9	3	6	1	5	7
1	5	6	2	8	7	4	3	9
7	6	2	4	9	3	5	1	8
4	3	5	1	7	8	2	9	6
8	1	9	6	2	5	3	7	4

Medium 302

8	1	3	7	6	2	4	5	9
9	6	7	3	5	4	8	2	1
4	5	2	9	1	8	3	7	6
6	9	5	4	7	1	2	8	3
7	2	8	6	3	9	1	4	5
3	4	1	2	8	5	6	9	7
1	7	4	8	9	6	5	3	2
2	3	6	5	4	7	9	1	8
5	8	9	1	2	3	7	6	4

Medium 303

1	6	7	4	3	2	9	5	8
2	8	3	6	9	5	4	7	1
5	9	4	7	8	1	3	6	2
3	7	8	1	5	6	2	9	4
4	2	5	3	7	9	1	8	6
6	1	9	2	4	8	5	3	7
7	4	6	9	1	3	8	2	5
8	3	2	5	6	4	7	1	9
9	5	1	8	2	7	6	4	3

Medium 304

3	4	2	7	9	6	1	5	8
8	1	7	4	3	5	2	9	6
9	6	5	2	8	1	3	4	7
6	9	3	1	5	7	8	2	4
1	2	4	9	6	8	7	3	5
7	5	8	3	2	4	9	6	1
5	3	6	8	1	2	4	7	9
2	7	1	6	4	9	5	8	3
4	8	9	5	7	3	6	1	2

Medium 305

6	3	1	4	7	9	2	8	5
8	2	9	5	1	3	6	7	4
7	5	4	8	6	2	3	1	9
3	1	6	9	8	4	7	5	2
9	7	5	2	3	6	8	4	1
4	8	2	1	5	7	9	3	6
2	9	3	7	4	1	5	6	8
5	4	7	6	2	8	1	9	3
1	6	8	3	9	5	4	2	7

Medium 306

2	3	4	8	7	5	1	9	6
9	7	5	6	2	1	3	8	4
1	6	8	9	3	4	5	2	7
6	4	1	3	8	2	7	5	9
5	8	2	4	9	7	6	1	3
3	9	7	1	5	6	8	4	2
7	2	9	5	1	3	4	6	8
4	5	3	2	6	8	9	7	1
8	1	6	7	4	9	2	3	5

Medium 307

2	5	6	1	7	4	8	3	9
9	1	4	6	3	8	7	2	5
3	8	7	9	2	5	6	4	1
1	4	9	2	8	6	3	5	7
7	3	8	4	5	1	9	6	2
6	2	5	3	9	7	4	1	8
8	9	1	5	4	3	2	7	6
4	6	2	7	1	9	5	8	3
5	7	3	8	6	2	1	9	4

Medium 308

8	4	7	2	6	5	9	3	1
3	5	9	7	1	8	2	4	6
1	2	6	4	3	9	7	5	8
4	3	1	5	9	6	8	2	7
6	7	2	1	8	4	3	9	5
9	8	5	3	2	7	1	6	4
7	6	3	9	5	1	4	8	2
5	9	4	8	7	2	6	1	3
2	1	8	6	4	3	5	7	9

Medium 309

1	5	8	7	2	3	4	9	6
3	2	4	6	9	5	8	7	1
7	6	9	4	1	8	5	3	2
2	4	7	8	3	1	6	5	9
5	1	3	9	6	4	7	2	8
9	8	6	5	7	2	1	4	3
4	9	1	2	8	7	3	6	5
6	3	5	1	4	9	2	8	7
8	7	2	3	5	6	9	1	4

Medium 310

1	6	4	8	2	5	9	3	7
9	8	7	3	1	4	6	2	5
5	2	3	7	6	9	1	8	4
2	7	1	5	4	8	3	6	9
6	3	5	9	7	2	8	4	1
4	9	8	6	3	1	5	7	2
3	5	6	4	9	7	2	1	8
8	4	2	1	5	3	7	9	6
7	1	9	2	8	6	4	5	3

Medium 311

4	2	8	5	1	9	6	3	7
7	3	5	2	4	6	8	9	1
9	6	1	8	7	3	4	5	2
6	7	3	1	2	8	9	4	5
8	5	2	7	9	4	1	6	3
1	4	9	6	3	5	7	2	8
3	9	7	4	5	1	2	8	6
5	1	6	9	8	2	3	7	4
2	8	4	3	6	7	5	1	9

Medium 312

6	9	2	5	8	7	3	1	4
7	5	1	3	9	4	2	8	6
3	8	4	2	1	6	7	5	9
2	6	8	4	5	3	1	9	7
1	4	9	6	7	8	5	2	3
5	7	3	1	2	9	6	4	8
4	2	7	8	6	5	9	3	1
8	1	6	9	3	2	4	7	5
9	3	5	7	4	1	8	6	2

Medium 313

8	3	2	5	6	7	1	9	4
4	9	7	2	1	3	8	6	5
5	1	6	4	8	9	3	2	7
6	7	1	8	2	4	9	5	3
9	4	3	1	7	5	2	8	6
2	8	5	9	3	6	7	4	1
1	5	4	7	9	8	6	3	2
7	6	9	3	5	2	4	1	8
3	2	8	6	4	1	5	7	9

Medium 314

1	9	7	5	6	2	8	3	4
3	5	4	1	8	9	6	7	2
8	2	6	7	3	4	5	1	9
5	4	8	9	7	1	3	2	6
6	1	3	8	2	5	4	9	7
9	7	2	6	4	3	1	8	5
4	3	5	2	1	7	9	6	8
7	8	1	4	9	6	2	5	3
2	6	9	3	5	8	7	4	1

Medium 315

6	7	5	8	3	9	4	2	1
3	4	2	6	7	1	5	8	9
1	8	9	5	2	4	6	7	3
8	5	6	4	1	7	9	3	2
4	1	3	2	9	5	7	6	8
2	9	7	3	8	6	1	5	4
9	6	8	7	4	2	3	1	5
5	3	1	9	6	8	2	4	7
7	2	4	1	5	3	8	9	6

Medium 316

6	1	7	3	8	2	4	5	9
8	5	2	9	7	4	1	3	6
9	3	4	6	5	1	7	2	8
5	4	9	7	2	6	8	1	3
2	8	1	5	9	3	6	7	4
3	7	6	1	4	8	2	9	5
4	9	5	8	1	7	3	6	2
7	6	8	2	3	9	5	4	1
1	2	3	4	6	5	9	8	7

Medium 317

2	5	7	1	8	3	6	9	4
9	1	3	7	6	4	2	8	5
8	6	4	2	5	9	7	3	1
1	4	6	3	7	8	5	2	9
3	9	2	5	4	1	8	7	6
5	7	8	9	2	6	4	1	3
7	3	5	4	9	2	1	6	8
6	2	1	8	3	5	9	4	7
4	8	9	6	1	7	3	5	2

Medium 318

8	7	3	2	6	9	4	1	5
4	6	9	8	5	1	7	3	2
2	1	5	3	7	4	8	6	9
5	3	6	9	8	2	1	4	7
9	4	2	6	1	7	5	8	3
7	8	1	5	4	3	2	9	6
3	5	8	4	2	6	9	7	1
6	2	7	1	9	8	3	5	4
1	9	4	7	3	5	6	2	8

Medium 319

9	2	5	6	4	7	1	3	8
1	4	7	8	9	3	2	6	5
6	8	3	5	1	2	4	7	9
4	6	2	1	8	9	3	5	7
8	7	1	3	6	5	9	4	2
5	3	9	2	7	4	8	1	6
2	5	4	7	3	8	6	9	1
3	1	8	9	5	6	7	2	4
7	9	6	4	2	1	5	8	3

Medium 320

8	5	6	7	1	3	9	2	4
4	7	2	5	9	6	1	3	8
9	3	1	2	8	4	6	7	5
2	6	7	1	5	9	8	4	3
3	9	5	4	2	8	7	6	1
1	4	8	3	6	7	2	5	9
7	1	3	9	4	2	5	8	6
6	2	9	8	3	5	4	1	7
5	8	4	6	7	1	3	9	2

Medium 321

5	1	6	4	3	9	7	8	2
2	3	4	5	7	8	6	9	1
8	9	7	2	1	6	3	4	5
7	6	9	8	4	1	5	2	3
4	2	8	3	5	7	1	6	9
3	5	1	6	9	2	8	7	4
1	7	2	9	6	5	4	3	8
9	4	5	7	8	3	2	1	6
6	8	3	1	2	4	9	5	7

Medium 322

2	4	7	8	6	5	3	9	1
5	1	3	7	2	9	4	8	6
8	9	6	4	3	1	5	2	7
7	2	9	3	5	8	1	6	4
6	3	1	9	4	2	8	7	5
4	8	5	1	7	6	9	3	2
1	7	4	6	9	3	2	5	8
3	5	8	2	1	7	6	4	9
9	6	2	5	8	4	7	1	3

Medium 323

3	4	9	6	1	7	2	8	5
2	6	1	4	5	8	7	9	3
8	5	7	9	3	2	4	1	6
7	9	3	1	6	5	8	2	4
5	1	8	7	2	4	3	6	9
4	2	6	8	9	3	5	7	1
9	8	2	5	4	6	1	3	7
1	7	5	3	8	9	6	4	2
6	3	4	2	7	1	9	5	8

Medium 324

3	6	1	5	9	2	4	8	7
4	9	7	8	1	3	5	6	2
2	8	5	6	4	7	9	1	3
6	3	4	1	8	5	7	2	9
5	1	8	7	2	9	3	4	6
7	2	9	3	6	4	1	5	8
1	5	2	9	7	6	8	3	4
9	4	3	2	5	8	6	7	1
8	7	6	4	3	1	2	9	5

Medium 325

3	4	6	7	9	5	2	8	1
8	1	2	6	3	4	9	7	5
7	5	9	1	8	2	6	4	3
4	3	1	9	5	8	7	2	6
5	6	8	2	4	7	1	3	9
9	2	7	3	6	1	8	5	4
2	9	3	4	7	6	5	1	8
6	7	5	8	1	3	4	9	2
1	8	4	5	2	9	3	6	7

Medium 326

8	4	7	9	2	1	6	5	3
1	6	2	5	3	8	4	7	9
3	9	5	6	4	7	1	8	2
6	8	3	1	9	2	7	4	5
5	2	1	8	7	4	9	3	6
9	7	4	3	5	6	2	1	8
7	3	6	2	1	5	8	9	4
2	1	9	4	8	3	5	6	7
4	5	8	7	6	9	3	2	1

Medium 327

8	2	5	3	9	7	6	1	4
7	6	4	8	1	5	9	3	2
9	1	3	2	4	6	7	5	8
1	3	7	9	6	2	4	8	5
6	8	9	1	5	4	2	7	3
4	5	2	7	8	3	1	6	9
5	4	8	6	2	1	3	9	7
2	7	1	5	3	9	8	4	6
3	9	6	4	7	8	5	2	1

Medium 328

9	1	8	2	3	5	4	7	6
2	7	4	6	1	8	3	9	5
5	3	6	7	9	4	8	2	1
8	2	5	9	4	6	1	3	7
7	9	3	1	8	2	5	6	4
4	6	1	5	7	3	2	8	9
3	5	2	4	6	9	7	1	8
1	4	9	8	2	7	6	5	3
6	8	7	3	5	1	9	4	2

Medium 329

7	9	8	1	4	3	6	5	2
3	2	4	7	6	5	1	8	9
1	6	5	9	8	2	7	3	4
5	4	9	8	3	6	2	1	7
2	1	6	5	7	4	8	9	3
8	3	7	2	1	9	5	4	6
6	7	3	4	5	1	9	2	8
9	8	1	3	2	7	4	6	5
4	5	2	6	9	8	3	7	1

Medium 330

1	3	8	2	9	7	5	4	6
2	4	7	6	5	3	9	8	1
5	9	6	8	4	1	3	2	7
3	1	5	4	2	9	6	7	8
7	6	2	1	3	8	4	5	9
4	8	9	5	7	6	2	1	3
9	2	1	3	8	4	7	6	5
6	5	3	7	1	2	8	9	4
8	7	4	9	6	5	1	3	2

Medium 331

1	2	3	7	8	9	5	4	6
6	7	4	3	5	2	1	8	9
9	5	8	6	4	1	3	7	2
7	6	1	5	2	8	4	9	3
5	4	2	9	3	6	7	1	8
8	3	9	4	1	7	2	6	5
3	8	7	2	6	4	9	5	1
4	1	5	8	9	3	6	2	7
2	9	6	1	7	5	8	3	4

Medium 332

5	1	3	6	4	7	9	8	2
4	6	7	2	9	8	3	1	5
8	9	2	1	5	3	7	4	6
2	4	9	3	6	1	8	5	7
3	5	6	8	7	9	1	2	4
7	8	1	4	2	5	6	3	9
9	3	4	5	8	6	2	7	1
1	7	5	9	3	2	4	6	8
6	2	8	7	1	4	5	9	3

Medium 333

7	1	4	9	6	3	5	2	8
8	3	9	7	2	5	4	1	6
6	5	2	4	8	1	3	9	7
5	4	6	3	9	8	2	7	1
9	2	3	1	4	7	6	8	5
1	7	8	2	5	6	9	3	4
3	6	1	5	7	9	8	4	2
2	9	5	8	1	4	7	6	3
4	8	7	6	3	2	1	5	9

Medium 334

2	8	4	1	5	3	6	7	9
9	7	1	4	8	6	3	2	5
5	6	3	9	2	7	4	1	8
6	4	9	8	3	1	2	5	7
3	2	5	7	6	9	1	8	4
7	1	8	5	4	2	9	6	3
4	5	6	3	1	8	7	9	2
8	9	2	6	7	4	5	3	1
1	3	7	2	9	5	8	4	6

Medium 335

1	7	2	9	4	5	3	6	8
4	6	9	1	8	3	7	2	5
3	5	8	6	7	2	9	1	4
6	4	1	3	5	7	2	8	9
7	8	5	2	6	9	1	4	3
2	9	3	4	1	8	5	7	6
5	3	6	8	2	1	4	9	7
8	1	7	5	9	4	6	3	2
9	2	4	7	3	6	8	5	1

Medium 336

8	1	4	6	3	2	7	9	5
7	5	2	4	1	9	3	6	8
6	3	9	7	5	8	1	4	2
1	6	3	8	9	4	5	2	7
9	7	5	2	6	3	8	1	4
4	2	8	5	7	1	9	3	6
3	4	7	1	2	5	6	8	9
5	8	1	9	4	6	2	7	3
2	9	6	3	8	7	4	5	1

Medium 337

9	1	2	6	8	4	5	7	3
3	8	6	5	9	7	1	4	2
4	7	5	2	1	3	9	8	6
7	9	1	8	4	6	3	2	5
2	5	4	3	7	1	6	9	8
6	3	8	9	5	2	7	1	4
1	6	9	4	2	5	8	3	7
8	4	3	7	6	9	2	5	1
5	2	7	1	3	8	4	6	9

Medium 338

6	8	7	2	4	5	9	3	1
3	2	5	9	7	1	8	6	4
9	4	1	3	8	6	7	2	5
8	7	2	1	6	4	5	9	3
5	9	6	7	3	8	1	4	2
4	1	3	5	2	9	6	7	8
1	3	4	8	9	7	2	5	6
7	6	8	4	5	2	3	1	9
2	5	9	6	1	3	4	8	7

Medium 339

3	4	8	7	5	1	9	2	6
5	2	9	4	3	6	8	7	1
1	6	7	2	9	8	4	3	5
8	3	1	9	4	2	5	6	7
9	7	6	5	8	3	1	4	2
4	5	2	6	1	7	3	9	8
6	1	4	8	7	9	2	5	3
2	9	3	1	6	5	7	8	4
7	8	5	3	2	4	6	1	9

Medium 340

5	3	8	7	6	2	4	1	9
4	6	1	3	9	5	8	7	2
7	9	2	1	4	8	3	6	5
9	5	7	6	3	4	2	8	1
8	1	6	5	2	7	9	3	4
2	4	3	8	1	9	6	5	7
3	8	9	4	5	1	7	2	6
1	7	4	2	8	6	5	9	3
6	2	5	9	7	3	1	4	8

Medium 341

6	5	9	4	3	1	2	8	7
4	1	2	9	8	7	6	5	3
7	8	3	5	2	6	4	9	1
8	6	4	2	7	5	1	3	9
5	3	7	6	1	9	8	2	4
9	2	1	8	4	3	5	7	6
3	7	5	1	6	2	9	4	8
1	9	8	7	5	4	3	6	2
2	4	6	3	9	8	7	1	5

Medium 342

4	5	1	8	9	2	6	3	7
9	3	7	4	5	6	1	2	8
6	8	2	3	7	1	9	5	4
2	4	3	1	6	7	8	9	5
5	6	8	9	4	3	7	1	2
1	7	9	5	2	8	4	6	3
3	2	6	7	1	4	5	8	9
7	1	5	2	8	9	3	4	6
8	9	4	6	3	5	2	7	1

Hard 1

8	6	7	2	3	1	9	5	4
1	4	9	7	5	6	3	2	8
5	3	2	9	8	4	7	1	6
9	7	1	5	2	8	6	4	3
4	5	3	1	6	7	8	9	2
2	8	6	3	4	9	1	7	5
3	1	4	6	7	2	5	8	9
6	9	8	4	1	5	2	3	7
7	2	5	8	9	3	4	6	1

Hard 2

8	4	9	1	2	6	7	5	3
6	2	5	4	3	7	8	1	9
1	3	7	9	5	8	2	6	4
9	8	4	2	1	5	3	7	6
7	1	2	3	6	4	5	9	8
5	6	3	7	8	9	4	2	1
2	7	1	8	9	3	6	4	5
3	9	6	5	4	2	1	8	7
4	5	8	6	7	1	9	3	2

Hard 3

2	8	9	4	3	5	1	6	7
3	6	4	8	7	1	9	2	5
5	7	1	2	6	9	8	3	4
7	4	5	3	8	6	2	9	1
8	9	2	5	1	4	6	7	3
1	3	6	7	9	2	5	4	8
9	2	7	1	5	3	4	8	6
4	5	3	6	2	8	7	1	9
6	1	8	9	4	7	3	5	2

Hard 4

5	9	7	6	4	3	2	1	8
8	6	3	1	2	5	4	7	9
1	4	2	7	8	9	5	6	3
4	3	1	9	5	8	6	2	7
7	2	5	3	6	4	9	8	1
9	8	6	2	7	1	3	4	5
2	7	8	5	9	6	1	3	4
6	1	9	4	3	7	8	5	2
3	5	4	8	1	2	7	9	6

Hard 5

4	2	7	9	5	6	3	1	8
8	5	3	1	2	7	9	4	6
9	6	1	8	4	3	2	7	5
6	8	4	2	9	1	5	3	7
5	7	2	3	6	4	1	8	9
3	1	9	5	7	8	4	6	2
7	9	8	4	3	2	6	5	1
1	4	5	6	8	9	7	2	3
2	3	6	7	1	5	8	9	4

Hard 6

8	1	7	3	9	4	5	2	6
9	4	6	5	2	1	3	8	7
2	3	5	7	8	6	1	4	9
6	5	4	2	7	3	8	9	1
3	2	9	6	1	8	7	5	4
7	8	1	9	4	5	2	6	3
1	6	8	4	5	7	9	3	2
4	7	2	8	3	9	6	1	5
5	9	3	1	6	2	4	7	8

Hard 7

7	2	1	8	9	5	4	3	6
9	3	4	6	7	2	8	5	1
6	5	8	1	3	4	9	7	2
8	7	3	2	4	1	5	6	9
5	9	2	3	8	6	7	1	4
1	4	6	9	5	7	3	2	8
2	8	9	7	6	3	1	4	5
3	6	5	4	1	9	2	8	7
4	1	7	5	2	8	6	9	3

Hard 8

9	1	4	3	7	6	8	2	5
5	7	8	4	9	2	3	6	1
2	3	6	1	5	8	9	4	7
7	6	9	5	2	3	1	8	4
3	5	1	9	8	4	6	7	2
8	4	2	6	1	7	5	9	3
1	8	7	2	3	9	4	5	6
4	2	3	8	6	5	7	1	9
6	9	5	7	4	1	2	3	8

Hard 9

8	4	5	1	7	3	9	6	2
6	1	3	8	2	9	7	4	5
7	9	2	6	5	4	1	8	3
3	5	7	9	8	6	4	2	1
4	2	8	7	1	5	6	3	9
1	6	9	3	4	2	5	7	8
2	7	4	5	3	1	8	9	6
9	3	1	4	6	8	2	5	7
5	8	6	2	9	7	3	1	4

Hard 10

2	9	3	1	8	4	6	5	7
6	4	7	9	2	5	3	1	8
5	8	1	6	3	7	9	2	4
1	6	8	4	5	9	2	7	3
9	2	5	3	7	8	4	6	1
7	3	4	2	6	1	5	8	9
3	7	6	8	9	2	1	4	5
4	5	9	7	1	6	8	3	2
8	1	2	5	4	3	7	9	6

Hard 11

4	1	7	9	6	5	2	3	8
9	3	8	4	7	2	6	5	1
5	6	2	3	1	8	7	9	4
3	5	4	6	8	7	1	2	9
1	7	6	2	3	9	4	8	5
8	2	9	1	5	4	3	7	6
7	4	3	8	9	6	5	1	2
2	9	5	7	4	1	8	6	3
6	8	1	5	2	3	9	4	7

Hard 12

5	7	1	9	2	4	3	8	6
3	4	6	8	1	5	7	9	2
9	8	2	6	3	7	5	1	4
1	9	8	5	4	2	6	3	7
4	5	7	3	6	9	8	2	1
6	2	3	7	8	1	9	4	5
7	1	5	2	9	8	4	6	3
2	3	9	4	5	6	1	7	8
8	6	4	1	7	3	2	5	9

Hard 13

7	6	4	8	2	1	3	9	5
5	2	3	6	9	7	8	4	1
1	8	9	5	4	3	2	6	7
2	9	7	1	3	5	4	8	6
6	3	1	7	8	4	9	5	2
8	4	5	9	6	2	7	1	3
4	1	8	2	7	6	5	3	9
3	7	6	4	5	9	1	2	8
9	5	2	3	1	8	6	7	4

Hard 14

4	2	1	6	8	3	9	5	7
6	7	9	2	5	4	1	8	3
8	3	5	9	1	7	4	2	6
9	4	3	5	2	1	6	7	8
1	6	2	7	9	8	5	3	4
5	8	7	3	4	6	2	1	9
3	5	6	1	7	9	8	4	2
2	9	8	4	3	5	7	6	1
7	1	4	8	6	2	3	9	5

Hard 15

8	9	1	5	3	2	7	4	6
6	3	7	4	1	9	2	8	5
5	4	2	6	8	7	1	9	3
3	1	4	2	7	6	9	5	8
9	6	8	3	5	1	4	2	7
7	2	5	9	4	8	3	6	1
1	8	9	7	6	4	5	3	2
2	5	6	1	9	3	8	7	4
4	7	3	8	2	5	6	1	9

Hard 16

7	6	4	8	9	2	1	3	5
5	2	3	6	1	4	7	9	8
1	8	9	7	3	5	6	4	2
9	3	8	5	7	6	4	2	1
6	7	5	4	2	1	3	8	9
4	1	2	9	8	3	5	7	6
8	4	1	2	5	7	9	6	3
3	9	7	1	6	8	2	5	4
2	5	6	3	4	9	8	1	7

Hard 17

1	4	7	8	9	2	5	3	6
2	8	3	4	5	6	1	7	9
6	5	9	7	3	1	8	2	4
5	7	8	2	6	4	3	9	1
4	3	6	9	1	5	2	8	7
9	2	1	3	7	8	6	4	5
3	9	5	1	2	7	4	6	8
7	6	4	5	8	3	9	1	2
8	1	2	6	4	9	7	5	3

Hard 18

9	6	2	1	5	8	3	4	7
3	5	1	9	7	4	6	2	8
8	7	4	3	6	2	5	9	1
7	2	5	8	4	9	1	3	6
4	1	9	7	3	6	8	5	2
6	3	8	2	1	5	9	7	4
5	9	6	4	8	7	2	1	3
2	4	3	6	9	1	7	8	5
1	8	7	5	2	3	4	6	9

Hard 19

2	6	9	3	1	5	7	8	4
3	4	1	7	8	2	6	9	5
7	5	8	9	6	4	1	2	3
6	1	2	4	7	8	3	5	9
8	3	5	2	9	1	4	7	6
4	9	7	6	5	3	8	1	2
5	7	6	8	4	9	2	3	1
1	2	4	5	3	7	9	6	8
9	8	3	1	2	6	5	4	7

Hard 20

6	3	1	5	9	2	4	7	8
7	5	2	8	6	4	9	1	3
9	4	8	3	7	1	5	2	6
1	8	9	4	3	7	2	6	5
5	6	7	2	8	9	3	4	1
3	2	4	1	5	6	7	8	9
2	1	3	6	4	5	8	9	7
4	9	5	7	1	8	6	3	2
8	7	6	9	2	3	1	5	4

Hard 21

3	6	2	1	7	4	8	9	5
5	4	9	3	2	8	7	1	6
7	8	1	5	6	9	2	4	3
2	1	6	8	3	7	9	5	4
9	7	8	4	1	5	3	6	2
4	3	5	6	9	2	1	8	7
8	2	3	9	4	6	5	7	1
1	5	4	7	8	3	6	2	9
6	9	7	2	5	1	4	3	8

Hard 22

2	1	8	7	5	3	6	4	9
3	7	6	9	2	4	1	5	8
5	4	9	6	1	8	3	2	7
9	5	2	8	3	1	7	6	4
8	6	7	2	4	9	5	3	1
4	3	1	5	6	7	9	8	2
1	9	4	3	8	5	2	7	6
6	8	5	1	7	2	4	9	3
7	2	3	4	9	6	8	1	5

Hard 23

9	5	7	3	1	4	6	8	2
8	6	1	9	2	5	3	7	4
2	4	3	6	8	7	9	1	5
4	3	2	7	9	6	8	5	1
1	9	6	4	5	8	7	2	3
7	8	5	1	3	2	4	9	6
5	2	4	8	7	3	1	6	9
3	7	9	5	6	1	2	4	8
6	1	8	2	4	9	5	3	7

Hard 24

2	7	6	5	1	3	4	9	8
3	4	5	9	8	7	6	2	1
9	8	1	6	2	4	5	7	3
5	3	8	4	9	1	7	6	2
1	6	9	2	7	5	3	8	4
7	2	4	3	6	8	9	1	5
8	5	7	1	3	9	2	4	6
4	9	2	8	5	6	1	3	7
6	1	3	7	4	2	8	5	9

Hard 25								
7	1	4	9	5	3	6	2	8
5	2	9	8	6	4	1	3	7
3	8	6	2	7	1	5	9	4
9	3	7	5	1	8	4	6	2
8	6	1	4	2	9	7	5	3
4	5	2	6	3	7	8	1	9
2	7	3	1	8	6	9	4	5
1	4	5	7	9	2	3	8	6
6	9	8	3	4	5	2	7	1

Hard 26								
9	3	8	5	7	6	4	1	2
2	7	4	9	3	1	6	5	8
5	6	1	4	2	8	9	7	3
4	1	5	7	9	3	2	8	6
3	9	6	8	5	2	1	4	7
7	8	2	6	1	4	5	3	9
1	4	3	2	8	9	7	6	5
8	2	7	1	6	5	3	9	4
6	5	9	3	4	7	8	2	1

Hard 27								
3	7	2	6	9	5	4	1	8
6	8	9	3	4	1	7	2	5
5	1	4	7	8	2	6	9	3
1	2	5	8	6	3	9	4	7
4	6	7	1	5	9	8	3	2
8	9	3	2	7	4	1	5	6
7	3	1	4	2	6	5	8	9
2	5	8	9	1	7	3	6	4
9	4	6	5	3	8	2	7	1

Hard 28								
1	2	7	9	5	6	3	8	4
4	9	5	3	8	1	2	7	6
6	8	3	2	4	7	5	9	1
5	1	9	6	7	3	8	4	2
7	6	4	5	2	8	1	3	9
8	3	2	4	1	9	7	6	5
2	7	6	8	9	5	4	1	3
3	4	1	7	6	2	9	5	8
9	5	8	1	3	4	6	2	7

Hard 29								
1	5	7	6	4	3	9	2	8
6	2	9	7	8	5	1	3	4
4	8	3	2	9	1	5	6	7
9	6	4	5	1	8	3	7	2
8	3	5	9	7	2	6	4	1
7	1	2	3	6	4	8	5	9
5	4	8	1	3	7	2	9	6
2	9	1	4	5	6	7	8	3
3	7	6	8	2	9	4	1	5

Hard 30								
5	7	8	4	1	3	6	2	9
3	4	9	7	6	2	1	5	8
1	6	2	8	9	5	3	7	4
8	2	7	1	3	4	5	9	6
6	5	4	9	7	8	2	1	3
9	3	1	5	2	6	4	8	7
7	1	5	3	4	9	8	6	2
4	9	6	2	8	1	7	3	5
2	8	3	6	5	7	9	4	1

Hard 31								
7	1	3	5	6	8	4	9	2
9	2	6	7	4	1	8	5	3
5	8	4	2	3	9	6	7	1
8	6	7	3	1	5	9	2	4
1	5	2	9	8	4	7	3	6
3	4	9	6	7	2	5	1	8
2	9	8	4	5	3	1	6	7
4	7	5	1	2	6	3	8	9
6	3	1	8	9	7	2	4	5

Hard 32								
6	7	1	5	8	2	3	4	9
3	2	9	4	7	6	1	8	5
5	8	4	1	3	9	2	7	6
1	5	8	6	9	7	4	3	2
2	9	6	8	4	3	5	1	7
4	3	7	2	5	1	6	9	8
8	4	3	7	2	5	9	6	1
7	6	2	9	1	4	8	5	3
9	1	5	3	6	8	7	2	4

Hard 33								
8	3	7	1	9	6	2	5	4
4	6	2	7	8	5	3	9	1
1	5	9	2	3	4	8	6	7
6	4	8	9	1	7	5	3	2
7	9	3	4	5	2	6	1	8
2	1	5	8	6	3	7	4	9
3	2	4	5	7	1	9	8	6
5	8	1	6	2	9	4	7	3
9	7	6	3	4	8	1	2	5

Hard 34								
1	9	7	8	4	6	3	5	2
4	2	8	5	1	3	7	6	9
5	3	6	7	2	9	4	1	8
9	1	2	4	5	8	6	3	7
6	8	5	3	7	1	2	9	4
7	4	3	6	9	2	5	8	1
3	7	9	2	8	5	1	4	6
8	5	4	1	6	7	9	2	3
2	6	1	9	3	4	8	7	5

Hard 35								
1	9	7	3	2	5	4	6	8
4	5	6	7	9	8	1	3	2
3	8	2	1	6	4	9	7	5
5	7	9	2	4	1	6	8	3
8	1	3	6	5	7	2	9	4
6	2	4	8	3	9	7	5	1
9	3	5	4	7	2	8	1	6
7	4	1	5	8	6	3	2	9
2	6	8	9	1	3	5	4	7

Hard 36								
8	5	2	1	6	3	4	9	7
3	4	9	7	5	2	1	8	6
7	6	1	9	4	8	3	5	2
4	2	8	3	7	1	9	6	5
5	9	7	6	2	4	8	3	1
6	1	3	8	9	5	2	7	4
9	3	6	2	1	7	5	4	8
2	8	5	4	3	6	7	1	9
1	7	4	5	8	9	6	2	3

Hard 37								
2	5	1	4	6	8	7	9	3
3	4	8	2	7	9	5	6	1
6	9	7	5	1	3	2	4	8
5	2	4	9	8	1	6	3	7
1	7	3	6	4	5	9	8	2
9	8	6	3	2	7	1	5	4
8	6	5	7	3	2	4	1	9
7	3	9	1	5	4	8	2	6
4	1	2	8	9	6	3	7	5

Hard 38								
3	7	6	5	8	9	2	1	4
5	1	4	7	6	2	8	3	9
2	8	9	4	3	1	6	7	5
9	4	1	6	2	7	3	5	8
7	2	5	8	9	3	1	4	6
8	6	3	1	4	5	9	2	7
4	3	2	9	5	6	7	8	1
6	5	7	2	1	8	4	9	3
1	9	8	3	7	4	5	6	2

Hard 39								
5	4	1	8	3	2	7	9	6
6	8	3	4	7	9	2	1	5
7	2	9	6	5	1	8	3	4
8	1	6	5	4	3	9	2	7
4	3	7	9	2	8	6	5	1
2	9	5	1	6	7	4	8	3
9	7	2	3	1	4	5	6	8
3	5	8	7	9	6	1	4	2
1	6	4	2	8	5	3	7	9

Hard 40								
5	7	9	1	8	6	3	4	2
3	6	8	4	2	9	1	5	7
1	4	2	5	3	7	9	6	8
6	2	4	9	5	1	7	8	3
9	5	7	8	4	3	2	1	6
8	3	1	6	7	2	4	9	5
2	9	6	7	1	8	5	3	4
7	8	5	3	9	4	6	2	1
4	1	3	2	6	5	8	7	9

Hard 41								
5	8	1	4	6	9	3	7	2
9	6	7	3	5	2	4	8	1
4	3	2	7	1	8	9	5	6
1	5	6	9	3	4	7	2	8
8	7	3	6	2	1	5	9	4
2	9	4	5	8	7	6	1	3
3	4	8	1	7	5	2	6	9
7	1	9	2	4	6	8	3	5
6	2	5	8	9	3	1	4	7

Hard 42								
3	9	7	8	4	2	6	1	5
1	8	5	3	9	6	2	4	7
4	6	2	1	5	7	8	3	9
5	2	3	4	8	1	9	7	6
6	1	8	2	7	9	3	5	4
7	4	9	5	6	3	1	2	8
2	7	4	9	1	8	5	6	3
8	5	1	6	3	4	7	9	2
9	3	6	7	2	5	4	8	1

Hard 43								
9	3	8	4	1	5	2	6	7
4	1	6	3	7	2	8	9	5
2	5	7	6	9	8	3	4	1
5	9	4	2	6	1	7	3	8
6	2	3	5	8	7	9	1	4
7	8	1	9	4	3	6	5	2
1	6	9	7	2	4	5	8	3
3	4	2	8	5	9	1	7	6
8	7	5	1	3	6	4	2	9

Hard 44								
7	1	5	9	8	3	4	2	6
9	3	6	5	4	2	1	8	7
2	4	8	7	6	1	9	5	3
3	2	9	6	1	8	5	7	4
5	6	4	3	2	7	8	9	1
1	8	7	4	5	9	6	3	2
8	9	2	1	7	6	3	4	5
4	7	1	8	3	5	2	6	9
6	5	3	2	9	4	7	1	8

Hard 45								
1	5	7	4	8	6	9	3	2
6	3	4	2	9	1	5	8	7
8	2	9	5	7	3	1	6	4
7	8	5	1	3	2	6	4	9
3	1	2	9	6	4	8	7	5
9	4	6	7	5	8	2	1	3
5	7	3	6	1	9	4	2	8
2	9	1	8	4	7	3	5	6
4	6	8	3	2	5	7	9	1

Hard 46								
1	9	6	8	4	3	2	7	5
2	4	3	7	6	5	1	8	9
7	5	8	2	1	9	6	4	3
3	8	7	9	5	6	4	1	2
9	6	1	4	2	8	3	5	7
4	2	5	3	7	1	9	6	8
6	1	9	5	8	2	7	3	4
8	7	2	6	3	4	5	9	1
5	3	4	1	9	7	8	2	6

Hard 47								
9	2	3	6	5	1	8	4	7
1	6	4	8	7	3	9	5	2
5	8	7	2	9	4	6	3	1
7	1	6	4	2	9	5	8	3
8	4	2	3	6	5	7	1	9
3	5	9	1	8	7	2	6	4
6	9	1	5	4	2	3	7	8
2	3	5	7	1	8	4	9	6
4	7	8	9	3	6	1	2	5

Hard 48								
8	9	4	6	7	3	1	5	2
2	5	1	9	4	8	6	3	7
6	7	3	2	1	5	4	9	8
5	6	2	7	8	1	9	4	3
3	1	7	4	5	9	8	2	6
9	4	8	3	6	2	5	7	1
1	8	9	5	3	7	2	6	4
4	3	5	1	2	6	7	8	9
7	2	6	8	9	4	3	1	5

Hard 49

8	3	7	6	9	5	1	4	2
6	2	9	8	4	1	5	7	3
5	4	1	2	7	3	6	9	8
7	8	3	4	6	9	2	5	1
9	1	6	5	8	2	7	3	4
2	5	4	3	1	7	8	6	9
1	9	2	7	3	6	4	8	5
3	6	8	1	5	4	9	2	7
4	7	5	9	2	8	3	1	6

Hard 50

7	1	4	3	2	9	6	8	5
9	3	2	6	5	8	7	4	1
8	6	5	7	4	1	3	2	9
2	8	7	1	9	5	4	3	6
3	5	9	4	7	6	2	1	8
1	4	6	2	8	3	5	9	7
4	2	8	5	1	7	9	6	3
6	7	1	9	3	4	8	5	2
5	9	3	8	6	2	1	7	4

Hard 51

8	5	4	6	3	9	2	7	1
2	9	3	1	8	7	5	4	6
7	6	1	4	5	2	3	9	8
6	1	9	2	4	5	8	3	7
3	7	8	9	1	6	4	2	5
4	2	5	8	7	3	6	1	9
1	8	6	7	2	4	9	5	3
5	4	7	3	9	8	1	6	2
9	3	2	5	6	1	7	8	4

Hard 52

7	6	8	3	4	2	1	5	9
2	1	9	8	6	5	3	7	4
3	4	5	7	1	9	6	8	2
8	5	2	4	7	1	9	6	3
4	3	1	9	8	6	7	2	5
9	7	6	2	5	3	8	4	1
6	2	7	1	3	4	5	9	8
1	8	4	5	9	7	2	3	6
5	9	3	6	2	8	4	1	7

Hard 53

4	3	7	9	8	1	5	2	6
5	1	9	2	7	6	3	8	4
6	2	8	5	3	4	1	7	9
2	5	3	4	9	7	6	1	8
7	8	6	1	5	3	9	4	2
9	4	1	6	2	8	7	5	3
1	9	4	8	6	5	2	3	7
8	7	2	3	1	9	4	6	5
3	6	5	7	4	2	8	9	1

Hard 54

8	6	7	4	9	5	3	1	2
3	5	9	8	1	2	4	7	6
4	2	1	7	3	6	5	9	8
9	1	2	5	7	3	8	6	4
7	8	5	2	6	4	1	3	9
6	3	4	1	8	9	7	2	5
1	4	3	9	2	8	6	5	7
2	7	8	6	5	1	9	4	3
5	9	6	3	4	7	2	8	1

Hard 55

3	9	6	2	4	7	8	1	5
1	7	5	8	9	6	2	3	4
8	2	4	1	5	3	7	6	9
9	6	1	7	3	5	4	8	2
5	4	2	6	8	9	3	7	1
7	3	8	4	1	2	9	5	6
2	1	3	9	6	8	5	4	7
6	8	7	5	2	4	1	9	3
4	5	9	3	7	1	6	2	8

Hard 56

6	2	8	5	3	7	4	9	1
1	4	5	9	2	6	8	3	7
3	7	9	8	1	4	5	2	6
8	3	6	7	4	2	9	1	5
5	1	2	6	9	8	3	7	4
4	9	7	3	5	1	6	8	2
2	6	4	1	8	9	7	5	3
7	8	3	2	6	5	1	4	9
9	5	1	4	7	3	2	6	8

Hard 57

3	2	9	7	6	5	1	8	4
6	4	1	8	9	2	5	3	7
7	5	8	4	3	1	9	2	6
4	6	7	9	2	3	8	5	1
2	8	5	1	4	7	3	6	9
1	9	3	6	5	8	7	4	2
8	7	2	5	1	6	4	9	3
5	3	4	2	7	9	6	1	8
9	1	6	3	8	4	2	7	5

Hard 58

4	1	3	7	5	8	2	9	6
8	5	6	2	1	9	3	4	7
7	2	9	3	6	4	5	8	1
1	9	2	6	4	3	8	7	5
6	3	4	5	8	7	9	1	2
5	8	7	1	9	2	6	3	4
3	4	5	8	2	1	7	6	9
9	6	8	4	7	5	1	2	3
2	7	1	9	3	6	4	5	8

Hard 59

9	6	4	8	5	3	2	1	7
2	5	3	9	7	1	4	8	6
1	7	8	6	4	2	9	5	3
4	8	1	7	2	9	3	6	5
7	3	6	4	1	5	8	9	2
5	9	2	3	8	6	1	7	4
3	2	5	1	9	7	6	4	8
8	1	7	2	6	4	5	3	9
6	4	9	5	3	8	7	2	1

Hard 60

6	4	9	3	1	5	2	7	8
1	3	2	7	8	4	5	6	9
7	5	8	6	9	2	3	4	1
5	7	1	8	4	6	9	2	3
2	9	4	1	3	7	8	5	6
8	6	3	5	2	9	4	1	7
9	2	7	4	6	8	1	3	5
3	8	5	2	7	1	6	9	4
4	1	6	9	5	3	7	8	2

Hard 61

4	3	6	9	7	8	1	2	5
2	5	7	3	1	4	8	6	9
1	8	9	6	5	2	3	7	4
8	9	1	7	2	3	5	4	6
6	7	4	5	9	1	2	8	3
3	2	5	8	4	6	9	1	7
9	1	8	4	6	5	7	3	2
5	6	2	1	3	7	4	9	8
7	4	3	2	8	9	6	5	1

Hard 62

7	1	8	9	5	6	2	3	4
2	3	9	1	7	4	6	8	5
5	6	4	3	8	2	1	7	9
1	7	2	8	4	3	5	9	6
4	9	3	5	6	1	8	2	7
6	8	5	2	9	7	4	1	3
8	4	1	6	3	9	7	5	2
9	2	7	4	1	5	3	6	8
3	5	6	7	2	8	9	4	1

Hard 63

6	4	1	5	7	2	3	8	9
5	3	7	4	8	9	2	6	1
8	2	9	6	3	1	5	7	4
1	7	8	2	5	3	4	9	6
2	6	4	9	1	8	7	3	5
9	5	3	7	6	4	8	1	2
3	9	5	8	2	6	1	4	7
4	8	2	1	9	7	6	5	3
7	1	6	3	4	5	9	2	8

Hard 64

9	7	4	3	5	6	1	8	2
5	8	2	9	7	1	3	6	4
3	6	1	8	2	4	7	9	5
8	9	5	4	6	3	2	1	7
6	2	3	7	1	8	5	4	9
1	4	7	2	9	5	6	3	8
7	1	6	5	4	9	8	2	3
4	5	8	6	3	2	9	7	1
2	3	9	1	8	7	4	5	6

Hard 65

2	8	6	9	3	5	4	1	7
7	5	4	2	6	1	3	8	9
1	3	9	4	8	7	5	2	6
3	6	1	8	4	2	9	7	5
4	2	5	7	9	3	1	6	8
9	7	8	5	1	6	2	3	4
8	1	7	3	5	9	6	4	2
6	9	2	1	7	4	8	5	3
5	4	3	6	2	8	7	9	1

Hard 66

1	9	8	3	2	4	7	5	6
4	6	3	7	8	5	9	1	2
5	7	2	6	9	1	3	4	8
3	4	7	8	6	9	1	2	5
6	1	5	4	7	2	8	3	9
2	8	9	1	5	3	6	7	4
9	3	4	5	1	8	2	6	7
8	5	6	2	3	7	4	9	1
7	2	1	9	4	6	5	8	3

Hard 67

8	4	9	7	3	6	5	2	1
1	2	6	5	4	9	8	7	3
7	3	5	1	8	2	6	4	9
4	7	8	6	1	3	9	5	2
9	6	3	2	5	4	7	1	8
5	1	2	8	9	7	4	3	6
6	8	4	3	2	5	1	9	7
3	9	7	4	6	1	2	8	5
2	5	1	9	7	8	3	6	4

Hard 68

6	3	7	5	1	8	9	4	2
5	9	2	6	4	7	1	8	3
4	8	1	9	2	3	7	6	5
7	5	3	2	8	9	6	1	4
2	1	9	4	5	6	8	3	7
8	6	4	7	3	1	2	5	9
3	7	5	8	6	2	4	9	1
1	2	6	3	9	4	5	7	8
9	4	8	1	7	5	3	2	6

Hard 69

2	6	5	8	7	4	9	3	1
4	9	3	2	6	1	5	8	7
1	7	8	5	3	9	6	2	4
3	2	1	6	5	8	7	4	9
6	5	7	9	4	3	2	1	8
8	4	9	7	1	2	3	6	5
5	8	2	4	9	6	1	7	3
7	1	6	3	8	5	4	9	2
9	3	4	1	2	7	8	5	6

Hard 70

4	6	7	5	9	3	1	8	2
1	3	5	2	8	7	4	6	9
8	2	9	4	6	1	5	3	7
9	4	3	8	5	6	2	7	1
6	7	2	3	1	4	9	5	8
5	8	1	7	2	9	6	4	3
7	1	4	6	3	2	8	9	5
2	5	6	9	7	8	3	1	4
3	9	8	1	4	5	7	2	6

Hard 71

6	9	1	2	3	4	5	7	8
4	8	3	6	7	5	1	9	2
2	7	5	9	8	1	6	4	3
3	5	4	1	9	7	2	8	6
1	6	9	4	2	8	7	3	5
8	2	7	5	6	3	4	1	9
9	4	2	3	1	6	8	5	7
5	3	8	7	4	2	9	6	1
7	1	6	8	5	9	3	2	4

Hard 72

1	4	5	8	2	6	7	9	3
8	6	7	3	9	5	4	2	1
3	2	9	7	1	4	5	8	6
4	8	2	1	5	3	6	7	9
9	5	6	2	8	7	1	3	4
7	1	3	6	4	9	8	5	2
5	3	1	4	7	2	9	6	8
6	9	8	5	3	1	2	4	7
2	7	4	9	6	8	3	1	5

Hard 73

2	5	9	4	8	7	6	3	1
7	3	8	6	1	2	9	5	4
6	1	4	5	9	3	2	8	7
9	4	1	8	3	5	7	2	6
8	7	6	9	2	1	5	4	3
3	2	5	7	6	4	8	1	9
5	6	3	1	7	8	4	9	2
4	9	2	3	5	6	1	7	8
1	8	7	2	4	9	3	6	5

Hard 74

6	2	1	7	4	3	5	9	8
9	4	7	5	6	8	1	2	3
3	5	8	9	1	2	4	7	6
8	9	5	3	2	4	7	6	1
1	3	4	6	7	5	2	8	9
2	7	6	8	9	1	3	4	5
5	8	9	4	3	7	6	1	2
4	1	3	2	8	6	9	5	7
7	6	2	1	5	9	8	3	4

Hard 75

1	5	7	3	8	2	6	9	4
6	4	3	7	9	5	8	1	2
8	9	2	4	1	6	7	5	3
4	1	9	2	3	8	5	7	6
5	2	6	1	4	7	9	3	8
7	3	8	6	5	9	4	2	1
3	6	5	8	7	1	2	4	9
2	7	4	9	6	3	1	8	5
9	8	1	5	2	4	3	6	7

Hard 76

6	4	5	1	2	9	3	7	8
9	2	7	8	3	4	6	5	1
1	3	8	6	5	7	9	4	2
2	6	1	9	4	8	5	3	7
4	7	3	2	1	5	8	6	9
5	8	9	7	6	3	2	1	4
3	9	4	5	8	1	7	2	6
8	1	6	3	7	2	4	9	5
7	5	2	4	9	6	1	8	3

Hard 77

9	6	2	7	5	4	3	8	1
7	3	4	1	8	9	5	6	2
1	5	8	2	3	6	9	7	4
4	9	3	5	6	7	1	2	8
6	2	5	4	1	8	7	3	9
8	1	7	3	9	2	6	4	5
2	4	1	6	7	5	8	9	3
5	8	6	9	4	3	2	1	7
3	7	9	8	2	1	4	5	6

Hard 78

9	8	6	1	7	3	5	2	4
7	3	1	2	4	5	6	8	9
4	2	5	6	8	9	1	7	3
3	1	4	5	9	2	8	6	7
5	7	9	8	6	4	3	1	2
8	6	2	7	3	1	4	9	5
2	5	3	9	1	8	7	4	6
1	4	7	3	2	6	9	5	8
6	9	8	4	5	7	2	3	1

Hard 79

4	5	8	7	9	1	2	3	6
1	6	9	2	3	5	8	4	7
3	7	2	4	8	6	1	5	9
8	3	5	1	6	2	7	9	4
2	9	4	3	7	8	5	6	1
6	1	7	9	5	4	3	8	2
9	2	1	8	4	3	6	7	5
7	8	6	5	1	9	4	2	3
5	4	3	6	2	7	9	1	8

Hard 80

4	9	8	3	6	5	1	2	7
3	7	5	1	8	2	4	6	9
6	1	2	9	4	7	5	3	8
5	3	7	4	1	6	8	9	2
9	2	1	8	5	3	7	4	6
8	4	6	7	2	9	3	5	1
7	5	3	2	9	8	6	1	4
1	8	9	6	3	4	2	7	5
2	6	4	5	7	1	9	8	3

Hard 81

8	3	9	5	7	4	6	2	1
4	2	5	6	9	1	3	7	8
6	7	1	3	8	2	5	9	4
2	9	8	1	4	6	7	3	5
1	4	3	7	2	5	8	6	9
7	5	6	8	3	9	1	4	2
9	6	7	2	1	8	4	5	3
5	8	4	9	6	3	2	1	7
3	1	2	4	5	7	9	8	6

Hard 82

2	1	4	5	3	7	6	8	9
9	7	3	6	1	8	2	5	4
8	5	6	2	9	4	3	7	1
6	3	2	1	7	5	9	4	8
7	9	8	3	4	2	1	6	5
1	4	5	9	8	6	7	2	3
5	8	9	7	6	1	4	3	2
4	6	1	8	2	3	5	9	7
3	2	7	4	5	9	8	1	6

Hard 83

7	4	8	1	6	9	3	2	5
1	2	3	8	5	7	6	4	9
5	6	9	4	2	3	7	8	1
6	8	7	9	4	5	2	1	3
9	3	5	2	1	8	4	7	6
4	1	2	7	3	6	9	5	8
2	5	4	6	9	1	8	3	7
3	7	6	5	8	4	1	9	2
8	9	1	3	7	2	5	6	4

Hard 84

7	3	1	9	2	8	6	4	5
2	6	4	5	3	1	9	7	8
9	8	5	4	7	6	1	2	3
5	2	3	6	9	7	8	1	4
4	7	9	1	8	2	3	5	6
6	1	8	3	4	5	2	9	7
3	5	7	8	1	9	4	6	2
1	4	2	7	6	3	5	8	9
8	9	6	2	5	4	7	3	1

Hard 85

2	6	7	8	9	5	3	4	1
9	3	5	1	4	2	7	8	6
8	4	1	6	3	7	5	9	2
5	7	4	2	8	3	6	1	9
6	1	8	9	7	4	2	3	5
3	9	2	5	6	1	4	7	8
7	8	9	3	2	6	1	5	4
1	2	3	4	5	9	8	6	7
4	5	6	7	1	8	9	2	3

Hard 86

2	7	9	5	3	8	1	6	4
6	8	5	9	1	4	2	3	7
1	4	3	6	7	2	5	8	9
9	3	4	1	8	5	6	7	2
5	1	7	2	6	3	4	9	8
8	2	6	7	4	9	3	5	1
7	6	8	3	2	1	9	4	5
3	5	1	4	9	7	8	2	6
4	9	2	8	5	6	7	1	3

Hard 87

1	2	8	5	7	4	9	3	6
3	9	6	2	1	8	7	5	4
5	7	4	3	6	9	2	8	1
2	8	5	1	9	6	4	7	3
7	6	1	8	4	3	5	2	9
9	4	3	7	2	5	6	1	8
6	1	7	9	8	2	3	4	5
8	5	9	4	3	7	1	6	2
4	3	2	6	5	1	8	9	7

Hard 88

9	7	6	5	8	4	2	3	1
1	3	4	7	2	9	5	6	8
2	8	5	1	3	6	7	4	9
7	1	8	3	9	5	4	2	6
6	2	3	4	7	1	9	8	5
4	5	9	8	6	2	3	1	7
5	4	7	6	1	3	8	9	2
8	6	2	9	4	7	1	5	3
3	9	1	2	5	8	6	7	4

Hard 89

9	7	8	2	3	4	5	6	1
4	3	1	6	7	5	8	9	2
5	6	2	9	8	1	4	3	7
6	9	3	8	5	2	1	7	4
7	2	5	4	1	6	3	8	9
1	8	4	3	9	7	6	2	5
8	5	9	7	4	3	2	1	6
3	4	6	1	2	9	7	5	8
2	1	7	5	6	8	9	4	3

Hard 90

5	9	7	2	1	6	4	3	8
2	3	1	4	7	8	5	9	6
6	4	8	9	3	5	1	7	2
9	5	4	7	6	2	8	1	3
1	8	3	5	9	4	2	6	7
7	6	2	1	8	3	9	5	4
4	1	5	6	2	7	3	8	9
8	2	6	3	5	9	7	4	1
3	7	9	8	4	1	6	2	5

Hard 91

3	5	1	9	2	6	8	7	4
9	7	4	8	5	3	6	1	2
8	6	2	1	7	4	3	9	5
4	3	9	2	8	1	7	5	6
7	2	8	5	6	9	1	4	3
6	1	5	4	3	7	2	8	9
5	4	6	7	1	2	9	3	8
1	9	3	6	4	8	5	2	7
2	8	7	3	9	5	4	6	1

Hard 92

3	4	6	1	7	2	5	8	9
8	5	7	9	6	3	2	1	4
9	2	1	5	8	4	7	3	6
5	8	3	2	4	6	1	9	7
6	9	2	8	1	7	3	4	5
1	7	4	3	9	5	8	6	2
7	1	8	6	5	9	4	2	3
2	6	5	4	3	1	9	7	8
4	3	9	7	2	8	6	5	1

Hard 93

3	7	6	1	4	5	8	2	9
5	9	1	8	2	3	6	7	4
2	8	4	9	7	6	3	1	5
8	4	2	7	3	1	5	9	6
7	6	9	4	5	2	1	8	3
1	3	5	6	8	9	7	4	2
4	2	3	5	1	7	9	6	8
9	5	7	2	6	8	4	3	1
6	1	8	3	9	4	2	5	7

Hard 94

7	8	1	5	9	4	2	3	6
2	3	4	6	8	1	9	7	5
9	5	6	3	7	2	8	1	4
3	1	8	2	5	6	7	4	9
5	2	7	4	1	9	6	8	3
6	4	9	7	3	8	1	5	2
1	7	5	9	2	3	4	6	8
8	6	2	1	4	5	3	9	7
4	9	3	8	6	7	5	2	1

Hard 95

3	1	2	5	4	8	7	6	9
7	4	9	6	3	1	8	5	2
5	6	8	9	2	7	4	3	1
6	9	5	2	8	4	1	7	3
4	8	1	7	6	3	9	2	5
2	3	7	1	5	9	6	8	4
9	2	6	4	7	5	3	1	8
8	5	4	3	1	6	2	9	7
1	7	3	8	9	2	5	4	6

Hard 96

1	3	2	8	9	4	6	7	5
7	8	4	5	3	6	2	1	9
6	9	5	7	2	1	8	3	4
9	1	8	6	5	2	7	4	3
4	2	7	1	8	3	9	5	6
5	6	3	4	7	9	1	2	8
8	5	9	3	1	7	4	6	2
3	4	1	2	6	8	5	9	7
2	7	6	9	4	5	3	8	1

Hard 97

7	9	6	3	1	4	5	8	2
1	5	3	2	8	6	9	4	7
8	2	4	7	9	5	3	6	1
4	7	9	8	6	3	1	2	5
3	8	1	9	5	2	4	7	6
5	6	2	4	7	1	8	9	3
2	3	5	6	4	9	7	1	8
6	4	7	1	3	8	2	5	9
9	1	8	5	2	7	6	3	4

Hard 98

4	7	8	2	1	6	5	9	3
2	9	5	3	8	4	6	7	1
3	1	6	7	5	9	4	8	2
5	4	9	8	2	1	3	6	7
6	8	3	5	9	7	1	2	4
1	2	7	6	4	3	9	5	8
8	6	1	4	7	5	2	3	9
9	3	2	1	6	8	7	4	5
7	5	4	9	3	2	8	1	6

Hard 99

7	5	4	1	2	6	3	9	8
3	6	2	9	4	8	7	5	1
1	9	8	3	7	5	4	2	6
2	8	7	4	5	3	1	6	9
5	3	1	2	6	9	8	4	7
6	4	9	7	8	1	2	3	5
4	1	5	8	9	2	6	7	3
9	2	3	6	1	7	5	8	4
8	7	6	5	3	4	9	1	2

Hard 100

4	8	5	9	1	2	6	7	3
6	9	2	3	8	7	5	1	4
1	7	3	5	6	4	8	9	2
7	1	8	2	9	5	4	3	6
2	3	9	8	4	6	1	5	7
5	6	4	7	3	1	2	8	9
8	4	7	6	5	3	9	2	1
9	2	1	4	7	8	3	6	5
3	5	6	1	2	9	7	4	8

Hard 101

3	2	1	8	9	4	5	7	6
5	8	7	1	6	2	4	3	9
4	9	6	3	5	7	8	1	2
9	5	8	7	3	1	2	6	4
1	6	2	5	4	8	7	9	3
7	4	3	6	2	9	1	8	5
2	7	4	9	1	6	3	5	8
8	3	9	2	7	5	6	4	1
6	1	5	4	8	3	9	2	7

Hard 102

9	3	2	6	5	8	4	7	1
8	7	6	9	1	4	5	3	2
4	5	1	2	3	7	8	6	9
2	8	5	7	6	9	3	1	4
7	1	9	5	4	3	2	8	6
6	4	3	8	2	1	7	9	5
5	2	8	1	7	6	9	4	3
1	9	4	3	8	5	6	2	7
3	6	7	4	9	2	1	5	8

Hard 103

5	7	6	8	2	1	9	4	3
2	4	3	5	9	7	6	8	1
9	8	1	3	4	6	2	7	5
4	5	8	1	6	3	7	2	9
1	3	9	7	8	2	4	5	6
6	2	7	4	5	9	1	3	8
3	1	4	9	7	5	8	6	2
7	9	2	6	3	8	5	1	4
8	6	5	2	1	4	3	9	7

Hard 104

2	4	5	1	8	6	7	9	3
7	8	9	3	5	2	1	4	6
6	3	1	9	7	4	5	2	8
9	5	7	6	2	8	3	1	4
1	6	3	7	4	9	8	5	2
8	2	4	5	3	1	6	7	9
3	9	2	8	1	7	4	6	5
5	7	6	4	9	3	2	8	1
4	1	8	2	6	5	9	3	7

Hard 105

1	2	9	4	8	7	5	6	3
8	5	6	3	1	9	2	4	7
4	3	7	6	2	5	9	8	1
3	6	1	7	9	4	8	5	2
7	4	5	2	6	8	3	1	9
9	8	2	1	5	3	6	7	4
2	7	8	9	4	6	1	3	5
5	9	4	8	3	1	7	2	6
6	1	3	5	7	2	4	9	8

Hard 106

9	8	5	7	1	6	3	4	2
4	7	1	2	3	5	9	8	6
2	6	3	9	8	4	5	1	7
8	3	9	5	2	1	6	7	4
5	4	2	6	7	9	8	3	1
7	1	6	8	4	3	2	5	9
6	5	4	1	9	8	7	2	3
3	2	8	4	6	7	1	9	5
1	9	7	3	5	2	4	6	8

Hard 107

4	2	5	7	9	1	6	3	8
9	8	1	6	2	3	4	7	5
6	3	7	4	8	5	1	9	2
8	5	9	1	4	2	7	6	3
3	4	2	5	6	7	8	1	9
7	1	6	9	3	8	5	2	4
1	9	3	8	7	4	2	5	6
2	7	4	3	5	6	9	8	1
5	6	8	2	1	9	3	4	7

Hard 108

8	3	7	4	5	1	9	2	6
9	1	5	7	2	6	3	8	4
6	4	2	3	9	8	7	1	5
2	7	4	1	6	3	5	9	8
5	9	3	8	4	2	1	6	7
1	8	6	5	7	9	2	4	3
3	2	8	6	1	5	4	7	9
7	5	1	9	8	4	6	3	2
4	6	9	2	3	7	8	5	1

Hard 109

1	5	8	9	6	2	3	4	7
2	7	6	4	8	3	1	9	5
4	3	9	5	1	7	8	6	2
6	9	1	7	4	8	2	5	3
3	2	7	6	5	1	4	8	9
5	8	4	2	3	9	7	1	6
8	1	5	3	2	6	9	7	4
7	6	2	1	9	4	5	3	8
9	4	3	8	7	5	6	2	1

Hard 110

4	6	9	3	8	5	1	2	7
2	3	7	4	1	9	6	8	5
1	8	5	6	7	2	3	9	4
8	5	3	2	9	1	4	7	6
7	2	6	8	3	4	5	1	9
9	1	4	7	5	6	8	3	2
6	9	1	5	2	8	7	4	3
3	4	2	1	6	7	9	5	8
5	7	8	9	4	3	2	6	1

Hard 111

3	2	8	7	4	6	9	1	5
7	1	6	9	5	8	4	3	2
5	9	4	1	2	3	6	8	7
6	8	5	2	7	1	3	9	4
1	7	9	8	3	4	5	2	6
2	4	3	5	6	9	8	7	1
8	3	2	4	1	5	7	6	9
9	5	7	6	8	2	1	4	3
4	6	1	3	9	7	2	5	8

Hard 112

4	6	5	7	1	8	9	3	2
7	1	2	6	3	9	4	5	8
3	8	9	2	5	4	7	6	1
1	9	8	4	6	7	5	2	3
2	5	7	1	8	3	6	4	9
6	4	3	5	9	2	8	1	7
5	3	4	9	7	1	2	8	6
8	7	6	3	2	5	1	9	4
9	2	1	8	4	6	3	7	5

Hard 113

1	2	3	8	4	9	5	7	6
9	7	6	2	1	5	4	3	8
5	8	4	6	3	7	1	2	9
6	9	8	4	7	2	3	1	5
7	5	1	3	9	6	8	4	2
3	4	2	1	5	8	9	6	7
2	3	9	7	8	4	6	5	1
8	1	7	5	6	3	2	9	4
4	6	5	9	2	1	7	8	3

Hard 114

4	1	3	9	2	7	5	6	8
7	5	2	8	1	6	9	3	4
9	6	8	4	5	3	2	7	1
8	7	1	5	4	9	6	2	3
5	9	6	2	3	8	1	4	7
2	3	4	6	7	1	8	9	5
3	8	9	1	6	4	7	5	2
1	4	5	7	9	2	3	8	6
6	2	7	3	8	5	4	1	9

Hard 115

8	6	4	7	5	3	2	9	1
2	5	3	4	1	9	8	7	6
1	7	9	2	8	6	5	4	3
9	8	6	5	3	7	4	1	2
4	2	7	9	6	1	3	5	8
5	3	1	8	4	2	9	6	7
7	9	5	1	2	8	6	3	4
3	1	8	6	9	4	7	2	5
6	4	2	3	7	5	1	8	9

Hard 116

2	1	5	9	6	7	3	8	4
3	4	8	2	1	5	7	9	6
7	6	9	4	3	8	1	5	2
8	5	3	6	2	9	4	7	1
4	2	6	7	5	1	8	3	9
1	9	7	8	4	3	2	6	5
5	3	2	1	7	6	9	4	8
9	7	1	5	8	4	6	2	3
6	8	4	3	9	2	5	1	7

Hard 117

3	1	2	9	7	8	6	4	5
7	6	9	1	4	5	8	2	3
5	8	4	3	2	6	7	1	9
4	9	6	8	5	2	1	3	7
1	7	5	4	9	3	2	8	6
2	3	8	6	1	7	9	5	4
8	4	7	2	3	9	5	6	1
9	2	3	5	6	1	4	7	8
6	5	1	7	8	4	3	9	2

Hard 118

9	4	6	5	1	3	2	8	7
1	3	7	8	2	6	4	9	5
5	2	8	4	7	9	3	1	6
6	8	1	3	4	7	9	5	2
2	7	5	1	9	8	6	4	3
3	9	4	2	6	5	1	7	8
4	6	2	7	5	1	8	3	9
8	5	9	6	3	4	7	2	1
7	1	3	9	8	2	5	6	4

Hard 119

6	7	3	2	4	9	5	8	1
2	9	5	1	7	8	4	3	6
1	8	4	3	6	5	2	7	9
4	2	8	9	1	7	3	6	5
3	5	7	6	2	4	9	1	8
9	6	1	5	8	3	7	2	4
8	1	9	7	5	2	6	4	3
7	3	6	4	9	1	8	5	2
5	4	2	8	3	6	1	9	7

Hard 120

3	1	8	7	2	9	4	5	6
4	9	5	8	6	3	7	2	1
6	7	2	1	4	5	8	3	9
9	2	3	4	1	7	6	8	5
1	5	7	3	8	6	2	9	4
8	6	4	9	5	2	1	7	3
5	4	6	2	9	8	3	1	7
7	8	9	6	3	1	5	4	2
2	3	1	5	7	4	9	6	8

Hard 121

6	1	4	9	8	7	5	3	2
8	7	5	3	2	6	1	4	9
2	9	3	1	5	4	7	8	6
7	5	9	8	3	1	2	6	4
1	3	6	4	7	2	9	5	8
4	2	8	6	9	5	3	7	1
5	6	7	2	4	9	8	1	3
9	8	1	7	6	3	4	2	5
3	4	2	5	1	8	6	9	7

Hard 122

6	1	3	8	5	9	7	2	4
4	9	8	2	3	7	6	1	5
5	2	7	6	4	1	3	8	9
8	3	4	1	2	6	5	9	7
2	7	5	9	8	4	1	6	3
1	6	9	5	7	3	8	4	2
9	5	6	3	1	2	4	7	8
7	8	1	4	9	5	2	3	6
3	4	2	7	6	8	9	5	1

Hard 123

1	8	2	7	4	5	6	9	3
7	9	5	6	3	2	4	8	1
6	4	3	8	9	1	2	7	5
3	5	4	1	7	9	8	6	2
2	6	9	4	5	8	1	3	7
8	1	7	2	6	3	5	4	9
4	3	6	5	1	7	9	2	8
5	7	8	9	2	4	3	1	6
9	2	1	3	8	6	7	5	4

Hard 124

7	3	5	6	8	1	2	9	4
6	4	9	5	3	2	8	1	7
8	2	1	7	9	4	5	6	3
9	1	4	2	7	8	6	3	5
2	6	8	9	5	3	7	4	1
3	5	7	4	1	6	9	2	8
4	9	3	8	6	7	1	5	2
1	8	6	3	2	5	4	7	9
5	7	2	1	4	9	3	8	6

Hard 125

6	7	8	3	1	2	9	4	5
5	2	1	9	4	7	6	8	3
4	3	9	5	8	6	2	1	7
2	9	4	1	7	3	8	5	6
3	1	5	6	2	8	7	9	4
7	8	6	4	5	9	1	3	2
8	5	7	2	9	4	3	6	1
1	6	2	8	3	5	4	7	9
9	4	3	7	6	1	5	2	8

Hard 126

5	4	2	3	7	1	8	9	6
8	1	9	6	4	2	5	7	3
3	7	6	8	5	9	2	1	4
2	3	5	9	8	4	7	6	1
1	6	4	7	2	5	3	8	9
9	8	7	1	6	3	4	5	2
4	9	8	2	1	7	6	3	5
6	2	1	5	3	8	9	4	7
7	5	3	4	9	6	1	2	8

Hard 127

3	2	4	9	6	1	5	8	7
6	5	1	8	2	7	4	3	9
7	9	8	4	5	3	6	1	2
5	3	7	6	1	8	2	9	4
2	1	6	5	4	9	3	7	8
8	4	9	3	7	2	1	5	6
4	6	3	7	8	5	9	2	1
9	7	2	1	3	6	8	4	5
1	8	5	2	9	4	7	6	3

Hard 128

1	5	6	7	8	3	4	9	2
4	3	2	1	9	6	8	7	5
8	7	9	4	2	5	3	6	1
6	2	5	3	1	9	7	4	8
3	4	7	6	5	8	2	1	9
9	1	8	2	4	7	6	5	3
5	8	3	9	6	4	1	2	7
2	9	4	8	7	1	5	3	6
7	6	1	5	3	2	9	8	4

Hard 129

1	5	9	7	2	4	8	3	6
2	3	4	6	8	5	1	7	9
6	7	8	1	9	3	4	2	5
8	1	3	9	6	7	2	5	4
4	6	2	8	5	1	7	9	3
7	9	5	4	3	2	6	1	8
3	8	6	2	7	9	5	4	1
9	4	7	5	1	6	3	8	2
5	2	1	3	4	8	9	6	7

Hard 130

4	9	6	5	1	8	2	7	3
3	8	7	4	9	2	6	1	5
2	5	1	6	7	3	8	4	9
6	2	5	9	3	4	1	8	7
9	3	8	7	2	1	4	5	6
7	1	4	8	5	6	9	3	2
5	4	9	1	6	7	3	2	8
1	7	3	2	8	9	5	6	4
8	6	2	3	4	5	7	9	1

Hard 131

4	6	9	8	1	2	7	5	3
5	7	1	4	3	9	8	2	6
2	3	8	5	7	6	1	9	4
3	1	4	2	8	5	6	7	9
9	5	7	6	4	3	2	1	8
8	2	6	1	9	7	4	3	5
6	8	2	3	5	1	9	4	7
7	4	5	9	2	8	3	6	1
1	9	3	7	6	4	5	8	2

Hard 132

4	7	5	8	6	2	1	9	3
2	3	1	9	7	5	8	4	6
6	9	8	3	1	4	5	2	7
9	5	7	1	4	8	3	6	2
3	8	2	6	5	7	4	1	9
1	4	6	2	9	3	7	5	8
8	1	3	5	2	6	9	7	4
7	6	9	4	3	1	2	8	5
5	2	4	7	8	9	6	3	1

Hard 133

2	6	5	8	7	4	1	3	9
3	4	1	5	6	9	8	7	2
7	8	9	2	1	3	5	4	6
5	9	2	3	4	1	6	8	7
6	7	4	9	2	8	3	5	1
8	1	3	6	5	7	2	9	4
1	3	7	4	8	2	9	6	5
9	2	6	7	3	5	4	1	8
4	5	8	1	9	6	7	2	3

Hard 134

2	9	1	5	7	6	8	3	4
4	3	5	2	9	8	7	1	6
8	7	6	1	3	4	5	9	2
9	6	7	4	2	1	3	5	8
1	8	2	7	5	3	6	4	9
3	5	4	8	6	9	2	7	1
5	4	3	6	1	2	9	8	7
6	1	9	3	8	7	4	2	5
7	2	8	9	4	5	1	6	3

Hard 135

3	8	9	1	5	2	6	7	4
4	5	7	8	9	6	2	1	3
6	2	1	3	7	4	5	8	9
7	3	5	6	8	9	1	4	2
2	1	6	5	4	3	7	9	8
9	4	8	7	2	1	3	6	5
1	6	4	9	3	5	8	2	7
5	7	2	4	1	8	9	3	6
8	9	3	2	6	7	4	5	1

Hard 136

1	6	9	4	3	5	7	2	8
7	5	3	1	2	8	6	4	9
2	8	4	6	9	7	1	3	5
6	1	7	5	4	3	9	8	2
3	9	2	8	7	6	5	1	4
5	4	8	2	1	9	3	7	6
4	2	5	7	6	1	8	9	3
9	7	6	3	8	4	2	5	1
8	3	1	9	5	2	4	6	7

Hard 137

4	8	9	7	3	5	6	1	2
6	7	3	2	8	1	4	9	5
2	5	1	4	9	6	8	3	7
1	6	7	9	2	8	5	4	3
9	4	8	6	5	3	7	2	1
3	2	5	1	7	4	9	6	8
7	1	2	5	4	9	3	8	6
5	3	4	8	6	2	1	7	9
8	9	6	3	1	7	2	5	4

Hard 138

2	4	8	9	7	1	3	5	6
7	9	6	3	5	2	1	4	8
5	3	1	6	8	4	2	9	7
1	5	7	4	3	9	8	6	2
3	8	9	2	6	5	4	7	1
4	6	2	8	1	7	9	3	5
8	7	4	5	2	3	6	1	9
6	1	3	7	9	8	5	2	4
9	2	5	1	4	6	7	8	3

Hard 139

9	1	2	5	6	8	4	3	7
8	4	6	3	2	7	1	5	9
3	5	7	9	4	1	6	8	2
4	2	9	8	1	3	5	7	6
6	3	5	4	7	2	8	9	1
7	8	1	6	9	5	2	4	3
1	7	4	2	8	9	3	6	5
5	9	8	1	3	6	7	2	4
2	6	3	7	5	4	9	1	8

Hard 140

3	9	2	8	6	7	4	5	1
5	8	6	4	2	1	7	9	3
7	1	4	3	5	9	6	2	8
9	4	1	5	3	6	2	8	7
8	2	3	7	9	4	1	6	5
6	7	5	2	1	8	3	4	9
1	5	8	6	7	2	9	3	4
4	6	9	1	8	3	5	7	2
2	3	7	9	4	5	8	1	6

Hard 141

1	3	6	9	4	2	5	8	7
9	8	4	5	3	7	6	2	1
2	5	7	1	8	6	9	4	3
8	1	5	4	6	3	7	9	2
6	4	2	7	9	5	3	1	8
7	9	3	8	2	1	4	6	5
5	6	8	3	1	4	2	7	9
4	7	1	2	5	9	8	3	6
3	2	9	6	7	8	1	5	4

Hard 142

2	8	9	6	4	5	7	3	1
4	7	3	2	9	1	8	5	6
5	1	6	8	7	3	4	9	2
7	6	1	3	2	4	5	8	9
8	2	4	5	6	9	1	7	3
3	9	5	1	8	7	6	2	4
1	3	7	9	5	6	2	4	8
9	5	2	4	1	8	3	6	7
6	4	8	7	3	2	9	1	5

Hard 143

8	5	9	6	7	2	4	1	3
1	6	2	4	8	3	9	5	7
3	7	4	9	5	1	2	6	8
5	2	6	8	1	9	7	3	4
4	8	1	7	3	5	6	2	9
9	3	7	2	6	4	5	8	1
6	1	8	5	9	7	3	4	2
7	4	5	3	2	8	1	9	6
2	9	3	1	4	6	8	7	5

Hard 144

1	4	5	8	2	3	9	6	7
3	9	7	4	5	6	2	8	1
8	6	2	9	1	7	3	4	5
5	3	6	7	9	2	4	1	8
2	7	8	3	4	1	6	5	9
9	1	4	5	6	8	7	3	2
6	5	1	2	7	4	8	9	3
4	2	3	1	8	9	5	7	6
7	8	9	6	3	5	1	2	4

Hard 145

3	7	1	5	2	9	8	4	6
9	4	2	8	6	1	3	5	7
5	6	8	3	7	4	2	9	1
6	8	9	7	5	3	4	1	2
4	1	5	9	8	2	6	7	3
2	3	7	4	1	6	9	8	5
8	2	3	1	4	7	5	6	9
1	5	6	2	9	8	7	3	4
7	9	4	6	3	5	1	2	8

Hard 146

5	3	2	4	8	7	9	6	1
6	9	7	5	2	1	3	4	8
4	8	1	6	9	3	2	5	7
7	2	6	9	3	8	5	1	4
8	5	3	2	1	4	6	7	9
9	1	4	7	6	5	8	2	3
3	4	8	1	5	2	7	9	6
1	6	5	8	7	9	4	3	2
2	7	9	3	4	6	1	8	5

Hard 147

7	8	3	2	1	6	9	5	4
1	5	2	9	4	7	3	6	8
6	4	9	8	5	3	1	7	2
3	7	8	4	6	2	5	9	1
2	6	1	7	9	5	4	8	3
5	9	4	1	3	8	7	2	6
9	1	7	6	2	4	8	3	5
4	2	5	3	8	9	6	1	7
8	3	6	5	7	1	2	4	9

Hard 148

8	4	9	6	1	3	7	5	2
5	1	7	4	8	2	3	9	6
3	6	2	9	7	5	4	1	8
4	2	8	7	5	6	1	3	9
6	9	3	1	4	8	2	7	5
7	5	1	2	3	9	6	8	4
1	7	6	8	9	4	5	2	3
2	8	5	3	6	1	9	4	7
9	3	4	5	2	7	8	6	1

Hard 149

8	2	7	4	1	9	5	3	6
3	4	1	5	8	6	2	9	7
9	5	6	7	2	3	8	4	1
2	6	4	1	9	7	3	8	5
7	3	5	2	4	8	1	6	9
1	9	8	3	6	5	7	2	4
5	7	9	8	3	4	6	1	2
6	1	3	9	5	2	4	7	8
4	8	2	6	7	1	9	5	3

Hard 150

5	4	7	6	9	3	8	1	2
2	3	6	5	8	1	7	4	9
8	1	9	7	2	4	3	6	5
6	8	4	1	7	9	5	2	3
7	2	5	4	3	8	6	9	1
3	9	1	2	6	5	4	8	7
1	6	8	9	5	7	2	3	4
9	5	2	3	4	6	1	7	8
4	7	3	8	1	2	9	5	6

Hard 151

5	7	4	1	3	6	9	2	8
1	6	2	8	5	9	3	7	4
9	8	3	7	2	4	5	6	1
3	9	8	5	4	2	7	1	6
4	1	7	9	6	8	2	5	3
6	2	5	3	7	1	8	4	9
2	3	9	4	1	7	6	8	5
7	5	1	6	8	3	4	9	2
8	4	6	2	9	5	1	3	7

Hard 152

9	8	4	5	7	3	1	2	6
5	2	7	8	1	6	3	4	9
1	3	6	2	4	9	7	5	8
6	7	5	3	9	8	4	1	2
2	1	8	4	5	7	6	9	3
4	9	3	6	2	1	5	8	7
7	4	1	9	3	2	8	6	5
3	6	2	1	8	5	9	7	4
8	5	9	7	6	4	2	3	1

Hard 153

4	8	1	3	2	5	9	7	6
3	5	2	7	9	6	4	1	8
7	6	9	1	4	8	5	2	3
9	3	4	5	7	2	6	8	1
8	7	5	6	1	3	2	4	9
2	1	6	9	8	4	7	3	5
6	9	8	2	3	7	1	5	4
1	2	3	4	5	9	8	6	7
5	4	7	8	6	1	3	9	2

Hard 154

9	2	3	5	4	6	8	7	1
4	1	8	7	2	9	5	3	6
6	7	5	8	1	3	4	9	2
3	9	6	1	7	4	2	8	5
5	4	2	6	9	8	3	1	7
7	8	1	2	3	5	6	4	9
1	3	4	9	5	2	7	6	8
8	5	9	3	6	7	1	2	4
2	6	7	4	8	1	9	5	3

Hard 155

1	5	8	2	9	6	3	4	7
7	9	6	3	4	1	2	8	5
3	2	4	8	5	7	9	1	6
4	3	5	6	8	9	1	7	2
8	6	7	1	2	5	4	9	3
9	1	2	7	3	4	5	6	8
2	4	3	9	6	8	7	5	1
6	7	9	5	1	2	8	3	4
5	8	1	4	7	3	6	2	9

Hard 156

9	2	4	3	1	6	5	7	8
8	6	1	2	5	7	3	4	9
5	7	3	8	9	4	1	6	2
2	1	7	4	8	5	6	9	3
4	5	6	1	3	9	8	2	7
3	8	9	6	7	2	4	5	1
7	4	8	5	2	1	9	3	6
1	9	5	7	6	3	2	8	4
6	3	2	9	4	8	7	1	5

Hard 157

9	8	5	1	7	6	4	3	2
7	6	3	4	2	5	1	9	8
1	2	4	8	3	9	6	7	5
3	9	8	6	1	7	5	2	4
2	5	1	3	8	4	9	6	7
4	7	6	5	9	2	8	1	3
8	1	9	7	4	3	2	5	6
5	4	7	2	6	1	3	8	9
6	3	2	9	5	8	7	4	1

Hard 158

5	2	3	9	8	7	6	4	1
7	6	1	5	2	4	3	9	8
4	8	9	1	3	6	7	5	2
3	9	5	7	1	8	4	2	6
8	7	6	2	4	9	5	1	3
1	4	2	3	6	5	9	8	7
2	3	7	4	5	1	8	6	9
9	5	8	6	7	2	1	3	4
6	1	4	8	9	3	2	7	5

Hard 159

7	4	8	6	1	3	5	2	9
1	2	3	9	5	8	6	4	7
6	9	5	7	4	2	1	8	3
2	8	6	4	9	5	7	3	1
9	1	4	3	6	7	2	5	8
3	5	7	2	8	1	9	6	4
8	6	1	5	7	4	3	9	2
4	3	9	1	2	6	8	7	5
5	7	2	8	3	9	4	1	6

Hard 160

7	1	2	4	3	9	6	8	5
4	3	5	1	8	6	9	2	7
8	6	9	7	2	5	4	3	1
6	2	1	3	4	7	5	9	8
5	7	4	6	9	8	3	1	2
9	8	3	5	1	2	7	4	6
1	9	6	8	5	3	2	7	4
2	4	7	9	6	1	8	5	3
3	5	8	2	7	4	1	6	9

Hard 161

7	3	6	2	5	1	9	8	4
9	2	4	8	7	3	1	6	5
8	5	1	4	6	9	7	2	3
2	1	7	6	9	4	5	3	8
3	6	5	1	2	8	4	9	7
4	8	9	5	3	7	2	1	6
1	7	8	3	4	2	6	5	9
5	9	3	7	1	6	8	4	2
6	4	2	9	8	5	3	7	1

Hard 162

3	9	1	5	6	8	2	4	7
8	4	5	1	2	7	3	6	9
6	2	7	9	3	4	1	5	8
1	3	4	7	8	5	9	2	6
7	8	6	2	1	9	5	3	4
9	5	2	3	4	6	7	8	1
2	7	8	6	9	3	4	1	5
4	1	9	8	5	2	6	7	3
5	6	3	4	7	1	8	9	2

Hard 163

1	3	2	5	8	4	7	9	6
7	4	8	1	9	6	5	3	2
5	6	9	3	7	2	1	4	8
3	1	6	7	4	8	9	2	5
9	8	5	2	6	3	4	1	7
2	7	4	9	1	5	6	8	3
8	9	1	6	2	7	3	5	4
4	5	7	8	3	1	2	6	9
6	2	3	4	5	9	8	7	1

Hard 164

4	9	3	7	5	1	2	8	6
2	1	8	6	9	4	5	3	7
5	7	6	3	8	2	9	1	4
7	5	9	2	3	8	4	6	1
3	8	4	5	1	6	7	2	9
1	6	2	4	7	9	3	5	8
8	2	1	9	4	3	6	7	5
6	4	5	1	2	7	8	9	3
9	3	7	8	6	5	1	4	2

Hard 165

9	6	3	1	7	8	4	2	5
2	7	4	3	6	5	8	1	9
8	1	5	4	9	2	7	6	3
5	4	7	9	1	6	2	3	8
3	2	1	5	8	7	6	9	4
6	8	9	2	4	3	1	5	7
1	3	2	8	5	4	9	7	6
4	5	6	7	2	9	3	8	1
7	9	8	6	3	1	5	4	2

Hard 166

2	7	6	4	5	3	1	8	9
9	5	8	1	2	6	3	7	4
3	4	1	7	9	8	6	2	5
6	8	2	9	3	7	4	5	1
1	9	7	2	4	5	8	6	3
4	3	5	8	6	1	2	9	7
5	2	4	6	1	9	7	3	8
8	1	9	3	7	2	5	4	6
7	6	3	5	8	4	9	1	2

Hard 167

7	9	2	6	8	4	1	3	5
1	4	8	5	2	3	7	9	6
5	3	6	1	7	9	4	2	8
9	8	7	4	1	5	3	6	2
4	6	3	7	9	2	8	5	1
2	1	5	8	3	6	9	4	7
6	7	9	2	4	8	5	1	3
8	2	4	3	5	1	6	7	9
3	5	1	9	6	7	2	8	4

Hard 168

6	2	4	5	3	9	7	1	8
7	3	9	1	8	2	5	4	6
1	8	5	6	4	7	3	9	2
9	1	8	3	2	6	4	7	5
2	7	6	4	1	5	8	3	9
5	4	3	9	7	8	2	6	1
3	5	1	8	9	4	6	2	7
8	9	2	7	6	3	1	5	4
4	6	7	2	5	1	9	8	3

Hard 169

4	8	7	1	3	2	9	5	6
5	2	1	7	6	9	3	4	8
3	6	9	5	8	4	7	2	1
7	9	6	2	4	3	8	1	5
8	5	4	9	7	1	2	6	3
1	3	2	6	5	8	4	9	7
2	7	8	4	1	6	5	3	9
6	4	5	3	9	7	1	8	2
9	1	3	8	2	5	6	7	4

Hard 170

7	9	4	1	2	3	6	5	8
3	8	1	5	6	9	4	7	2
6	2	5	8	7	4	1	9	3
9	7	3	2	4	6	5	8	1
1	5	2	3	9	8	7	4	6
8	4	6	7	5	1	2	3	9
2	6	9	4	3	5	8	1	7
4	1	7	9	8	2	3	6	5
5	3	8	6	1	7	9	2	4

Hard 171

8	7	4	5	2	6	3	9	1
9	5	1	8	3	4	2	7	6
2	3	6	1	7	9	4	5	8
1	6	7	9	5	2	8	4	3
5	4	9	3	6	8	1	2	7
3	2	8	7	4	1	9	6	5
7	8	2	4	1	5	6	3	9
6	1	3	2	9	7	5	8	4
4	9	5	6	8	3	7	1	2

Hard 172

9	3	6	2	7	4	1	5	8
4	1	2	3	8	5	9	6	7
5	8	7	6	1	9	3	4	2
6	4	5	8	9	2	7	1	3
7	9	8	5	3	1	4	2	6
3	2	1	7	4	6	5	8	9
2	5	9	4	6	3	8	7	1
8	6	3	1	5	7	2	9	4
1	7	4	9	2	8	6	3	5

Hard 173

6	7	9	5	4	2	8	3	1
2	4	1	7	3	8	9	6	5
8	5	3	1	6	9	4	7	2
4	1	6	2	9	5	7	8	3
9	3	8	4	7	1	2	5	6
5	2	7	3	8	6	1	9	4
7	6	4	9	1	3	5	2	8
3	9	2	8	5	4	6	1	7
1	8	5	6	2	7	3	4	9

Hard 174

2	3	5	6	1	7	9	8	4
7	8	4	5	9	3	6	1	2
9	6	1	8	4	2	5	3	7
1	4	7	9	8	6	2	5	3
8	5	9	3	2	4	7	6	1
3	2	6	7	5	1	4	9	8
4	1	3	2	6	5	8	7	9
5	7	8	4	3	9	1	2	6
6	9	2	1	7	8	3	4	5

Hard 175

8	3	2	1	6	7	5	4	9
5	7	9	8	4	3	6	1	2
6	4	1	2	9	5	8	3	7
1	6	4	3	2	9	7	5	8
9	5	7	6	1	8	3	2	4
3	2	8	7	5	4	9	6	1
7	8	5	4	3	2	1	9	6
2	9	6	5	8	1	4	7	3
4	1	3	9	7	6	2	8	5

Hard 176

7	5	9	4	1	2	8	6	3
3	6	8	7	5	9	4	2	1
4	2	1	8	6	3	7	5	9
1	9	5	2	3	7	6	4	8
8	7	6	9	4	1	5	3	2
2	4	3	6	8	5	1	9	7
9	1	7	5	2	6	3	8	4
6	3	4	1	9	8	2	7	5
5	8	2	3	7	4	9	1	6

Hard 177

1	8	4	5	9	7	3	2	6
5	6	2	1	8	3	4	7	9
7	9	3	6	4	2	1	5	8
3	4	7	8	6	9	5	1	2
8	1	5	7	2	4	9	6	3
9	2	6	3	5	1	7	8	4
6	3	8	9	7	5	2	4	1
2	7	1	4	3	6	8	9	5
4	5	9	2	1	8	6	3	7

Hard 178

8	3	4	1	2	5	7	6	9
7	6	1	9	4	8	2	3	5
9	5	2	7	3	6	8	1	4
5	2	9	6	8	4	1	7	3
3	1	8	2	9	7	5	4	6
6	4	7	3	5	1	9	2	8
2	9	6	5	7	3	4	8	1
1	8	5	4	6	2	3	9	7
4	7	3	8	1	9	6	5	2

Hard 179

5	6	7	4	9	2	8	3	1
4	2	3	1	6	8	7	5	9
8	1	9	7	3	5	2	4	6
3	5	2	9	8	6	1	7	4
7	4	8	5	1	3	9	6	2
1	9	6	2	4	7	3	8	5
2	3	4	8	5	1	6	9	7
9	8	1	6	7	4	5	2	3
6	7	5	3	2	9	4	1	8

Hard 180

6	5	3	2	8	1	9	4	7
1	2	7	5	9	4	6	3	8
4	8	9	6	7	3	1	2	5
3	9	5	7	1	2	4	8	6
2	4	6	8	3	9	7	5	1
7	1	8	4	5	6	2	9	3
5	7	1	9	4	8	3	6	2
9	3	2	1	6	5	8	7	4
8	6	4	3	2	7	5	1	9

Hard 181

1	9	2	8	5	6	7	4	3
5	4	7	3	1	9	2	8	6
3	6	8	2	7	4	1	9	5
6	7	4	1	8	3	5	2	9
9	2	1	4	6	5	3	7	8
8	3	5	9	2	7	6	1	4
7	1	3	6	9	8	4	5	2
4	5	9	7	3	2	8	6	1
2	8	6	5	4	1	9	3	7

Hard 182

2	5	4	9	7	6	8	1	3
8	3	7	2	1	5	9	6	4
1	9	6	4	3	8	7	2	5
3	7	9	8	2	1	4	5	6
4	8	5	7	6	3	1	9	2
6	2	1	5	4	9	3	8	7
5	1	2	3	8	7	6	4	9
7	4	8	6	9	2	5	3	1
9	6	3	1	5	4	2	7	8

Hard 183

9	3	7	8	2	1	4	6	5
5	6	1	3	7	4	8	9	2
4	8	2	9	5	6	1	7	3
2	5	3	1	6	7	9	4	8
7	1	9	4	8	5	2	3	6
8	4	6	2	3	9	5	1	7
6	9	5	7	4	2	3	8	1
1	2	8	6	9	3	7	5	4
3	7	4	5	1	8	6	2	9

Hard 184

9	8	7	3	4	6	5	2	1
1	5	3	8	7	2	6	9	4
6	2	4	5	9	1	7	8	3
8	7	2	4	3	9	1	5	6
4	3	6	2	1	5	9	7	8
5	9	1	6	8	7	4	3	2
2	1	5	9	6	8	3	4	7
3	6	8	7	5	4	2	1	9
7	4	9	1	2	3	8	6	5

Hard 185

5	2	4	9	8	3	6	7	1
7	3	1	6	4	2	5	8	9
6	8	9	5	1	7	2	4	3
3	9	6	1	5	4	8	2	7
2	5	8	7	6	9	3	1	4
4	1	7	3	2	8	9	5	6
9	4	3	2	7	5	1	6	8
1	7	2	8	3	6	4	9	5
8	6	5	4	9	1	7	3	2

Hard 186

2	4	3	9	8	5	1	7	6
7	6	5	1	4	3	8	2	9
1	8	9	6	7	2	4	3	5
4	1	7	3	6	9	2	5	8
6	5	8	4	2	1	7	9	3
9	3	2	7	5	8	6	1	4
3	9	4	8	1	7	5	6	2
8	2	1	5	9	6	3	4	7
5	7	6	2	3	4	9	8	1

Hard 187

6	8	7	4	2	1	5	3	9
3	9	1	5	8	7	2	6	4
2	4	5	3	9	6	7	8	1
9	6	2	7	5	3	1	4	8
1	5	4	8	6	9	3	2	7
8	7	3	1	4	2	9	5	6
4	3	9	6	1	5	8	7	2
5	2	6	9	7	8	4	1	3
7	1	8	2	3	4	6	9	5

Hard 188

1	6	4	9	2	5	3	8	7
8	2	7	4	3	1	5	9	6
3	5	9	7	6	8	4	2	1
4	7	5	2	8	9	6	1	3
6	8	1	3	5	7	2	4	9
2	9	3	1	4	6	8	7	5
9	4	6	5	1	2	7	3	8
5	1	2	8	7	3	9	6	4
7	3	8	6	9	4	1	5	2

Hard 189

3	1	2	5	9	8	6	7	4
6	7	9	3	4	1	2	8	5
5	8	4	2	7	6	9	1	3
1	4	6	7	8	3	5	2	9
2	3	5	9	1	4	7	6	8
8	9	7	6	2	5	3	4	1
4	6	3	1	5	7	8	9	2
7	2	8	4	3	9	1	5	6
9	5	1	8	6	2	4	3	7

Hard 190

1	4	6	9	2	8	3	7	5
9	5	3	1	7	6	4	8	2
8	7	2	5	4	3	6	9	1
4	6	1	8	5	9	7	2	3
5	2	8	3	1	7	9	4	6
3	9	7	2	6	4	1	5	8
2	8	4	6	9	1	5	3	7
7	1	5	4	3	2	8	6	9
6	3	9	7	8	5	2	1	4

Hard 191

4	9	5	3	2	7	6	1	8
2	6	8	1	5	4	7	3	9
7	1	3	8	6	9	5	2	4
9	8	2	4	7	6	1	5	3
1	5	4	2	3	8	9	7	6
3	7	6	9	1	5	8	4	2
5	4	7	6	8	3	2	9	1
8	2	9	7	4	1	3	6	5
6	3	1	5	9	2	4	8	7

Hard 192

9	7	2	6	3	5	8	4	1
1	3	6	9	4	8	7	5	2
8	5	4	7	1	2	9	3	6
6	1	7	5	8	4	3	2	9
3	8	9	2	7	1	5	6	4
2	4	5	3	6	9	1	7	8
5	6	8	4	9	7	2	1	3
7	9	3	1	2	6	4	8	5
4	2	1	8	5	3	6	9	7

Hard 193

5	1	7	9	4	2	8	6	3
8	9	3	6	5	1	4	7	2
4	6	2	8	3	7	5	9	1
7	8	4	5	6	3	1	2	9
9	2	1	7	8	4	6	3	5
6	3	5	1	2	9	7	8	4
1	5	9	3	7	6	2	4	8
2	7	8	4	9	5	3	1	6
3	4	6	2	1	8	9	5	7

Hard 194

9	7	8	5	3	6	2	4	1
4	6	3	2	1	9	5	8	7
1	5	2	7	8	4	9	3	6
5	1	6	4	9	8	7	2	3
2	9	7	3	5	1	4	6	8
3	8	4	6	7	2	1	9	5
7	4	9	8	6	5	3	1	2
6	2	5	1	4	3	8	7	9
8	3	1	9	2	7	6	5	4

Hard 195

9	8	1	7	4	5	3	2	6
3	7	6	8	1	2	5	9	4
5	4	2	3	6	9	8	1	7
6	3	8	4	5	1	2	7	9
4	1	9	2	3	7	6	8	5
2	5	7	6	9	8	4	3	1
7	6	5	9	2	3	1	4	8
1	9	3	5	8	4	7	6	2
8	2	4	1	7	6	9	5	3

Hard 196

9	4	5	1	3	7	6	8	2
1	8	6	4	5	2	3	7	9
3	2	7	6	8	9	4	1	5
4	7	3	9	1	8	2	5	6
6	1	9	2	7	5	8	3	4
8	5	2	3	6	4	7	9	1
7	9	4	8	2	1	5	6	3
2	3	8	5	9	6	1	4	7
5	6	1	7	4	3	9	2	8

Hard 197

7	4	9	2	6	1	5	8	3
2	6	8	4	3	5	1	7	9
3	1	5	7	8	9	6	2	4
6	8	3	1	5	2	9	4	7
4	2	1	9	7	3	8	5	6
9	5	7	8	4	6	3	1	2
1	7	6	5	9	4	2	3	8
5	3	4	6	2	8	7	9	1
8	9	2	3	1	7	4	6	5

Hard 198

6	2	5	7	3	1	8	4	9
1	4	8	9	2	6	5	3	7
9	3	7	4	8	5	1	6	2
8	7	9	3	1	4	6	2	5
4	6	3	2	5	8	7	9	1
5	1	2	6	9	7	3	8	4
3	5	1	8	4	2	9	7	6
7	9	4	5	6	3	2	1	8
2	8	6	1	7	9	4	5	3

Hard 199

3	9	8	5	7	2	4	6	1
2	5	4	6	8	1	9	3	7
7	6	1	4	3	9	5	2	8
8	2	9	7	4	5	6	1	3
4	3	7	9	1	6	8	5	2
6	1	5	8	2	3	7	4	9
5	4	2	3	9	8	1	7	6
1	8	6	2	5	7	3	9	4
9	7	3	1	6	4	2	8	5

Hard 200

8	2	5	1	7	6	4	3	9
4	7	1	9	8	3	2	6	5
3	9	6	2	4	5	8	1	7
6	1	2	8	9	7	5	4	3
7	4	8	3	5	1	9	2	6
9	5	3	6	2	4	7	8	1
2	6	9	7	1	8	3	5	4
1	8	4	5	3	9	6	7	2
5	3	7	4	6	2	1	9	8

Hard 201

4	9	7	1	2	8	6	5	3
8	3	1	6	5	9	7	4	2
2	5	6	7	4	3	9	1	8
3	1	4	8	7	5	2	6	9
5	6	8	9	3	2	1	7	4
9	7	2	4	1	6	3	8	5
6	2	3	5	8	1	4	9	7
7	8	9	3	6	4	5	2	1
1	4	5	2	9	7	8	3	6

Hard 202

6	2	4	9	5	3	1	8	7
9	3	1	4	8	7	5	2	6
8	7	5	1	2	6	3	4	9
5	9	6	3	1	2	4	7	8
4	8	2	6	7	5	9	3	1
7	1	3	8	4	9	6	5	2
2	4	7	5	9	1	8	6	3
1	6	8	2	3	4	7	9	5
3	5	9	7	6	8	2	1	4

Hard 203

5	1	6	8	9	4	3	7	2
2	9	4	6	7	3	8	1	5
8	3	7	2	1	5	4	6	9
7	5	3	1	6	8	2	9	4
1	6	8	4	2	9	7	5	3
9	4	2	3	5	7	6	8	1
6	2	5	7	4	1	9	3	8
3	7	1	9	8	2	5	4	6
4	8	9	5	3	6	1	2	7

Hard 204

2	4	6	1	9	5	7	8	3
5	7	8	2	3	6	1	4	9
9	3	1	8	4	7	5	6	2
7	2	4	9	1	8	3	5	6
3	6	9	5	7	4	2	1	8
8	1	5	3	6	2	4	9	7
1	5	7	6	8	3	9	2	4
4	8	2	7	5	9	6	3	1
6	9	3	4	2	1	8	7	5

Hard 205

7	9	1	8	5	4	2	6	3
2	4	3	6	1	7	8	9	5
6	5	8	9	3	2	4	1	7
1	7	5	3	6	8	9	4	2
8	6	9	2	4	5	7	3	1
4	3	2	1	7	9	5	8	6
5	1	7	4	8	6	3	2	9
9	8	6	5	2	3	1	7	4
3	2	4	7	9	1	6	5	8

Hard 206

7	9	5	4	1	8	3	6	2
6	4	3	5	2	7	9	8	1
1	2	8	6	3	9	5	7	4
9	6	7	2	5	1	8	4	3
2	8	1	3	7	4	6	9	5
5	3	4	8	9	6	2	1	7
4	5	6	7	8	3	1	2	9
3	7	9	1	6	2	4	5	8
8	1	2	9	4	5	7	3	6

Hard 207

2	6	4	1	9	3	7	5	8
1	7	5	2	8	6	3	4	9
9	8	3	7	5	4	2	1	6
8	3	6	4	2	9	5	7	1
7	5	1	3	6	8	4	9	2
4	2	9	5	7	1	6	8	3
3	9	2	8	4	7	1	6	5
6	1	7	9	3	5	8	2	4
5	4	8	6	1	2	9	3	7

Hard 208

9	4	2	1	7	8	3	6	5
7	8	1	3	5	6	4	9	2
5	3	6	2	4	9	7	8	1
8	1	7	4	6	3	2	5	9
3	6	4	9	2	5	8	1	7
2	9	5	8	1	7	6	3	4
6	5	8	7	9	4	1	2	3
1	7	9	6	3	2	5	4	8
4	2	3	5	8	1	9	7	6

Hard 209

6	2	8	1	7	3	9	5	4
1	3	7	4	9	5	6	2	8
9	4	5	8	6	2	1	7	3
5	9	4	6	3	7	2	8	1
8	7	2	9	1	4	5	3	6
3	1	6	2	5	8	4	9	7
7	8	9	5	4	6	3	1	2
4	5	3	7	2	1	8	6	9
2	6	1	3	8	9	7	4	5

Hard 210

1	5	4	2	6	7	9	3	8
3	7	9	5	8	1	6	4	2
8	6	2	3	9	4	7	1	5
7	9	5	4	3	8	1	2	6
4	3	6	1	5	2	8	9	7
2	1	8	9	7	6	4	5	3
6	4	3	8	2	9	5	7	1
9	2	7	6	1	5	3	8	4
5	8	1	7	4	3	2	6	9

Hard 211

5	9	2	1	8	6	3	4	7
7	1	4	9	2	3	8	5	6
6	8	3	5	4	7	9	2	1
8	4	9	7	5	2	6	1	3
2	6	5	3	1	8	7	9	4
3	7	1	4	6	9	2	8	5
9	5	8	6	7	1	4	3	2
1	2	6	8	3	4	5	7	9
4	3	7	2	9	5	1	6	8

Hard 212

9	7	6	2	5	8	1	4	3
5	4	2	9	3	1	8	6	7
1	8	3	6	7	4	2	5	9
4	6	7	3	2	9	5	1	8
2	9	5	1	8	6	3	7	4
3	1	8	7	4	5	6	9	2
7	2	9	5	6	3	4	8	1
8	5	1	4	9	2	7	3	6
6	3	4	8	1	7	9	2	5

Hard 213

4	7	6	5	1	2	8	3	9
1	5	9	8	3	6	2	4	7
2	8	3	9	4	7	6	5	1
3	1	7	6	2	9	4	8	5
6	9	5	4	8	3	1	7	2
8	2	4	1	7	5	9	6	3
5	6	2	3	9	4	7	1	8
7	4	8	2	5	1	3	9	6
9	3	1	7	6	8	5	2	4

Hard 214

3	4	1	2	7	8	6	5	9
7	5	9	1	3	6	8	4	2
2	6	8	4	9	5	1	7	3
6	8	7	5	2	4	9	3	1
4	1	3	7	6	9	2	8	5
9	2	5	3	8	1	7	6	4
8	7	2	9	5	3	4	1	6
5	9	4	6	1	7	3	2	8
1	3	6	8	4	2	5	9	7

Hard 215

3	4	6	7	1	9	2	5	8
7	8	5	2	4	6	1	3	9
9	1	2	3	8	5	6	7	4
8	6	7	1	2	3	4	9	5
4	3	9	5	6	8	7	2	1
2	5	1	4	9	7	8	6	3
1	9	4	6	3	2	5	8	7
6	7	8	9	5	1	3	4	2
5	2	3	8	7	4	9	1	6

Hard 216

3	6	1	9	7	4	8	2	5
8	4	9	6	5	2	7	3	1
2	5	7	8	1	3	4	6	9
6	3	4	7	8	9	5	1	2
7	9	5	2	3	1	6	4	8
1	2	8	4	6	5	9	7	3
9	8	2	3	4	7	1	5	6
5	7	6	1	2	8	3	9	4
4	1	3	5	9	6	2	8	7

Hard 217

9	8	7	2	5	4	6	3	1
6	5	3	7	8	1	2	9	4
1	4	2	6	3	9	7	5	8
2	6	1	4	7	3	9	8	5
8	9	4	5	1	2	3	6	7
3	7	5	8	9	6	4	1	2
7	2	9	1	6	8	5	4	3
4	1	6	3	2	5	8	7	9
5	3	8	9	4	7	1	2	6

Hard 218

4	8	3	5	2	7	9	1	6
1	7	5	8	6	9	3	2	4
6	9	2	4	3	1	7	5	8
8	4	7	6	5	3	1	9	2
2	6	9	7	1	4	8	3	5
3	5	1	9	8	2	4	6	7
7	2	6	1	9	8	5	4	3
5	1	4	3	7	6	2	8	9
9	3	8	2	4	5	6	7	1

Hard 219

1	8	4	2	7	6	9	5	3
6	2	5	9	8	3	7	4	1
9	3	7	1	4	5	2	8	6
4	7	2	3	6	1	8	9	5
5	1	6	8	9	2	3	7	4
3	9	8	7	5	4	6	1	2
2	6	9	5	1	8	4	3	7
7	5	3	4	2	9	1	6	8
8	4	1	6	3	7	5	2	9

Hard 220

3	5	9	8	6	7	1	4	2
7	1	4	2	9	5	8	3	6
6	2	8	3	1	4	9	7	5
9	3	1	6	5	2	4	8	7
5	4	7	1	3	8	2	6	9
8	6	2	4	7	9	3	5	1
2	7	3	9	4	6	5	1	8
4	9	5	7	8	1	6	2	3
1	8	6	5	2	3	7	9	4

Hard 221

5	8	1	6	3	9	7	2	4
9	7	4	1	8	2	3	6	5
3	2	6	7	5	4	1	9	8
7	6	2	9	4	8	5	3	1
1	9	8	5	6	3	4	7	2
4	5	3	2	1	7	9	8	6
8	3	9	4	2	1	6	5	7
2	1	5	3	7	6	8	4	9
6	4	7	8	9	5	2	1	3

Hard 222

6	5	8	3	7	1	2	4	9
1	9	7	4	2	6	8	3	5
2	4	3	8	5	9	6	1	7
4	1	6	9	8	3	5	7	2
7	8	2	5	6	4	3	9	1
9	3	5	2	1	7	4	8	6
5	6	1	7	3	8	9	2	4
3	7	9	6	4	2	1	5	8
8	2	4	1	9	5	7	6	3

Hard 223

1	4	7	2	6	3	5	9	8
6	3	8	9	5	7	4	2	1
9	5	2	1	4	8	7	3	6
4	8	3	6	7	9	2	1	5
7	2	6	3	1	5	9	8	4
5	1	9	8	2	4	6	7	3
8	9	5	4	3	2	1	6	7
2	6	4	7	8	1	3	5	9
3	7	1	5	9	6	8	4	2

Hard 224

2	6	3	1	4	8	9	5	7
4	1	5	9	7	2	6	8	3
8	7	9	3	6	5	2	4	1
7	8	2	4	9	1	5	3	6
5	9	6	7	2	3	8	1	4
3	4	1	5	8	6	7	2	9
6	3	4	2	5	9	1	7	8
9	5	7	8	1	4	3	6	2
1	2	8	6	3	7	4	9	5

Hard 225

8	6	7	3	1	4	9	2	5
9	4	3	2	5	8	7	6	1
1	2	5	9	6	7	3	4	8
4	8	1	7	3	9	2	5	6
7	5	2	6	8	1	4	3	9
6	3	9	4	2	5	1	8	7
2	1	8	5	9	3	6	7	4
5	7	6	1	4	2	8	9	3
3	9	4	8	7	6	5	1	2

Hard 226

2	1	7	6	5	8	3	4	9
4	6	8	9	3	2	1	5	7
5	3	9	1	7	4	6	2	8
9	8	1	5	4	7	2	6	3
6	7	5	3	2	9	4	8	1
3	4	2	8	1	6	9	7	5
1	5	4	2	8	3	7	9	6
7	9	3	4	6	5	8	1	2
8	2	6	7	9	1	5	3	4

Hard 227

3	1	5	4	8	6	9	2	7
8	6	4	7	9	2	3	1	5
7	9	2	1	3	5	4	8	6
4	3	6	9	7	1	2	5	8
1	5	9	2	6	8	7	3	4
2	7	8	5	4	3	1	6	9
5	8	7	3	2	4	6	9	1
9	2	1	6	5	7	8	4	3
6	4	3	8	1	9	5	7	2

Hard 228

5	9	2	6	8	1	3	7	4
4	1	3	5	2	7	6	8	9
8	7	6	4	9	3	5	2	1
3	2	8	9	6	5	1	4	7
7	4	5	1	3	2	8	9	6
9	6	1	7	4	8	2	5	3
1	3	9	8	5	4	7	6	2
2	5	4	3	7	6	9	1	8
6	8	7	2	1	9	4	3	5

Hard 229

5	9	4	2	1	7	6	8	3
2	3	7	9	6	8	5	4	1
6	1	8	4	3	5	2	7	9
3	5	2	7	4	9	1	6	8
7	8	9	1	5	6	3	2	4
1	4	6	8	2	3	7	9	5
4	7	1	5	8	2	9	3	6
9	6	5	3	7	4	8	1	2
8	2	3	6	9	1	4	5	7

Hard 230

4	1	9	6	7	2	3	5	8
7	5	3	1	4	8	2	9	6
8	2	6	3	9	5	4	1	7
5	6	7	9	3	1	8	2	4
2	3	1	4	8	7	9	6	5
9	8	4	5	2	6	1	7	3
3	7	2	8	6	9	5	4	1
6	4	5	2	1	3	7	8	9
1	9	8	7	5	4	6	3	2

Hard 231

4	6	5	7	2	3	1	8	9
2	3	9	1	4	8	6	7	5
7	8	1	6	9	5	2	4	3
6	7	4	3	8	9	5	1	2
8	1	3	2	5	6	7	9	4
9	5	2	4	7	1	8	3	6
5	2	7	9	1	4	3	6	8
3	4	8	5	6	7	9	2	1
1	9	6	8	3	2	4	5	7

Hard 232

1	4	8	9	2	6	5	3	7
3	7	2	5	8	1	9	4	6
9	6	5	3	4	7	8	1	2
8	9	6	4	7	5	3	2	1
4	2	3	1	9	8	6	7	5
7	5	1	6	3	2	4	8	9
5	8	9	2	1	3	7	6	4
2	3	4	7	6	9	1	5	8
6	1	7	8	5	4	2	9	3

Hard 233

1	6	4	8	9	5	3	7	2
2	7	9	6	3	1	4	8	5
8	5	3	4	7	2	1	6	9
7	2	8	1	4	3	5	9	6
5	4	1	7	6	9	2	3	8
9	3	6	5	2	8	7	4	1
6	9	7	2	1	4	8	5	3
4	8	2	3	5	6	9	1	7
3	1	5	9	8	7	6	2	4

Hard 234

6	2	4	8	7	1	9	5	3
7	9	3	2	4	5	6	8	1
8	1	5	6	3	9	4	7	2
9	5	7	3	8	4	1	2	6
4	8	1	5	2	6	7	3	9
2	3	6	1	9	7	5	4	8
1	7	2	4	6	8	3	9	5
5	4	8	9	1	3	2	6	7
3	6	9	7	5	2	8	1	4

Hard 235

6	9	5	1	7	3	4	8	2
4	3	1	8	2	5	7	9	6
8	7	2	9	4	6	1	5	3
9	6	4	5	3	7	2	1	8
7	1	3	2	8	9	6	4	5
2	5	8	4	6	1	3	7	9
5	2	9	3	1	4	8	6	7
1	8	7	6	9	2	5	3	4
3	4	6	7	5	8	9	2	1

Hard 236

4	5	7	9	8	3	1	6	2
2	8	1	4	5	6	3	7	9
3	6	9	7	1	2	8	4	5
1	2	3	5	9	4	7	8	6
8	9	4	6	3	7	2	5	1
6	7	5	8	2	1	4	9	3
9	4	2	3	6	8	5	1	7
7	3	6	1	4	5	9	2	8
5	1	8	2	7	9	6	3	4

Hard 237

9	2	3	6	7	1	4	8	5
6	5	7	4	3	8	9	1	2
4	8	1	5	2	9	7	3	6
7	6	2	9	8	4	3	5	1
8	1	4	2	5	3	6	7	9
3	9	5	1	6	7	2	4	8
1	3	9	8	4	2	5	6	7
5	7	8	3	9	6	1	2	4
2	4	6	7	1	5	8	9	3

Hard 238

6	9	5	8	4	7	3	1	2
1	8	4	2	3	9	5	7	6
2	3	7	6	5	1	9	4	8
9	2	1	7	6	4	8	3	5
7	6	3	5	1	8	4	2	9
4	5	8	3	9	2	7	6	1
5	1	9	4	2	3	6	8	7
8	4	2	9	7	6	1	5	3
3	7	6	1	8	5	2	9	4

Hard 239

1	3	6	5	9	2	8	4	7
8	4	9	7	3	6	2	5	1
2	7	5	1	4	8	9	3	6
6	2	7	4	1	9	5	8	3
9	8	3	6	5	7	4	1	2
5	1	4	2	8	3	7	6	9
4	6	1	9	7	5	3	2	8
7	5	8	3	2	1	6	9	4
3	9	2	8	6	4	1	7	5

Hard 240

7	8	3	1	5	4	2	9	6
5	9	6	3	7	2	1	4	8
2	1	4	6	8	9	3	5	7
6	3	9	8	2	7	4	1	5
1	5	7	4	6	3	9	8	2
4	2	8	5	9	1	7	6	3
8	7	1	9	3	6	5	2	4
3	4	5	2	1	8	6	7	9
9	6	2	7	4	5	8	3	1

Hard 241

9	6	5	1	4	3	2	7	8
4	3	8	5	7	2	9	6	1
7	1	2	6	8	9	3	4	5
6	8	4	2	3	5	7	1	9
5	2	9	7	1	4	8	3	6
3	7	1	9	6	8	5	2	4
8	9	7	4	2	6	1	5	3
1	5	6	3	9	7	4	8	2
2	4	3	8	5	1	6	9	7

Hard 242

4	5	3	9	8	6	7	1	2
6	9	2	3	7	1	4	5	8
7	1	8	2	4	5	3	9	6
5	7	1	6	2	9	8	3	4
2	3	4	1	5	8	6	7	9
8	6	9	7	3	4	1	2	5
3	2	6	8	9	7	5	4	1
9	8	5	4	1	3	2	6	7
1	4	7	5	6	2	9	8	3

Hard 243

2	3	4	5	8	7	1	6	9
6	5	8	4	9	1	3	7	2
1	9	7	3	2	6	4	5	8
4	7	2	8	3	9	5	1	6
8	6	9	1	7	5	2	3	4
5	1	3	2	6	4	8	9	7
9	2	5	6	1	8	7	4	3
7	8	1	9	4	3	6	2	5
3	4	6	7	5	2	9	8	1

Hard 244

5	2	8	4	3	6	1	9	7
9	3	1	7	2	5	4	8	6
4	6	7	1	8	9	5	2	3
1	9	2	8	6	4	3	7	5
3	8	4	5	7	2	9	6	1
6	7	5	9	1	3	2	4	8
8	5	6	2	4	1	7	3	9
7	4	9	3	5	8	6	1	2
2	1	3	6	9	7	8	5	4

Hard 245

6	8	2	9	5	4	1	3	7
9	7	5	3	1	8	4	2	6
4	3	1	2	7	6	9	5	8
1	2	7	6	8	3	5	9	4
5	4	8	7	9	2	3	6	1
3	9	6	1	4	5	8	7	2
7	5	9	4	6	1	2	8	3
8	1	3	5	2	7	6	4	9
2	6	4	8	3	9	7	1	5

Hard 246

8	4	9	6	1	2	3	5	7
1	5	7	3	9	4	6	2	8
3	6	2	5	7	8	1	4	9
9	8	3	1	6	5	4	7	2
6	1	4	8	2	7	9	3	5
2	7	5	4	3	9	8	6	1
7	3	6	2	8	1	5	9	4
4	9	8	7	5	3	2	1	6
5	2	1	9	4	6	7	8	3

Hard 247

4	1	2	9	5	6	7	8	3
8	5	7	3	2	1	4	9	6
9	6	3	7	4	8	1	5	2
2	7	1	8	3	9	6	4	5
5	8	4	2	6	7	3	1	9
3	9	6	4	1	5	2	7	8
1	2	5	6	9	4	8	3	7
7	3	9	1	8	2	5	6	4
6	4	8	5	7	3	9	2	1

Hard 248

6	1	5	2	8	4	9	3	7
3	8	9	5	6	7	4	2	1
7	4	2	3	9	1	6	8	5
1	3	8	4	5	2	7	9	6
5	2	6	9	7	3	8	1	4
4	9	7	6	1	8	2	5	3
8	6	4	1	3	9	5	7	2
9	5	1	7	2	6	3	4	8
2	7	3	8	4	5	1	6	9

Hard 249

1	8	2	9	7	5	6	3	4
7	5	6	3	4	1	2	8	9
3	4	9	2	8	6	1	5	7
9	7	3	8	6	4	5	1	2
4	6	1	5	3	2	9	7	8
8	2	5	1	9	7	4	6	3
2	9	8	6	1	3	7	4	5
6	3	7	4	5	9	8	2	1
5	1	4	7	2	8	3	9	6

Hard 250

8	2	1	9	7	4	6	3	5
4	7	6	3	8	5	9	1	2
3	5	9	2	1	6	7	4	8
5	9	8	7	4	2	3	6	1
2	3	7	1	6	8	5	9	4
1	6	4	5	3	9	8	2	7
9	1	5	6	2	7	4	8	3
6	8	2	4	5	3	1	7	9
7	4	3	8	9	1	2	5	6

Hard 251

9	7	3	5	4	8	1	2	6
1	4	2	7	9	6	3	5	8
6	5	8	3	1	2	7	9	4
2	1	7	9	8	3	6	4	5
5	3	9	4	6	1	2	8	7
4	8	6	2	5	7	9	1	3
8	2	1	6	7	4	5	3	9
7	9	4	1	3	5	8	6	2
3	6	5	8	2	9	4	7	1

Hard 252

9	2	1	6	8	4	3	7	5
4	8	3	5	7	2	9	6	1
5	7	6	3	9	1	8	2	4
6	4	7	2	3	8	1	5	9
2	3	5	9	1	6	7	4	8
8	1	9	4	5	7	2	3	6
3	6	2	8	4	9	5	1	7
1	9	4	7	2	5	6	8	3
7	5	8	1	6	3	4	9	2

Hard 253

3	1	7	4	6	9	2	8	5
2	8	9	1	3	5	6	7	4
5	4	6	8	7	2	9	3	1
1	6	3	2	5	7	8	4	9
9	7	4	3	8	6	5	1	2
8	5	2	9	4	1	7	6	3
7	9	1	6	2	4	3	5	8
4	3	5	7	9	8	1	2	6
6	2	8	5	1	3	4	9	7

Hard 254

8	7	1	9	4	6	3	5	2
2	5	6	3	8	1	7	4	9
9	3	4	2	7	5	6	8	1
6	1	8	7	2	9	4	3	5
5	4	9	8	1	3	2	6	7
3	2	7	5	6	4	1	9	8
7	6	2	4	9	8	5	1	3
4	8	5	1	3	7	9	2	6
1	9	3	6	5	2	8	7	4

Hard 255

2	6	1	8	7	3	4	5	9
4	9	8	2	5	6	3	7	1
7	5	3	9	4	1	2	8	6
9	1	6	7	2	5	8	4	3
8	2	7	4	3	9	6	1	5
5	3	4	6	1	8	7	9	2
1	8	5	3	6	4	9	2	7
3	4	2	5	9	7	1	6	8
6	7	9	1	8	2	5	3	4

Hard 256

5	7	9	3	6	8	1	4	2
4	8	2	1	7	9	6	5	3
1	3	6	5	2	4	7	9	8
6	4	3	7	9	2	8	1	5
8	2	7	4	1	5	3	6	9
9	5	1	6	8	3	2	7	4
7	9	5	8	3	1	4	2	6
2	6	8	9	4	7	5	3	1
3	1	4	2	5	6	9	8	7

Hard 257

8	4	9	2	6	7	1	3	5
5	3	7	1	8	9	6	4	2
1	2	6	4	5	3	7	9	8
2	7	1	6	3	4	8	5	9
4	6	5	7	9	8	2	1	3
3	9	8	5	1	2	4	7	6
7	5	2	9	4	6	3	8	1
6	1	3	8	7	5	9	2	4
9	8	4	3	2	1	5	6	7

Hard 258

4	3	7	8	5	2	9	1	6
5	9	2	4	6	1	7	8	3
1	8	6	7	9	3	4	2	5
6	5	9	3	1	4	8	7	2
7	4	3	9	2	8	5	6	1
8	2	1	6	7	5	3	4	9
2	1	4	5	3	7	6	9	8
9	7	5	1	8	6	2	3	4
3	6	8	2	4	9	1	5	7

Hard 259

3	5	1	8	2	6	4	9	7
6	2	9	3	7	4	8	5	1
8	4	7	9	1	5	2	6	3
2	8	6	4	9	3	1	7	5
5	1	4	7	6	2	3	8	9
7	9	3	1	5	8	6	4	2
4	7	5	6	3	1	9	2	8
9	3	8	2	4	7	5	1	6
1	6	2	5	8	9	7	3	4

Hard 260

7	3	1	8	6	9	5	4	2
6	5	2	7	4	1	3	9	8
9	4	8	5	3	2	7	6	1
5	2	7	6	8	4	9	1	3
3	8	6	9	1	7	2	5	4
4	1	9	3	2	5	8	7	6
8	6	5	1	7	3	4	2	9
2	9	3	4	5	6	1	8	7
1	7	4	2	9	8	6	3	5

Hard 261

9	1	8	5	2	6	7	4	3
7	5	6	8	4	3	1	9	2
4	2	3	1	9	7	8	5	6
8	6	9	7	1	2	5	3	4
1	3	2	4	5	9	6	8	7
5	7	4	3	6	8	9	2	1
2	8	7	6	3	5	4	1	9
3	4	5	9	7	1	2	6	8
6	9	1	2	8	4	3	7	5

Hard 262

9	2	7	1	8	4	6	5	3
1	8	4	3	6	5	9	2	7
6	5	3	9	2	7	8	4	1
7	6	5	8	4	2	1	3	9
3	4	9	5	7	1	2	8	6
2	1	8	6	3	9	5	7	4
8	7	2	4	1	6	3	9	5
4	9	1	2	5	3	7	6	8
5	3	6	7	9	8	4	1	2

Hard 263

6	1	2	9	4	7	8	5	3
4	7	9	8	3	5	2	6	1
3	5	8	1	2	6	7	4	9
2	9	3	5	6	4	1	7	8
5	6	1	7	9	8	4	3	2
8	4	7	2	1	3	5	9	6
1	2	6	4	7	9	3	8	5
9	8	4	3	5	1	6	2	7
7	3	5	6	8	2	9	1	4

Hard 264

3	9	7	8	1	6	2	5	4
8	5	4	3	2	9	1	6	7
6	1	2	5	7	4	9	8	3
4	2	6	9	3	8	5	7	1
9	7	8	1	5	2	3	4	6
5	3	1	4	6	7	8	9	2
1	4	5	7	9	3	6	2	8
7	6	3	2	8	5	4	1	9
2	8	9	6	4	1	7	3	5

Hard 265

3	4	1	5	7	6	2	9	8
6	5	8	9	1	2	4	3	7
2	7	9	8	3	4	5	6	1
4	6	5	1	9	3	7	8	2
1	3	2	7	4	8	6	5	9
9	8	7	6	2	5	1	4	3
8	2	3	4	6	1	9	7	5
5	9	4	2	8	7	3	1	6
7	1	6	3	5	9	8	2	4

Hard 266

9	5	1	2	6	8	4	3	7
2	4	7	9	3	5	8	1	6
8	6	3	4	7	1	2	5	9
4	9	5	7	8	2	1	6	3
3	8	2	1	9	6	7	4	5
1	7	6	5	4	3	9	2	8
7	3	9	6	2	4	5	8	1
6	1	4	8	5	7	3	9	2
5	2	8	3	1	9	6	7	4

Hard 267

2	4	9	7	1	3	8	5	6
3	8	1	5	2	6	9	4	7
7	5	6	4	8	9	1	3	2
6	1	3	9	4	2	7	8	5
8	9	7	1	3	5	6	2	4
5	2	4	8	6	7	3	1	9
1	6	2	3	9	4	5	7	8
4	7	8	6	5	1	2	9	3
9	3	5	2	7	8	4	6	1

Hard 268

3	7	1	9	4	8	6	2	5
6	8	2	5	1	7	4	9	3
9	4	5	3	2	6	7	8	1
7	3	4	2	9	5	1	6	8
1	2	9	6	8	4	5	3	7
5	6	8	1	7	3	2	4	9
2	5	6	8	3	1	9	7	4
4	9	3	7	5	2	8	1	6
8	1	7	4	6	9	3	5	2

Hard 269

3	1	5	2	8	7	4	9	6
7	8	6	9	5	4	1	2	3
9	4	2	3	6	1	8	7	5
8	6	7	5	9	2	3	1	4
5	2	1	4	3	6	9	8	7
4	9	3	1	7	8	5	6	2
2	3	4	7	1	9	6	5	8
6	7	9	8	4	5	2	3	1
1	5	8	6	2	3	7	4	9

Hard 270

6	5	4	3	8	2	7	1	9
2	7	3	6	9	1	4	8	5
9	1	8	7	5	4	2	3	6
3	2	7	9	4	8	5	6	1
4	8	6	1	7	5	9	2	3
1	9	5	2	6	3	8	7	4
7	3	1	4	2	9	6	5	8
8	6	9	5	1	7	3	4	2
5	4	2	8	3	6	1	9	7

Hard 271

8	6	1	4	7	3	5	2	9
4	2	7	5	9	1	3	6	8
5	3	9	2	6	8	4	7	1
7	1	3	8	4	9	6	5	2
2	8	5	1	3	6	9	4	7
9	4	6	7	5	2	8	1	3
1	5	4	3	8	7	2	9	6
6	7	8	9	2	4	1	3	5
3	9	2	6	1	5	7	8	4

Hard 272

3	5	9	7	6	2	1	8	4
1	4	2	8	3	9	5	6	7
7	8	6	4	5	1	2	3	9
5	6	4	2	8	3	9	7	1
9	2	3	1	7	5	8	4	6
8	1	7	6	9	4	3	2	5
6	3	8	5	1	7	4	9	2
2	9	1	3	4	6	7	5	8
4	7	5	9	2	8	6	1	3

Hard 273

8	1	5	4	2	7	6	3	9
7	2	3	6	9	8	4	5	1
4	6	9	5	3	1	2	7	8
3	7	2	9	8	6	5	1	4
5	4	6	2	1	3	8	9	7
1	9	8	7	5	4	3	2	6
9	8	4	3	7	5	1	6	2
2	3	1	8	6	9	7	4	5
6	5	7	1	4	2	9	8	3

Hard 274

7	1	5	2	9	4	6	8	3
6	4	8	1	3	7	5	9	2
3	2	9	8	5	6	7	4	1
4	9	1	7	6	3	2	5	8
8	6	7	5	4	2	3	1	9
2	5	3	9	1	8	4	7	6
1	3	2	4	7	9	8	6	5
9	7	6	3	8	5	1	2	4
5	8	4	6	2	1	9	3	7

Hard 275

9	6	1	2	5	7	4	8	3
4	3	2	1	6	8	9	5	7
8	5	7	4	9	3	2	6	1
1	9	6	8	7	4	5	3	2
7	4	3	6	2	5	8	1	9
2	8	5	9	3	1	7	4	6
3	2	8	7	4	6	1	9	5
5	7	4	3	1	9	6	2	8
6	1	9	5	8	2	3	7	4

Hard 276

9	6	5	7	3	4	1	8	2
4	2	8	1	5	9	3	7	6
3	7	1	2	8	6	4	9	5
6	4	3	5	9	7	8	2	1
1	8	9	3	4	2	6	5	7
2	5	7	8	6	1	9	3	4
5	9	4	6	7	8	2	1	3
8	3	2	4	1	5	7	6	9
7	1	6	9	2	3	5	4	8

Hard 277

9	1	7	4	8	6	3	2	5
3	8	4	2	7	5	1	6	9
2	5	6	3	1	9	4	8	7
6	2	5	9	4	8	7	3	1
8	7	9	1	6	3	2	5	4
1	4	3	5	2	7	8	9	6
5	3	8	7	9	1	6	4	2
4	9	1	6	3	2	5	7	8
7	6	2	8	5	4	9	1	3

Hard 278

3	6	5	8	1	9	4	7	2
8	7	1	2	3	4	5	6	9
2	4	9	5	6	7	1	3	8
6	2	7	9	5	1	3	8	4
9	1	3	4	2	8	7	5	6
4	5	8	3	7	6	9	2	1
1	8	6	7	9	3	2	4	5
5	3	4	1	8	2	6	9	7
7	9	2	6	4	5	8	1	3

Hard 279

1	4	8	9	5	3	6	7	2
2	5	3	7	6	4	8	1	9
7	6	9	8	2	1	3	4	5
8	7	4	3	1	2	5	9	6
6	9	2	5	4	8	1	3	7
3	1	5	6	9	7	4	2	8
9	8	1	2	3	6	7	5	4
5	3	7	4	8	9	2	6	1
4	2	6	1	7	5	9	8	3

Hard 280

4	5	7	1	2	6	3	9	8
3	2	6	8	9	7	4	5	1
9	1	8	5	4	3	2	7	6
5	3	9	2	7	1	6	8	4
8	7	4	3	6	5	9	1	2
2	6	1	4	8	9	7	3	5
7	4	2	9	5	8	1	6	3
1	9	5	6	3	2	8	4	7
6	8	3	7	1	4	5	2	9

Hard 281

5	7	4	1	2	6	3	8	9
2	6	8	4	9	3	7	5	1
1	3	9	5	7	8	4	2	6
9	4	7	2	8	1	6	3	5
3	8	1	6	5	4	2	9	7
6	2	5	7	3	9	1	4	8
7	5	3	9	6	2	8	1	4
4	9	2	8	1	7	5	6	3
8	1	6	3	4	5	9	7	2

Hard 282

1	7	8	6	9	4	5	3	2
4	9	2	5	3	1	7	8	6
5	3	6	8	2	7	4	9	1
8	5	7	4	6	2	9	1	3
2	1	9	7	5	3	8	6	4
6	4	3	1	8	9	2	7	5
9	2	5	3	7	6	1	4	8
7	6	4	2	1	8	3	5	9
3	8	1	9	4	5	6	2	7

Hard 283

6	2	4	3	9	8	1	7	5
5	3	7	4	2	1	6	9	8
1	9	8	6	7	5	4	2	3
3	1	9	7	6	4	8	5	2
2	4	5	8	1	9	3	6	7
8	7	6	5	3	2	9	4	1
7	5	1	9	4	3	2	8	6
9	6	2	1	8	7	5	3	4
4	8	3	2	5	6	7	1	9

Hard 284

4	1	5	8	2	6	7	3	9
7	2	8	9	3	4	5	1	6
6	9	3	1	5	7	8	2	4
8	6	2	3	1	9	4	5	7
3	4	9	6	7	5	2	8	1
5	7	1	4	8	2	9	6	3
2	5	6	7	9	1	3	4	8
1	3	7	2	4	8	6	9	5
9	8	4	5	6	3	1	7	2

Hard 285

5	8	1	9	6	3	4	2	7
6	4	9	2	7	8	1	3	5
2	3	7	4	1	5	9	8	6
1	2	4	6	8	9	5	7	3
8	6	5	7	3	1	2	4	9
9	7	3	5	4	2	8	6	1
3	5	8	1	2	6	7	9	4
7	9	2	3	5	4	6	1	8
4	1	6	8	9	7	3	5	2

Hard 286

8	6	7	1	3	2	4	9	5
9	1	3	4	5	7	6	2	8
4	5	2	8	6	9	7	1	3
1	7	8	2	4	6	3	5	9
2	9	5	3	7	1	8	6	4
3	4	6	5	9	8	2	7	1
7	8	4	6	1	5	9	3	2
5	2	9	7	8	3	1	4	6
6	3	1	9	2	4	5	8	7

Hard 287

1	6	4	8	7	5	3	2	9
3	9	2	4	1	6	7	8	5
5	7	8	3	2	9	4	1	6
2	3	5	7	6	8	1	9	4
6	1	9	5	3	4	2	7	8
8	4	7	1	9	2	6	5	3
4	8	6	2	5	7	9	3	1
9	2	1	6	8	3	5	4	7
7	5	3	9	4	1	8	6	2

Hard 288

8	4	7	2	1	5	3	6	9
2	1	6	7	3	9	8	4	5
5	3	9	6	8	4	7	1	2
7	5	1	3	9	2	6	8	4
9	6	8	5	4	1	2	7	3
3	2	4	8	6	7	5	9	1
6	9	2	4	7	3	1	5	8
1	8	3	9	5	6	4	2	7
4	7	5	1	2	8	9	3	6

Hard 289								
8	3	4	6	5	9	1	7	2
9	5	7	1	8	2	4	3	6
6	2	1	4	7	3	8	9	5
3	1	6	9	2	4	7	5	8
2	9	5	8	3	7	6	1	4
4	7	8	5	6	1	9	2	3
7	8	2	3	9	6	5	4	1
1	6	9	2	4	5	3	8	7
5	4	3	7	1	8	2	6	9

Hard 290								
3	2	1	9	8	7	6	5	4
4	9	7	6	5	2	1	8	3
8	6	5	4	3	1	9	2	7
7	1	3	2	9	5	4	6	8
6	5	8	3	1	4	2	7	9
2	4	9	8	7	6	5	3	1
5	8	4	7	2	9	3	1	6
1	7	6	5	4	3	8	9	2
9	3	2	1	6	8	7	4	5

Hard 291								
4	8	2	6	3	1	7	9	5
1	9	7	2	5	8	4	3	6
6	5	3	9	7	4	2	8	1
3	1	8	4	9	6	5	7	2
9	6	5	1	2	7	3	4	8
7	2	4	3	8	5	1	6	9
8	4	6	7	1	2	9	5	3
2	7	9	5	6	3	8	1	4
5	3	1	8	4	9	6	2	7

Hard 292								
3	1	2	9	8	7	6	5	4
5	8	7	4	2	6	9	3	1
9	6	4	5	3	1	7	2	8
8	2	1	3	6	9	5	4	7
4	5	6	1	7	2	8	9	3
7	9	3	8	4	5	2	1	6
1	7	8	2	5	4	3	6	9
6	4	5	7	9	3	1	8	2
2	3	9	6	1	8	4	7	5

Hard 293								
3	8	7	4	9	6	5	1	2
5	4	6	1	2	8	7	9	3
9	2	1	5	3	7	8	6	4
2	1	4	7	6	3	9	5	8
8	3	9	2	5	1	6	4	7
7	6	5	8	4	9	2	3	1
4	7	3	9	8	5	1	2	6
6	9	8	3	1	2	4	7	5
1	5	2	6	7	4	3	8	9

Hard 294								
4	9	1	6	5	3	7	8	2
8	5	6	7	2	9	1	3	4
2	3	7	8	4	1	9	6	5
5	8	3	4	1	6	2	7	9
7	4	2	9	3	5	8	1	6
1	6	9	2	8	7	5	4	3
3	7	8	5	6	2	4	9	1
9	1	5	3	7	4	6	2	8
6	2	4	1	9	8	3	5	7

Hard 295								
4	2	6	5	9	7	3	8	1
1	8	5	4	2	3	6	9	7
3	9	7	8	1	6	5	4	2
2	5	1	6	8	9	7	3	4
6	3	4	1	7	5	9	2	8
9	7	8	2	3	4	1	6	5
5	1	2	9	6	8	4	7	3
7	4	9	3	5	2	8	1	6
8	6	3	7	4	1	2	5	9

Hard 296								
5	3	9	1	6	7	4	2	8
2	7	6	4	8	3	1	5	9
1	4	8	2	9	5	3	7	6
8	1	3	7	2	9	5	6	4
9	6	5	8	1	4	2	3	7
7	2	4	3	5	6	9	8	1
3	8	2	9	7	1	6	4	5
6	9	7	5	4	2	8	1	3
4	5	1	6	3	8	7	9	2

Hard 297								
1	6	5	2	3	4	9	7	8
2	7	3	9	5	8	4	1	6
9	4	8	1	6	7	5	3	2
6	2	1	5	7	3	8	4	9
5	9	7	8	4	2	1	6	3
8	3	4	6	9	1	2	5	7
3	8	9	7	1	5	6	2	4
4	1	2	3	8	6	7	9	5
7	5	6	4	2	9	3	8	1

Hard 298								
1	7	6	4	3	5	8	9	2
5	4	8	6	2	9	1	7	3
9	2	3	8	1	7	5	6	4
3	1	2	7	5	8	9	4	6
7	5	9	3	6	4	2	8	1
8	6	4	1	9	2	7	3	5
4	9	1	2	7	3	6	5	8
2	8	7	5	4	6	3	1	9
6	3	5	9	8	1	4	2	7

Hard 299								
6	7	2	3	4	1	8	9	5
9	8	4	2	7	5	6	1	3
5	3	1	9	6	8	2	4	7
3	4	7	8	1	9	5	6	2
2	9	6	4	5	7	3	8	1
1	5	8	6	2	3	9	7	4
7	1	9	5	3	6	4	2	8
8	2	5	7	9	4	1	3	6
4	6	3	1	8	2	7	5	9

Hard 300								
9	1	6	3	8	4	5	7	2
2	8	4	9	5	7	6	1	3
7	5	3	1	2	6	9	8	4
1	4	9	2	3	8	7	5	6
6	7	5	4	9	1	3	2	8
8	3	2	6	7	5	1	4	9
5	9	8	7	4	3	2	6	1
3	6	7	8	1	2	4	9	5
4	2	1	5	6	9	8	3	7

Hard 301								
4	8	2	7	9	6	3	1	5
5	3	9	1	2	8	4	6	7
1	6	7	3	4	5	2	9	8
2	4	8	9	5	7	6	3	1
3	7	6	4	1	2	5	8	9
9	5	1	8	6	3	7	4	2
7	9	3	5	8	4	1	2	6
6	1	4	2	7	9	8	5	3
8	2	5	6	3	1	9	7	4

Hard 302								
7	8	9	3	5	6	4	1	2
1	5	4	2	9	7	3	6	8
6	2	3	1	8	4	9	7	5
4	1	5	8	7	2	6	9	3
8	3	7	5	6	9	1	2	4
2	9	6	4	3	1	5	8	7
9	4	2	7	1	5	8	3	6
3	7	1	6	4	8	2	5	9
5	6	8	9	2	3	7	4	1

Hard 303								
8	7	3	1	6	4	2	5	9
6	9	1	7	2	5	4	8	3
5	4	2	8	3	9	6	7	1
3	5	4	2	7	8	9	1	6
1	2	7	6	9	3	5	4	8
9	8	6	4	5	1	3	2	7
7	3	9	5	1	2	8	6	4
2	1	8	3	4	6	7	9	5
4	6	5	9	8	7	1	3	2

Hard 304								
8	2	3	1	5	4	6	7	9
5	6	4	9	3	7	1	8	2
7	9	1	2	8	6	5	3	4
9	4	7	6	1	3	2	5	8
1	3	5	8	9	2	4	6	7
2	8	6	7	4	5	3	9	1
6	1	2	3	7	8	9	4	5
4	7	9	5	6	1	8	2	3
3	5	8	4	2	9	7	1	6

Hard 305								
3	1	2	9	6	8	5	4	7
6	8	4	2	7	5	3	1	9
7	9	5	4	1	3	2	8	6
9	5	7	8	4	1	6	2	3
4	6	1	3	2	7	9	5	8
8	2	3	6	5	9	4	7	1
5	3	8	7	9	4	1	6	2
1	7	6	5	3	2	8	9	4
2	4	9	1	8	6	7	3	5

Hard 306								
5	1	6	9	2	7	3	8	4
4	9	8	3	6	1	2	5	7
2	7	3	5	4	8	1	6	9
7	4	5	2	3	6	9	1	8
6	3	2	1	8	9	4	7	5
1	8	9	4	7	5	6	3	2
8	6	4	7	9	3	5	2	1
9	5	7	6	1	2	8	4	3
3	2	1	8	5	4	7	9	6

Hard 307								
4	6	1	3	9	5	2	7	8
3	9	7	6	2	8	4	1	5
2	5	8	4	1	7	9	3	6
8	7	2	5	3	4	6	9	1
6	4	3	9	7	1	8	5	2
9	1	5	8	6	2	3	4	7
1	2	4	7	8	9	5	6	3
7	3	9	2	5	6	1	8	4
5	8	6	1	4	3	7	2	9

Hard 308								
5	4	7	1	3	6	8	2	9
6	2	9	8	7	4	3	1	5
3	1	8	9	5	2	7	4	6
7	8	6	5	1	9	2	3	4
1	5	2	7	4	3	9	6	8
4	9	3	2	6	8	5	7	1
2	7	5	4	8	1	6	9	3
8	3	4	6	9	7	1	5	2
9	6	1	3	2	5	4	8	7

Hard 309								
5	3	4	1	7	2	8	9	6
8	1	6	9	4	3	5	7	2
9	2	7	8	5	6	4	1	3
6	5	3	4	9	1	2	8	7
1	4	2	3	8	7	9	6	5
7	9	8	2	6	5	1	3	4
2	7	9	6	1	4	3	5	8
4	6	1	5	3	8	7	2	9
3	8	5	7	2	9	6	4	1

Hard 310								
8	7	1	6	5	9	2	3	4
3	4	6	1	2	8	7	5	9
9	2	5	7	4	3	6	8	1
6	3	2	4	9	1	5	7	8
4	5	7	2	8	6	9	1	3
1	9	8	3	7	5	4	2	6
7	8	9	5	1	4	3	6	2
5	6	4	8	3	2	1	9	7
2	1	3	9	6	7	8	4	5

Hard 311								
9	5	6	1	8	2	4	7	3
4	2	7	5	9	3	1	8	6
8	1	3	6	4	7	2	9	5
3	9	2	4	6	5	7	1	8
1	7	8	2	3	9	6	5	4
5	6	4	7	1	8	9	3	2
6	4	9	8	5	1	3	2	7
7	3	5	9	2	4	8	6	1
2	8	1	3	7	6	5	4	9

Hard 312								
2	8	3	7	4	1	5	9	6
1	5	6	9	3	8	4	7	2
4	7	9	6	2	5	8	3	1
7	1	8	3	6	9	2	5	4
9	2	4	5	1	7	6	8	3
6	3	5	4	8	2	7	1	9
8	6	7	2	9	3	1	4	5
5	9	2	1	7	4	3	6	8
3	4	1	8	5	6	9	2	7

Hard 313

4	8	9	5	7	6	3	1	2
5	7	2	1	9	3	8	4	6
6	3	1	4	8	2	7	9	5
8	2	5	9	3	4	1	6	7
3	6	4	2	1	7	5	8	9
9	1	7	8	6	5	4	2	3
7	9	6	3	4	1	2	5	8
2	4	3	6	5	8	9	7	1
1	5	8	7	2	9	6	3	4

Hard 314

9	4	5	1	3	6	7	2	8
8	6	3	9	2	7	5	1	4
2	1	7	5	4	8	3	9	6
7	9	8	6	1	5	2	4	3
3	5	6	2	8	4	1	7	9
4	2	1	7	9	3	8	6	5
5	7	9	8	6	2	4	3	1
6	8	4	3	7	1	9	5	2
1	3	2	4	5	9	6	8	7

Hard 315

2	6	7	5	3	1	4	9	8
5	8	1	4	9	2	7	6	3
3	4	9	6	8	7	1	5	2
1	9	5	7	6	8	2	3	4
6	3	8	2	5	4	9	1	7
4	7	2	9	1	3	5	8	6
9	1	4	8	2	6	3	7	5
7	5	6	3	4	9	8	2	1
8	2	3	1	7	5	6	4	9

Hard 316

6	7	1	8	4	2	3	9	5
4	3	2	6	9	5	7	1	8
9	8	5	7	3	1	6	4	2
8	4	3	2	6	9	1	5	7
5	6	7	1	8	3	4	2	9
1	2	9	4	5	7	8	3	6
3	1	8	9	2	6	5	7	4
2	5	4	3	7	8	9	6	1
7	9	6	5	1	4	2	8	3

Hard 317

1	2	7	5	9	6	4	3	8
5	6	3	4	7	8	1	9	2
9	8	4	3	2	1	5	7	6
3	5	8	6	1	9	2	4	7
4	1	9	7	5	2	8	6	3
2	7	6	8	4	3	9	5	1
6	3	2	9	8	5	7	1	4
7	9	1	2	6	4	3	8	5
8	4	5	1	3	7	6	2	9

Hard 318

7	4	3	2	6	5	8	9	1
2	6	8	1	4	9	5	3	7
5	1	9	7	3	8	6	4	2
3	9	6	4	7	2	1	5	8
4	2	5	3	8	1	9	7	6
1	8	7	9	5	6	3	2	4
8	3	1	5	2	4	7	6	9
9	5	4	6	1	7	2	8	3
6	7	2	8	9	3	4	1	5

Hard 319

9	3	1	8	4	6	2	7	5
8	5	2	1	9	7	3	6	4
6	4	7	3	2	5	1	9	8
2	1	3	6	5	4	7	8	9
5	9	8	7	3	1	6	4	2
7	6	4	2	8	9	5	3	1
3	8	5	4	7	2	9	1	6
1	7	9	5	6	8	4	2	3
4	2	6	9	1	3	8	5	7

Hard 320

9	5	3	2	8	1	4	7	6
4	2	6	7	3	9	1	8	5
7	1	8	6	4	5	2	3	9
1	9	4	8	5	7	3	6	2
8	3	5	4	2	6	9	1	7
6	7	2	9	1	3	8	5	4
3	6	1	5	9	2	7	4	8
2	8	7	3	6	4	5	9	1
5	4	9	1	7	8	6	2	3

Hard 321

1	2	7	8	6	4	5	9	3
9	6	5	3	1	2	4	7	8
4	8	3	9	5	7	1	6	2
3	4	2	5	7	9	6	8	1
5	1	6	2	4	8	7	3	9
8	7	9	6	3	1	2	5	4
7	9	8	1	2	6	3	4	5
2	5	4	7	8	3	9	1	6
6	3	1	4	9	5	8	2	7

Hard 322

4	1	8	9	3	6	2	7	5
6	2	3	5	1	7	9	8	4
9	7	5	8	2	4	6	1	3
3	8	6	1	7	5	4	2	9
1	5	2	4	9	8	3	6	7
7	9	4	3	6	2	8	5	1
5	6	1	2	4	9	7	3	8
8	4	7	6	5	3	1	9	2
2	3	9	7	8	1	5	4	6

Hard 323

2	5	7	3	9	1	6	8	4
1	6	8	2	7	4	9	3	5
4	3	9	5	8	6	2	1	7
7	9	3	4	6	5	8	2	1
5	4	1	8	2	3	7	9	6
6	8	2	7	1	9	5	4	3
3	2	4	9	5	7	1	6	8
9	7	6	1	4	8	3	5	2
8	1	5	6	3	2	4	7	9

Hard 324

9	3	8	1	2	5	7	6	4
4	6	5	3	7	9	2	1	8
7	1	2	4	8	6	3	9	5
1	2	4	9	6	8	5	3	7
5	7	9	2	4	3	1	8	6
6	8	3	5	1	7	4	2	9
2	9	1	8	5	4	6	7	3
3	4	7	6	9	2	8	5	1
8	5	6	7	3	1	9	4	2

Hard 325

6	4	8	3	5	7	9	2	1
1	5	2	4	8	9	6	7	3
3	9	7	6	1	2	4	8	5
9	8	5	2	3	6	7	1	4
4	2	1	7	9	8	5	3	6
7	3	6	1	4	5	2	9	8
5	6	3	9	2	1	8	4	7
8	1	9	5	7	4	3	6	2
2	7	4	8	6	3	1	5	9

Hard 326

4	7	2	8	9	1	6	3	5
5	8	3	7	6	4	9	1	2
1	9	6	2	5	3	7	4	8
8	2	4	5	3	9	1	6	7
6	3	7	1	2	8	5	9	4
9	1	5	4	7	6	8	2	3
3	4	1	6	8	5	2	7	9
2	6	8	9	4	7	3	5	1
7	5	9	3	1	2	4	8	6

Hard 327

8	1	7	3	6	2	5	9	4
9	2	5	4	7	8	6	3	1
4	3	6	9	5	1	8	2	7
5	4	8	6	2	7	3	1	9
1	6	9	5	3	4	7	8	2
3	7	2	8	1	9	4	5	6
7	5	3	2	9	6	1	4	8
6	9	4	1	8	3	2	7	5
2	8	1	7	4	5	9	6	3

Hard 328

1	9	7	6	5	2	8	3	4
6	8	4	7	3	1	9	2	5
3	2	5	4	8	9	6	7	1
4	3	9	1	2	8	7	5	6
5	7	1	9	6	4	2	8	3
2	6	8	3	7	5	4	1	9
7	1	6	8	4	3	5	9	2
8	5	3	2	9	6	1	4	7
9	4	2	5	1	7	3	6	8

Hard 329

9	6	1	7	2	8	3	5	4
2	4	7	3	5	1	6	9	8
5	8	3	6	4	9	2	7	1
1	9	2	5	3	7	8	4	6
4	7	5	8	1	6	9	3	2
6	3	8	4	9	2	7	1	5
3	2	6	1	7	5	4	8	9
7	1	9	2	8	4	5	6	3
8	5	4	9	6	3	1	2	7

Hard 330

8	4	1	2	6	3	7	5	9
3	6	9	5	7	4	1	8	2
7	2	5	1	8	9	3	4	6
1	5	2	9	3	6	8	7	4
6	8	7	4	5	2	9	1	3
4	9	3	7	1	8	2	6	5
5	3	8	6	9	1	4	2	7
2	1	6	3	4	7	5	9	8
9	7	4	8	2	5	6	3	1

I hope you enjoyed this book!

Visit us at Funster.com to discover more books that will exercise your brain while you have fun. It's a relaxing way to spend some quality time!

Sincerely,

Charles Timmerman

Charles Timmerman

Email me: games@funster.com

PS- Here are your quick links for this book:

Your free bonus puzzles:

funster.com/bonus8

Go to the Amazon.com review page for this book:

funster.com/review8

(Add a brief review now. Thanks, it will really help us!)